Friedrich Nietzsche
Die fröhliche Wissenschaft

Friedrich Nietzsche

Die fröhliche Wissenschaft

(»La gaya scienza«)

Anaconda

Der Text folgt der Ausgabe *Werke in drei Bänden*. Hrsg. von
Karl Schlechta. Band II. München: Hanser 1955.

Die Deutsche Nationalbibliothek verzeichnet diese Publikation in
der Deutschen Nationalbibliographie; detaillierte bibliographische
Daten sind im Internet unter http://dnb.d-nb.de abrufbar.

© 2009 Anaconda Verlag GmbH, Köln
Alle Rechte vorbehalten.
Umschlagmotiv: Caspar David Friedrich (1774–1840),
»The Wanderer above the Sea of Fog« (1818),
Hamburger Kunsthalle, Hamburg / bridgemanart.com
Umschlaggestaltung: Bluguy Grafik-Design, München
Satz und Layout: GEM mbH, Ratingen
Printed in Czech Republic 2009
ISBN 978-3-86647-368-3
www.anacondaverlag.de
info@anaconda-verlag.de

Ich wohne in meinem eignen Haus,
Hab niemandem nie nichts nachgemacht
Und – lachte noch jeden Meister aus,
Der nicht sich selber ausgelacht.
Über meiner Haustür

Vorrede zur zweiten Ausgabe

1

Diesem Buche tut vielleicht nicht nur *eine* Vorrede not; und zuletzt bliebe immer noch der Zweifel bestehn, ob jemand, ohne etwas Ähnliches erlebt zu haben, dem *Erlebnisse* dieses Buches durch Vorreden nähergebracht werden kann. Es scheint in der Sprache des Tauwinds geschrieben: es ist Übermut, Unruhe, Widerspruch, Aprilwetter darin, so daß man beständig ebenso an die Nähe des Winters als an den *Sieg* über den Winter gemahnt wird, der kommt, kommen muß, vielleicht schon gekommen ist ... Die Dankbarkeit strömt fortwährend aus, als ob eben das Unerwartetste geschehn sei, die Dankbarkeit eines Genesenden – denn die *Genesung* war dieses Unerwartetste. »Fröhliche Wissenschaft«: das bedeutet die Saturnalien eines Geistes, der einem furchtbaren langen Drucke geduldig widerstanden hat – geduldig, streng, kalt, ohne sich zu unterwerfen, aber ohne Hoffnung – und der jetzt mit einem Male von der Hoffnung angefallen wird, von der Hoffnung auf Gesundheit, von der *Trunkenheit* der Genesung. Was Wunders, daß dabei viel Unvernünftiges und Närrisches ans Licht kommt, viel mutwillige Zärtlichkeit, selbst auf Probleme verschwendet, die ein stachlichtes Fell haben und nicht danach angetan sind, geliebkost und gelockt zu werden. Dies ganze Buch ist eben nichts als eine Lustbarkeit nach langer Entbehrung und Ohnmacht, das Frohlocken der wiederkehrenden Kraft, des neu erwachten Glaubens an ein Morgen und Übermorgen, des plötzlichen Gefühls und Vorgefühls von Zukunft, von nahen Abenteuern, von wieder offnen Meeren, von wieder erlaubten, wieder geglaubten Zielen. Und was lag nunmehr alles hinter mir! Dieses Stück Wüste, Erschöpfung, Unglaube, Vereisung mitten in der Jugend, dieses eingeschaltete Greisentum an unrechter Stelle, diese Tyrannei des Schmerzes überboten noch durch die Tyrannei des Stolzes, der die *Folgerungen* des Schmerzes ablehnte – und Folgerungen sind Tröstungen –, diese radikale Vereinsamung als Notwehr gegen eine krankhaft hellseherisch gewordene Menschenverachtung, diese grundsätzliche Einschränkung auf das Bittere, Herbe, Wehtuende der Erkenntnis, wie sie der *Ekel* verordnete, der aus einer unvorsichtigen geistigen Diät und Verwöhnung – man heißt sie Romantik – allmählich gewachsen war –, oh wer mir das alles nachfühlen könnte! Wer es aber könnte, würde mir sicher noch mehr zugute halten als etwas Torheit, Ausgelassenheit, »fröhliche Wissenschaft« – zum Beispiel die Handvoll Lieder, welche dem Buche diesmal beigegeben sind – Lieder, in denen sich ein Dichter auf eine schwer verzeihliche Weise über alle Dichter lustig macht. – Ach, es sind nicht nur die Dichter und ihre schönen »lyrischen Gefühle«, an denen dieser Wieder-Erstandene seine Bosheit auslassen muß: wer weiß, was für ein Opfer er sich sucht, was für ein Untier von parodischem Stoff ihn in Kürze reizen wird? »*Incipit tragoedia*« – heißt es am Schlusse dieses bedenklich-unbedenklichen Buchs: man sei auf seiner Hut! Irgend etwas ausbündig Schlimmes und Boshaftes kündigt sich an: *incipit parodia*, es ist kein Zweifel ...

2

– Aber lassen wir Herrn Nietzsche: was geht es uns an, daß Herr Nietzsche wieder gesund wurde? ... Ein Psychologe kennt wenig so anziehende Fragen, wie die nach dem Verhältnis von Gesundheit und Philosophie, und für den Fall, daß er selber krank wird, bringt er seine ganze wissenschaftliche Neugierde mit in seine Krankheit. Man hat nämlich, vorausgesetzt, daß man eine Person ist, notwendig auch die Philosophie seiner Person: doch gibt es da einen erheblichen Unterschied. Bei dem einen sind es seine Mängel, welche philosophieren, bei dem andern seine Reichtümer und Kräfte.

Ersterer hat seine Philosophie *nötig*, sei es als Halt, Beruhigung, Arznei, Erlösung, Erhebung, Selbstentfremdung; bei letzterem ist sie nur ein schöner Luxus, im besten Falle die Wollust einer triumphierenden Dankbarkeit, welche sich zuletzt noch in kosmischen Majuskeln an den Himmel der Begriffe schreiben muß. Im andren, gewöhnlicheren Falle aber, wenn die Notstände Philosophie treiben, wie bei allen kranken Denkern – und vielleicht überwiegen die kranken Denker in der Geschichte der Philosophie –: was wird aus dem Gedanken selbst werden, der unter den *Druck* der Krankheit gebracht wird? Dies ist die Frage, die den Psychologen angeht: und hier ist das Experiment möglich. Nicht anders als es ein Reisender macht, der sich vorsetzt, zu einer bestimmten Stunde aufzuwachen, und sich dann ruhig dem Schlafe überläßt: so ergeben wir Philosophen, gesetzt daß wir krank werden, uns zeitweilig mit Leib und Seele der Krankheit – wir machen gleichsam vor uns die Augen zu. Und wie jener weiß, daß irgend etwas *nicht* schläft, irgend etwas die Stunden abzählt und ihn aufwecken wird, so wissen auch wir, daß der entscheidende Augenblick uns wach finden wird – daß dann etwas hervorspringt, und den Geist *auf der Tat* ertappt, ich meine auf der Schwäche oder Umkehr oder Ergebung oder Verhärtung oder Verdüsterung und wie alle die krankhaften Zustände des Geistes heißen, welche in gesunden Tagen den *Stolz* des Geistes wider sich haben (denn es bleibt bei dem alten Reime: »der stolze Geist, der Pfau, das Pferd sind die drei stölzesten Tier auf der Erd«). Man lernt nach einer derartigen Selbst-Befragung, Selbst-Versuchung, mit einem feineren Auge nach allem, was überhaupt bisher philosophiert worden ist, hinsehn; man errät besser als vorher die unwillkürlichen Abwege, Seitengassen, Ruhestellen, *Sonnenstellen* des Gedankens, auf die leidende Denker gerade als Leidende geführt und verführt werden, man weiß nunmehr, wohin unbewußt der kranke *Leib* und sein Bedürfnis den Geist drängt, stößt, lockt – nach Sonne, Stille, Milde, Geduld, Arznei, Labsal in irgendeinem Sinne. Jede Philosophie, welche den Frieden höher stellt als den Krieg, jede Ethik mit einer negativen Fassung des Begriffs Glück, jede Metaphysik und Physik, welche ein Finale kennt, einen Endzustand irgendwelcher Art, jedes vorwiegend ästhetische oder religiöse Verlangen nach einem Abseits, Jenseits, Außerhalb, Oberhalb erlaubt zu fragen, ob nicht die Krankheit das gewesen ist, was den Philosophen inspiriert hat. Die unbewußte Verkleidung physiologischer Bedürfnisse unter die Mäntel des Objektiven Ideellen, Rein-Geistigen geht bis zum Erschrekken weit – und oft genug habe ich mich gefragt, ob nicht, im großen gerechnet, Philosophie bisher überhaupt nur eine Auslegung des Leibes und ein *Mißverständnis des Leibes* gewesen ist. Hinter den höchsten Werturteilen, von denen bisher die Geschichte des Gedankens geleitet wurde, liegen Mißverständnisse der leiblichen Beschaffenheit verborgen, sei es von einzelnen, sei es von Ständen oder ganzen Rassen. Man darf alle jene kühnen Tollheiten der Metaphysik, sonderlich deren Antworten auf die Frage nach dem *Wert* des Daseins, zunächst immer als Symptome bestimmter Leiber ansehn; und wenn derartigen Welt-Bejahungen oder Welt-Verneinungen in Bausch und Bogen, wissenschaftlich gemessen, nicht ein Korn von Bedeutung innewohnt, so geben sie doch dem Historiker und Psychologen um so wertvollere Winke, als Symptome, wie gesagt, des Leibes, seines Geratens und Mißratens, seiner Fülle, Mächtigkeit, Selbstherrlichkeit in der Geschichte, oder aber seiner Hemmungen, Ermüdungen, Verarmungen, seines Vorgefühls vom Ende, seines Willens zum Ende. Ich erwarte immer noch, daß ein philosophischer *Arzt* im ausnahmsweisen Sinne des Wortes – ein solcher, der dem Problem der Gesamt-Gesundheit von Volk, Zeit, Rasse, Menschheit nachzugehn hat – einmal den Mut haben wird, meinen Verdacht auf die Spitze zu bringen und den Satz zu wagen: bei allem Philosophieren handelte es sich bisher gar nicht um »Wahrheit«, sondern um etwas anderes, sagen wir um Gesundheit, Zukunft, Wachstum, Macht, Leben …

– Man errät, daß ich nicht mit Undankbarkeit von jener Zeit schweren Siechtums Abschied nehmen möchte, deren Gewinn auch heute noch nicht für mich ausgeschöpft ist: so wie ich mir gut genug bewußt bin, was ich überhaupt in meiner wechselreichen Gesundheit vor allen Vierschrötigen des Geistes voraushabe. Ein Philosoph, der den Gang durch viele Gesundheiten gemacht hat und immer wieder macht, ist auch durch ebenso viele Philosophien hindurchgegangen: er *kann* eben nicht anders, als seinen Zustand jedesmal in die geistigste Form und Ferne umzusetzen – diese Kunst der Transfiguration *ist* eben Philosophie. Es steht uns Philosophen nicht frei, zwischen Seele und Leib zu trennen, wie das Volk trennt, es steht uns noch weniger frei, zwischen Seele und Geist zu trennen. Wir sind keine denkenden Frösche, keine Objektivier- und Registrier-Apparate mit kaltgestellten Eingeweiden – wir müssen beständig unsre Gedanken aus unsrem Schmerz gebären und mütterlich ihnen alles mitgeben, was wir von Blut, Herz, Feuer, Lust, Leidenschaft, Qual, Gewissen, Schicksal, Verhängnis in uns haben. Leben – das heißt für uns alles, was wir sind, beständig in Licht und Flamme verwandeln; auch alles, was uns trifft, wir *können* gar nicht anders. Und was die Krankheit angeht: würden wir nicht fast zu fragen versucht sein, ob sie uns überhaupt entbehrlich ist? Erst der große Schmerz ist der letzte Befreier des Geistes, als der Lehrmeister des *großen Verdachtes*, der aus jedem U ein X macht, ein echtes rechtes X, das heißt den vorletzten Buchstaben vor dem letzten ... Erst der große Schmerz, jener lange langsame Schmerz, der sich Zeit nimmt, in dem wir gleichsam wie mit grünem Holze verbrannt werden, zwingt uns Philosophen, in unsre letzte Tiefe zu steigen und alles Vertrauen, alles Gutmütige, Verschleiernde, Milde, Mittlere, wohinein wir vielleicht vordem unsre Menschlichkeit gesetzt haben, von uns zu tun. Ich zweifle, ob ein solcher Schmerz

»verbessert« –; aber ich weiß, daß er uns *vertieft*. Sei es nun, daß wir ihm unsern Stolz, unsern Hohn, unsre Willenskraft entgegenstellen lernen und es dem Indianer gleichtun, der, wie schlimm auch gepeinigt, sich an seinem Peiniger durch die Bosheit seiner Zunge schadlos hält; sei es, daß wir uns vor dem Schmerz in jenes orientalische Nichts zurückziehen – man heißt es Nirwana –, in das stumme, starre, taube Sich-Ergeben, Sich-Vergessen, Sich-Auslöschen: man kommt aus solchen langen gefährlichen Übungen der Herrschaft über sich als ein andrer Mensch heraus, mit einigen Fragezeichen mehr, vor allem mit dem *Willen*, fürderhin mehr, tiefer, strenger, härter, böser, stiller zu fragen, als man bis dahin gefragt hatte. Das Vertrauen zum Leben ist dahin: das Leben selbst wurde zum *Problem*. – Möge man ja nicht glauben, daß einer damit notwendig zum Düsterling geworden sei! Selbst die Liebe zum Leben ist noch möglich – nur liebt man anders. Es ist die Liebe zu einem Weibe, das uns Zweifel macht … Der Reiz alles Problematischen, die Freude am X ist aber bei solchen geistigeren, vergeistigteren Menschen zu groß, als daß diese Freude nicht immer wieder wie eine helle Glut über alle Not des Problematischen, über alle Gefahr der Unsicherheit, selbst über die Eifersucht des Liebenden zusammenschlüge. Wir kennen ein neues Glück …

4

Zuletzt, daß das Wesentlichste nicht ungesagt bleibe: man kommt aus solchen Abgründen, aus solchem schweren Siechtum, auch aus dem Siechtum des schweren Verdachts, *neugeboren* zurück, gehäutet, kitzliger, boshafter, mit einem feineren Geschmacke für die Freude, mit einer zarteren Zunge für alle guten Dinge, mit lustigeren Sinnen, mit einer zweiten gefährlicheren Unschuld in der Freude, kindlicher zugleich und hundertmal raffinierter, als man jemals vorher gewesen war.

Oh wie einem nunmehr der Genuß zuwider ist, der grobe, dumpfe, braune Genuß, wie ihn sonst die Genießenden, unsre »Gebildeten«, unsre Reichen und Regierenden verstehn! Wie boshaft wir nunmehr dem großen Jahrmarkts-Bumbum zuhören, mit dem sich der »gebildete Mensch« und Großstädter heute durch Kunst, Buch und Musik zu »geistigen Genüssen«, unter Mithilfe geistiger Getränke, notzüchtigen läßt! Wie uns jetzt der Theater-Schrei der Leidenschaft in den Ohren wehtut, wie unsrem Geschmacke der ganze romantische Aufruhr und Sinnen-Wirrwarr, den der gebildete Pöbel liebt, samt seinen Aspirationen nach dem Erhabenen, Gehobenen, Verschrobenen fremd geworden ist! Nein, wenn wir Genesenden überhaupt eine Kunst noch brauchen, so ist es eine *andre* Kunst – eine spöttische, leichte, flüchtige, göttlich unbehelligte, göttlich künstliche Kunst, welche wie eine helle Flamme in einen unbewölkten Himmel hineinlodert! Vor allem: eine Kunst für Künstler, nur für Künstler! Wir verstehn uns hinterdrein besser auf das, was *dazu* zuerst nottut, die Heiterkeit, *jede* Heiterkeit, meine Freunde! auch als Künstler –: ich möchte es beweisen. Wir wissen einiges jetzt zu gut, wir Wissenden: oh wie wir nunmehr lernen, gut zu vergessen, gut *nicht*-zu-wissen, als Künstler! Und was unsre Zukunft betrifft: man wird uns schwerlich wieder auf den Pfaden jener ägyptischen Jünglinge finden, welche nachts Tempel unsicher machen, Bildsäulen umarmen und durchaus alles, was mit guten Gründen verdeckt gehalten wird, entschleiern, aufdecken, in helles Licht stellen wollen. Nein, dieser schlechte Geschmack, dieser Wille zur Wahrheit, zur »Wahrheit um jeden Preis«, dieser Jünglings-Wahnsinn in der Liebe zur Wahrheit – ist uns verleidet: dazu sind wir zu erfahren, zu ernst, zu lustig, zu gebrannt, zu tief … Wir glauben nicht mehr daran, daß Wahrheit noch Wahrheit bleibt, wenn man ihr die Schleier abzieht; wir haben genug gelebt, um dies zu glauben. Heute gilt es uns als eine Sache der Schicklichkeit, daß man nicht alles nackt sehn, nicht bei allem dabei sein, nicht alles verstehn und »wissen« wolle. »Ist es wahr, daß der liebe Gott überall zugegen ist?« fragte ein kleines Mädchen seine Mutter: »aber ich finde das unanständig« – ein Wink für Philosophen! Man sollte die *Scham* besser in Ehren halten, mit der sich die Natur hinter Rätsel und bunte Ungewißheiten versteckt hat. Vielleicht ist die Wahrheit ein Weib, das Gründe hat, ihre Gründe nicht sehen zu lassen? Vielleicht ist ihr Name, griechisch zu reden, Baubo? ... Oh diese Griechen! Sie verstanden sich darauf, zu *leben*: dazu tut not, tapfer bei der Oberfläche, der Falte, der Haut stehenzubleiben, den Schein anzubeten, an Formen, an Töne, an Worte, an den ganzen Olymp des Scheins zu glauben! Diese Griechen waren oberflächlich – *aus Tiefe*! Und kommen wir nicht eben darauf zurück, wir Wagehalse des Geistes, die wir die höchste und gefährlichste Spitze des gegenwärtigen Gedankens erklettert und uns von da aus umgesehn haben, die wir von da aus *hinabgesehn* haben? Sind wir nicht eben darin – Griechen? Anbeter der Formen, der Töne, der Worte? Eben darum – Künstler?

Ruta bei Genua,
im Herbst 1886

»SCHERZ, LIST UND RACHE«

Vorspiel in deutschen Reimen

1 Einladung

Wagts mit meiner Kost, ihr Esser!
Morgen schmeckt sie euch schon besser
Und schon übermorgen gut!
Wollt ihr dann noch mehr – so machen
Meine alten sieben Sachen
Mir zu sieben neuen Mut.

2 Mein Glück

Seit ich des Suchens müde ward,
Erlernte ich das Finden.
Seit mir ein Wind hielt Widerpart,
Segl ich mit allen Winden.

3 Unverzagt

Wo du stehst, grab tief hinein!
Drunten ist die Quelle!
Laß die dunklen Männer schrein:
»Stets ist drunten – Hölle!«

4 Zwiegespräch

A. War ich krank? Bin ich genesen?
Und wer ist mein Arzt gewesen?
Wie vergaß ich alles das!
B. Jetzt erst glaub ich dich genesen:
Denn gesund ist, wer vergaß.

5 An die Tugendsamen

Unseren Tugenden auch solln leicht die Füße sich heben:
Gleich den Versen Homers müssen sie kommen *und gehn*!

6 Welt-Klugheit

Bleib nicht auf ebnem Feld!
Steig nicht zu hoch hinaus!
Am schönsten sieht die Welt
Von halber Höhe aus.

7 Vademecum – Vadetecum

Es lockt dich meine Art und Sprach,
Du folgest mir, du gehst mir nach?
Geh nur dir selber treulich nach: –
So folgst du mir – gemach! gemach!

8 Bei der dritten Häutung

Schon krümmt und bricht sich mir die Haut,
Schon giert mit neuem Drange,
So viel sie Erde schon verdaut,
Nach Erd in mir die Schlange.
Schon kriech ich zwischen Stein und Gras
Hungrig auf krummer Fährte,
Zu essen das, was stets ich aß,
Dich, Schlangenkost, dich, Erde!

9 Meine Rosen

Ja! Mein Glück – es will beglücken –
Alles Glück will ja beglücken!
Wollt ihr meine Rosen pflücken?

Müßt euch bücken und verstecken
Zwischen Fels und Dornenhecken,
Oft die Fingerchen euch lecken!

Denn mein Glück – es liebt das Necken!
Denn mein Glück – es liebt die Tücken! –
Wollt ihr meine Rosen pflücken?

10 Der Verächter

Vieles laß ich falln und rollen,
Und ihr nennt mich drum Verächter.
Wer da trinkt aus allzuvollen
Bechern, läßt viel falln und rollen –,
Denkt vom Weine drum nicht schlechter.

11 Das Sprichwort spricht

Scharf und milde, grob und fein,
Vertraut und seltsam, schmutzig und rein,
Der Narren und Weisen Stelldichein:
Dies alles bin ich, will ich sein,
Taube zugleich, Schlange und Schwein!

12 An einen Lichtfreund

Willst du nicht Aug und Sinn ermatten,
Lauf auch der Sonne nach im Schatten!

13 Für Tänzer

Glattes Eis
Ein Paradeis
Für den, der gut zu tanzen weiß.

14 Der Brave

Lieber aus ganzem Holz eine Feindschaft
Als eine geleimte Freundschaft!

15 Rost

Auch Rost tut not: Scharfsein ist nicht genung!
Sonst sagt man stets von dir: »er ist zu jung!«

16 Aufwärts

»Wie komm ich am besten den Berg hinan?« –
Steig nur hinauf und denk nicht dran!

17 Spruch des Gewaltmenschen

Bitte nie! Laß dies Gewimmer!
Nimm, ich bitte dich, nimm immer!

18 Schmale Seelen

Schmale Seelen sind mir verhaßt:
Da steht nichts Gutes, nichts Böses fast.

19 Der unfreiwillige Verführer

Er schoß ein leeres Wort zum Zeitvertreib
Ins Blaue – und doch fiel darob ein Weib.

20 Zur Erwägung

Zwiefacher Schmerz ist leichter zu tragen
Als *ein* Schmerz: willst du darauf es wagen?

21 Gegen die Hoffart

Blas dich nicht auf: sonst bringet dich
Zum Platzen schon ein kleiner Stich.

22 Mann und Weib

»Raub dir das Weib, für das dein Herze fühlt!« –
So denkt der Mann; das Weib raubt nicht, es stiehlt.

23 Interpretation

Leg ich mich aus, so leg ich mich hinein:
Ich kann nicht selbst mein Interprete sein.
Doch wer nur steigt auf seiner eignen Bahn,
Trägt auch mein Bild zu hellerm Licht hinan.

24 Pessimisten-Arznei

Du klagst, daß nichts dir schmackhaft sei?
Noch immer, Freund, die alten Mucken?
Ich hör dich lästern, lärmen, spucken –
Geduld und Herz bricht mir dabei.
Folg mir, mein Freund! Entschließ dich frei,
Ein fettes Krötchen zu verschlucken,
Geschwind und ohne hinzugucken! –
Das hilft dir von der Dyspepsei!

25 Bitte

Ich kenne mancher Menschen Sinn
Und weiß nicht, wer ich selber bin!
Mein Auge ist mir viel zu nah –
Ich bin nicht, was ich seh und sah.
Ich wollte mir schon besser nützen,
Könnt ich mir selber ferner sitzen.

Zwar nicht so ferne wie mein Feind!
Zu fern sitzt schon der nächste Freund –
Doch zwischen dem und mir die Mitte!
Erratet ihr, um was ich bitte?

26 Meine Härte

Ich muß weg über hundert Stufen,
Ich muß empor und hör euch rufen:
»Hart bist du! sind wir denn von Stein?« –
Ich muß weg über hundert Stufen,
Und niemand möchte Stufe sein.

27 Der Wandrer

»Kein Pfad mehr! Abgrund rings und Totenstille!« –
So wolltest dus! Vom Pfade wich dein Wille!
Nun, Wandrer, gilts! Nun blicke kalt und klar!
Verloren bist du, glaubst du – an Gefahr.

28 Trost für Anfänger

Seht das Kind umgrunzt von Schweinen,
Hilflos, mit verkrümmten Zehn!
Weinen kann es, nichts als weinen –
Lernt es jemals stehn und gehn?
Unverzagt! Bald, sollt ich meinen,
Könnt das Kind ihr tanzen sehn!
Steht es erst auf beiden Beinen,
Wirds auch auf dem Kopfe stehn.

29 Sternen-Egoismus

Rollt ich mich rundes Rollefaß
Nicht um mich selbst ohn Unterlaß,
Wie hielt ichs aus, ohne anzubrennen,
Der heißen Sonne nachzurennen?

30 Der Nächste

Nah hab den Nächsten ich nicht gerne:
Fort mit ihm in die Höh und Ferne!
Wie würd er sonst zu meinem Sterne? –

31 Der verkappte Heilige

Daß dein Glück uns nicht bedrücke,
Legst du um dich Teufelstücke,
Teufelswitz und Teufelskleid.
Doch umsonst! Aus deinem Blicke
Blickt hervor die Heiligkeit!

32 Der Unfreie

A. Er steht und horcht: was konnt ihn irren?
Was hört er vor den Ohren schwirren?
Was wars, das ihn darniederschlug?
B. Wie jeder, der einst Ketten trug,
Hört überall er – Kettenklirren.

33 Der Einsame

Verhaßt ist mir das Folgen und das Führen.
Gehorchen? Nein! Und aber nein – Regieren!
Wer *sich* nicht schrecklich ist, macht niemand Schrecken:
Und nur wer Schrecken macht, kann andre führen.
Verhaßt ist mirs schon, selber mich zu führen!
Ich liebe es, gleich Wald- und Meerestieren,
Mich für ein gutes Weilchen zu verlieren,
In holder Irrnis grüblerisch zu hocken,
Von ferne her mich endlich heimzulocken,
Mich selber zu mir selber – zu verführen.

34 Seneca et hoc genus omne

Das schreibt und schreibt sein unaussteh-
lich weises Larifari,
Als gält es *primum scribere,*
Deinde philosophari.

35 Eis

Ja! Mitunter mach ich Eis:
Nützlich ist Eis zum Verdauen!
Hättet ihr viel zu verdauen,
Oh wie liebtet ihr mein Eis!

36 Jugendschriften

Meiner Weisheit A und O
Klang mir hier: was hört ich doch!
Jetzo klingt mirs nicht mehr so,
Nur das ewge Ah! und Oh!
Meiner Jugend hör ich noch.

37 Vorsicht

In jener Gegend reist man jetzt nicht gut;
Und hast du Geist, sei doppelt auf der Hut!
Man lockt und liebt dich, bis man dich zerreißt:
Schwarmgeister sinds −: da fehlt es stets an Geist!

38 Der Fromme spricht

Gott liebt uns, *weil* er uns erschuf! −
»Der Mensch schuf Gott!« − sagt drauf ihr Feinen.
Und soll nicht lieben, was er schuf?
Solls gar, *weil* er es schuf, verneinen?
Das hinkt, das trägt des Teufels Huf.

39 Im Sommer

Im Schweiße unsres Angesichts
Solln unser Brot wir essen?
Im Schweiße ißt man lieber nichts,
Nach weiser Ärzte Ermessen.
Der Hundsstern winkt: woran gebrichts?
Was will sein feurig Winken?
Im Schweiße unsres Angesichts
Solln unsren Wein wir trinken!

40 Ohne Neid

Ja, neidlos blickt er: und ihr ehrt ihn drum?
Er blickt sich nicht nach euren Ehren um;

Er hat des Adlers Auge für die Ferne,
Er sieht euch nicht! – er sieht nur Sterne, Sterne!

41 Heraklitismus

Alles Glück auf Erden,
Freunde, gibt der Kampf!
Ja, um Freund zu werden,
Braucht es Pulverdampf!

Eins in Drein sind Freunde:
Brüder vor der Not,
Gleiche vor dem Feinde,
Freie – vor dem Tod!

42 Grundsatz der Allzufeinen

Lieber auf den Zehen noch
Als auf allen Vieren!
Lieber durch ein Schlüsselloch
Als durch offne Türen!

43 Zuspruch

Auf Ruhm hast du den Sinn gericht?
Dann acht der Lehre:
Beizeiten leiste frei Verzicht
Auf Ehre!

44 Der Gründliche

Ein Forscher ich? Oh spart dies Wort! –
Ich bin nur *schwer* – so manche Pfund!
Ich falle, falle immerfort
Und endlich auf den Grund!

45 Für immer

»Heut komm ich, weil mirs heute frommt« –
Denkt jeder, der für immer kommt.

Was ficht ihn an der Welt Gered:
»Du kommst zu früh! Du kommst zu spät!«

46 Urteile der Müden

Der Sonne fluchen alle Matten;
Der Bäume Wert ist ihnen – Schatten!

47 Niedergang

»Er sinkt, er fällt jetzt« – höhnt ihr hin und wieder;
Die Wahrheit ist: er steigt zu euch hernieder!

Sein Überglück ward ihm zum Ungemach,
Sein Überlicht geht eurem Dunkel nach.

48 Gegen die Gesetze

Von heut an hängt an härner Schnur
Um meinen Hals die Stunden-Uhr;
Von heut an hört der Sterne Lauf,
Sonn, Hahnenschrei und Schatten auf,
Und was mir je die Zeit verkündt,
Das ist jetzt stumm und taub und blind: –
Es schweigt mir jegliche Natur
Beim Ticktack von Gesetz und Uhr.

49 Der Weise spricht

Dem Volke fremd und nützlich doch dem Volke,
Zieh ich des Weges, Sonne bald, bald Wolke –
Und immer über diesem Volke!

50 Den Kopf verloren

Sie hat jetzt Geist – wie kams, daß sie ihn fand?
Ein Mann verlor durch sie jüngst den Verstand.
Sein Kopf war reich vor diesem Zeitvertreibe:
Zum Teufel ging sein Kopf – nein! nein! zum Weibe!

51 Fromme Wünsche

»Mögen alle Schlüssel doch
Flugs verloren gehen,
Und in jedem Schlüsselloch
Sich der Dietrich drehen!«
Also denkt zu jeder Frist
Jeder, der – ein Dietrich ist.

52 Mit dem Fuße schreiben

Ich schreib nicht mit der Hand allein:
Der Fuß will stets mit Schreiber sein.
Fest, frei und tapfer läuft er mir
Bald durch das Feld, bald durchs Papier.

53 »Menschliches, Allzumenschliches.« Ein Buch

Schwermütig scheu, solang du rückwärts schaust,
Der Zukunft trauend, wo du selbst dir traust:
O Vogel, rechn ich dich den Adlern zu?
Bist du Minervas Liebling U-hu-hu?

54 Meinem Leser

Ein gut Gebiß und einen guten Magen –
Dies wünsch ich dir!
Und hast du erst mein Buch vertragen,
Verträgst du dich gewiß mit mir!

55 Der realistische Maler

»Treu die Natur und ganz!« – Wie fängt ers an:
Wann wäre je Natur im Bilde *abgetan*?
Unendlich ist das kleinste Stück der Welt! –
Er malt zuletzt davon, was ihm *gefällt*.
Und was gefällt ihm? Was er malen *kann*!

56 Dichter-Eitelkeit

Gebt mir Leim nur: denn zum Leime
Find ich selber mir schon Holz!
Sinn in vier unsinnge Reime
Legen – ist kein kleiner Stolz!

57 Wählerischer Geschmack

Wenn man frei mich wählen ließe,
Wählt ich gern ein Plätzchen mir
Mitten drin im Paradiese:
Gerner noch – vor seiner Tür!

58 Die krumme Nase

Die Nase schauet trutziglich
Ins Land, der Nüster blähet sich –
Drum fällst du, Nashorn ohne Horn,
Mein stolzes Menschlein, stets nach vorn!
Und stets beisammen findt sich das:
Gerader Stolz, gekrümmte Nas.

59 Die Feder kritzelt

Die Feder kritzelt: Hölle das!
Bin ich verdammt zum Kritzeln-Müssen? –
So greif ich kühn zum Tintenfaß
Und schreib mit dicken Tintenflüssen.
Wie läuft das hin, so voll, so breit!
Wie glückt mir alles, wie ichs treibe!
Zwar fehlt der Schrift die Deutlichkeit –
Was tuts? Wer liest denn, was ich schreibe?

60 Höhere Menschen

Der steigt empor – ihn soll man loben!
Doch jener kommt allzeit von oben!
Der lebt dem Lobe selbst enthoben,
Der *ist* von droben!

61 Der Skeptiker spricht

Halb ist dein Leben um,
Der Zeiger rückt, die Seele schaudert dir!
Lang schweift sie schon herum
Und sucht, und fand nicht – und sie zaudert hier?

Halb ist dein Leben um:
Schmerz wars und Irrtum, Stund um Stund dahier!
Was suchst du noch? *Warum*? – –
Dies eben such ich – Grund um Grund dafür!

62 Ecce homo

Ja! Ich weiß, woher ich stamme!
Ungesättigt gleich der Flamme
Glühe und verzehr ich mich.
Licht wird alles, was ich fasse,
Kohle alles, was ich lasse:
Flamme bin ich sicherlich.

63 Sternen-Moral

Vorausbestimmt zur Sternenbahn,
Was geht dich, Stern, das Dunkel an?

Roll selig hin durch diese Zeit!
Ihr Elend sei dir fremd und weit!

Der fernsten Welt gehört dein Schein:
Mitleid soll Sünde für dich sein!

Nur *ein* Gebot gilt dir: sei rein!

ERSTES BUCH

1

Die Lehrer vom Zwecke des Daseins. – Ich mag nun mit gutem oder bösem Blick auf die Menschen sehen, ich finde sie immer bei *einer* Aufgabe, alle und jeden einzelnen insonderheit: das zu tun, was der Erhaltung der menschlichen Gattung frommt. Und zwar wahrlich nicht aus einem Gefühl der Liebe für diese Gattung, sondern einfach, weil nichts in ihnen älter, stärker, unerbittlicher, unüberwindlicher ist als jener Instinkt – weil dieser Instinkt eben *das Wesen* unserer Art und Herde ist. Ob man schon schnell genug mit der üblichen Kurzsichtigkeit auf fünf Schritt hin seine Nächsten säuberlich in nützliche und schädliche, gute und böse Menschen auseinanderzutun pflegt, bei einer Abrechnung im großen, bei einem längeren Nachdenken über das Ganze wird man gegen dieses Säubern und Auseinandertun mißtrauisch und läßt es endlich sein. Auch der schädlichste Mensch ist vielleicht immer noch der allernützlichste, in Hinsicht auf die Erhaltung der Art; denn er unterhält bei sich oder, durch seine Wirkung, bei andern Triebe, ohne welche die Menschheit längst erschlafft oder verfault wäre. Der Haß, die Schadenfreude, die Raub- und Herrschsucht und was alles sonst böse genannt wird: es gehört zu der erstaunlichen Ökonomie der Arterhaltung, freilich zu einer kostspieligen, verschwenderischen und im ganzen höchst törichten Ökonomie – welche aber *bewiesenermaßen* unser Geschlecht bisher erhalten hat. Ich weiß nicht mehr, ob du, mein lieber Mitmensch und Nächster, überhaupt zuungunsten der Art, also »unvernünftig« und »schlecht« leben *kannst*; das, was der Art hätte schaden können, ist vielleicht seit vielen Jahrtausenden schon ausgestorben und gehört jetzt zu den Dingen, die selbst bei Gott nicht mehr möglich sind. Hänge deinen besten oder deinen schlechtesten Begierden nach und vor allem: geh zugrunde! – in beidem bist du wahrscheinlich immer noch irgendwie der Förderer und Wohltäter der Menschheit und darfst dir daraufhin deine Lobredner halten – und ebenso deine Spötter! Aber du wirst nie den finden, der dich, den einzelnen, auch in deinem Besten ganz zu verspotten verstünde, der deine grenzenlose Fliegen- und Frosch-Armseligkeit dir so genügend, wie es sich mit der Wahrheit vertrüge, zu Gemüte führen könnte! Über sich selber lachen, wie man lachen müßte, um *aus der ganzen Wahrheit heraus* zu lachen, dazu hatten bisher die Besten nicht genug Wahrheitssinn und die Begabtesten viel zu wenig Genie! Es gibt vielleicht auch für das Lachen noch eine Zukunft! Dann, wenn der Satz »die Art ist alles, einer ist immer keiner« – sich der Menschheit einverleibt hat und jedem jederzeit der Zugang zu dieser letzten Befreiung und Unverantwortlichkeit offensteht. Vielleicht wird sich dann das Lachen mit der Weisheit verbündet haben, vielleicht gibt es dann nur noch »fröhliche Wissenschaft«. Einstweilen ist es noch ganz anders, einstweilen ist die Komödie des Daseins sich selber noch nicht »bewußt geworden« – einstweilen ist es immer noch die Zeit der Tragödie, die Zeit der Moralen und Religionen. Was bedeutet das immer neue Erscheinen jener Stifter der Moralen und Religionen, jener Urheber des Kampfes um sittliche Schätzungen, jener Lehrer der Gewissensbisse und der Religionskriege? Was bedeuten diese Helden auf dieser Bühne? – denn es waren bisher die Helden derselben, und alles übrige, zeitweilig allein Sichtbare und Allzunahe, hat immer nur zur Vorbereitung dieser Helden gedient, sei es als Maschinerie und Kulisse oder in der Rolle von Vertrauten und Kammerdienern. (Die Poeten zum Beispiel waren immer die Kammerdiener irgendeiner Moral). – Es versteht sich von selber, daß auch diese Tragöden im Interesse der *Art* arbeiten, wenn sie auch glauben mögen, im Interesse Gottes und als Sendlinge Gottes zu arbeiten. Auch sie fördern das Leben der Gattung, *indem sie den Glauben an das Leben fördern.* »Es ist wert zu leben – so ruft ein jeder von ihnen –, es hat etwas auf sich mit diesem Leben, das Leben hat etwas hinter sich, unter sich, nehmt euch in acht!« Jener Trieb, welcher in den höchsten und gemeinsten Menschen gleichmäßig waltet, der Trieb der Arterhaltung, bricht von Zeit zu Zeit als Vernunft und Leidenschaft des *Geistes* hervor; er hat dann ein glänzendes Gefolge von Gründen um sich und will mit aller Gewalt vergessen machen, daß er im Grunde Trieb, Instinkt, Torheit, Grundlosigkeit ist. Das Leben *soll* geliebt werden, *denn*! Der Mensch *soll* sich und seinen Nächsten fördern, *denn*! Und wie alle diese Solls und Denns heißen und in Zukunft noch heißen mögen! Damit das, was notwendig und immer, von sich aus und ohne allen Zweck geschieht, von jetzt an auf einen Zweck hin getan erscheine und dem Menschen als Vernunft und letztes Gebot einleuchte – dazu tritt der ethische Lehrer auf, als der Lehrer vom Zweck des Daseins; dazu erfindet er ein zweites und anderes Dasein und hebt mittelst seiner neuen Mechanik dieses alte gemeine Dasein aus seinen alten gemeinen Angeln. Ja! er will durchaus nicht, daß wir über das Dasein *lachen*, noch auch über uns – noch auch über ihn; für ihn ist Einer immer Einer, etwas Erstes und Letztes und Ungeheures, für ihn gibt es keine Art, keine Summen, keine Nullen. Wie töricht und schwärmerisch auch seine Erfindungen und Schätzungen sein mögen, wie sehr er den Gang der Natur verkennt und ihre Bedingungen verleugnet – und alle Ethiken waren zeither bis zu dem Grade töricht und widernatürlich, daß an jeder von ihnen die Menschheit zugrunde gegangen sein würde, falls sie sich der Menschheit bemächtigt hätte – immerhin! jedesmal, wenn »der Held« auf die Bühne trat, wurde etwas Neues erreicht, das schauerliche Gegenstück des Lachens, jene tiefe Erschütterung vieler Einzelner bei dem Gedanken: »Ja, es ist wert zu leben! Ja, ich bin wert zu leben!« – das Leben und ich und du und wir alle miteinander wurden uns wieder einmal für einige Zeit *interessant*. – Es ist nicht zu leugnen, daß *auf die Dauer* über jeden einzelnen dieser großen Zwecklehrer bisher das Lachen und die Vernunft und die Natur Herr geworden ist: die kurze Tragödie ging schließlich immer in die ewige Komödie des Daseins über und zurück, und die »Wellen unzähligen Gelächters« – mit Äschylus zu reden – müssen zuletzt auch über den größten dieser Tragöden noch hinwegschlagen. Aber bei alle diesem korrigierenden Lachen ist im ganzen doch durch dies immer neue Erscheinen jener Lehrer vom Zweck des Daseins die menschliche Natur verändert worden – sie hat jetzt ein Bedürfnis mehr, eben das Bedürfnis nach dem immer neuen Erscheinen solcher Lehrer und Lehren vom »Zweck«. Der Mensch ist allmählich zu einem phantastischen Tiere geworden, welches eine Existenz-Bedingung mehr als jedes andre Tier zu erfüllen hat: der Mensch *muß* von Zeit zu Zeit glauben, zu wissen, *warum* er existiert, seine Gattung kann nicht gedeihen ohne ein periodisches Zutrauen zu dem Leben! Ohne Glauben an die *Vernunft im Leben*! Und immer wieder wird von Zeit zu Zeit das menschliche Geschlecht dekretieren: »es gibt etwas, über das absolut nicht mehr gelacht werden darf!« Und der vorsichtigste Menschenfreund wird hinzufügen: »nicht nur das Lachen und die fröhliche Weisheit, sondern auch das Tragische mit all seiner erhabenen Unvernunft gehört unter die Mittel und Notwendigkeiten der Arterhaltung!« – Und folglich! Folglich! Folglich! Oh versteht ihr mich, meine Brüder? Versteht ihr dieses neue Gesetz der Ebbe und Flut? Auch wir haben unsere Zeit!

2

Das intellektuale Gewissen. – Ich mache immer wieder die gleiche Erfahrung und sträube mich ebenso immer von neuem gegen sie, ich will es nicht glauben, ob ich es gleich mit Händen greife: *den allermeisten fehlt das intellektuale Gewissen*; ja es wollte mir oft scheinen, als ob man mit der Forderung eines solchen in den volkreichsten Städten einsam wie in der Wüste sei. Es sieht dich jeder mit fremden Augen an und handhabt seine Waage weiter, dies gut, jenes böse nennend; es macht niemandem eine Schamröte, wenn du merken läßt, daß diese

Gewichte nicht vollwichtig sind – es macht auch keine Empörung gegen dich: vielleicht lacht man über deinen Zweifel. Ich will sagen: die *allermeisten* finden es nicht verächtlich, dies oder jenes zu glauben und darnach zu leben, *ohne* sich vorher der letzten und sichersten Gründe für und wider bewußt worden zu sein und ohne sich auch nur die Mühe um solche Gründe hinterdrein zu geben – die begabtesten Männer und die edelsten Frauen gehören noch zu diesen »Allermeisten«. Was ist mir aber Gutherzigkeit, Feinheit und Genie, wenn der Mensch dieser Tugenden schlaffe Gefühle im Glauben und Urteilen bei sich duldet, wenn *das Verlangen nach Gewißheit* ihm nicht als die innerste Begierde und tiefste Not gilt – als das, was die höheren Menschen von den niederen scheidet! Ich fand bei gewissen Frommen einen Haß gegen die Vernunft vor und war ihnen gut dafür: so verriet sich doch wenigstens noch das böse intellektuale Gewissen! Aber inmitten dieser *rerum concordia discors* und der ganzen wundervollen Ungewißheit und Vieldeutigkeit des Daseins stehen *und nicht fragen*, nicht zittern vor Begierde und Lust des Fragens, nicht einmal den Fragenden hassen, vielleicht gar noch an ihm sich matt ergötzen – das ist es, was ich als *verächtlich* empfinde, und diese Empfindung ist es, nach der ich zuerst bei jedermann suche – irgendeine Narrheit überredet mich immer wieder, jeder Mensch habe diese Empfindung, als Mensch. Es ist meine Art von Ungerechtigkeit.

3

Edel und Gemein. – Den gemeinen Naturen erscheinen alle edlen, großmütigen Gefühle als unzweckmäßig und deshalb zuallererst als unglaubwürdig: sie zwinkern mit den Augen, wenn sie von dergleichen hören, und scheinen sagen zu wollen »es wird wohl irgendein guter Vorteil dabei sein, man kann nicht durch alle Wände sehen« – sie sind argwöhnisch gegen den Edlen, als ob er den Vorteil auf Schleichwegen suche. Werden sie von der Abwesenheit selbstischer Absichten und Gewinste allzu deutlich überzeugt, so gilt ihnen der Edle als eine Art von Narren: sie verachten ihn in seiner Freude und lachen über den Glanz seiner Augen. »Wie kann man sich darüber freuen im Nachteil zu sein, wie kann man mit offnen Augen in Nachteil geraten wollen! Es muß eine Krankheit der Vernunft mit der edlen Affektion verbunden sein« – so denken sie und blicken geringschätzig dabei: wie sie die Freude geringschätzen, welche der Irrsinnige von seiner fixen Idee her hat. Die gemeine Natur ist dadurch ausgezeichnet, daß sie ihren Vorteil unverrückt im Auge behält und daß dies Denken an Zweck und Vorteil selbst stärker als die stärksten Triebe in ihr ist: sich durch jene Triebe nicht zu unzweckmäßigen Handlungen verleiten lassen – das ist ihre Weisheit und ihr Selbstgefühl. Im Vergleich mit ihr ist die höhere Natur die *unvernünftigere* – denn der Edle, Großmütige, Aufopfernde unterliegt in der Tat seinen Trieben, und in seinen besten Augenblicken *pausiert* seine Vernunft. Ein Tier, das mit Lebensgefahr seine Jungen beschützt oder, in der Zeit der Brunst, dem Weibchen auch in den Tod folgt, denkt nicht an die Gefahr und den Tod, seine Vernunft pausiert ebenfalls, weil die Lust an seiner Brut oder an dem Weibchen und die Furcht, dieser Lust beraubt zu werden, es ganz beherrschen; es wird dümmer, als es sonst ist, gleich dem Edlen und Großmütigen. Dieser besitzt einige Lust- und Unlust-Gefühle in solcher Stärke, daß der Intellekt dagegen schweigen oder sich zu ihrem Dienste hergeben muß: es tritt dann bei ihnen das Herz in den Kopf und man spricht nunmehr von »Leidenschaft«. (Hier und da kommt auch wohl der Gegensatz dazu und gleichsam die »Umkehrung der Leidenschaft« vor, zum Beispiel bei Fontenelle, dem jemand einmal die Hand auf das Herz legte, mit den Worten: »Was Sie da haben, mein Teuerster, ist auch Gehirn.«) Die Unvernunft oder Quervernunft der Leidenschaft ist es, die der Gemeine am Edlen verachtet, zumal wenn diese sich auf Objekte richtet, deren Wert ihm ganz phantastisch und willkürlich zu sein scheint. Er ärgert sich über den, welcher der Leidenschaft des Bauches unterliegt, aber er begreift doch den Reiz, welcher hier den Tyrannen macht; aber er begreift es nicht, wie man zum Beispiel einer Leidenschaft der Erkenntnis zuliebe seine Gesundheit und Ehre aufs Spiel setzen könne. Der Geschmack der höheren Natur richtet sich auf Ausnahmen, auf Dinge, die gewöhnlich kalt lassen und keine Süßigkeit zu haben scheinen; die höhere Natur hat ein singuläres Wertmaß. Dazu ist sie meistens des Glaubens, *nicht* ein singuläres Wertmaß in ihrer Idiosynkrasie des Geschmacks zu haben, sie setzt vielmehr ihre Werte und Unwerte als die überhaupt gültigen Werte und Unwerte an, und gerät damit ins Unverständliche und Unpraktische. Es ist sehr selten, daß eine höhere Natur so viel Vernunft übrigbehält, um Alltags-Menschen als solche zu verstehen und zu behandeln: zuallermeist glaubt sie an ihre Leidenschaft als an die verborgen gehaltene Leidenschaft aller und ist gerade in diesem Glauben voller Glut und Beredsamkeit. Wenn nun solche Ausnahme-Menschen sich selber nicht als Ausnahmen fühlen, wie sollten sie jemals die gemeinen Naturen verstehen und die Regel billig abschätzen können! – und so reden auch sie von der Torheit, Zweckwidrigkeit und Phantasterei der Menschheit, voller Verwunderung, wie toll die Welt laufe und warum sie sich nicht zu dem bekennen wolle, was »ihr nottue«. – Dies ist die ewige Ungerechtigkeit der Edlen.

4

Das Arterhaltende. – Die stärksten und bösesten Geister haben bis jetzt die Menschheit am meisten vorwärts gebracht: sie entzündeten immer wieder die einschlafenden Leidenschaften – alle geordnete Gesellschaft schläfert die Leidenschaften ein –, sie weckten immer wieder den Sinn der Vergleichung, des Widerspruchs, der Lust am Neuen, Gewagten, Unerprobten, sie zwangen die Menschen, Meinungen gegen Meinungen, Musterbilder gegen Musterbilder zu stellen. Mit den Waffen, mit Umsturz der Grenzsteine, durch Verletzung der Pietäten zumeist: aber auch durch neue Religionen und Moralen! Dieselbe »Bosheit« ist in jedem Lehrer und Prediger des *Neuen*, welche einen Eroberer verrufen macht, – wenn sie auch sich feiner äußert, nicht sogleich die Muskeln in Bewegung setzt und eben deshalb auch nicht so verrufen macht! Das Neue ist aber unter allen Umständen das *Böse*, als das, was erobern, die alten Grenzsteine und die alten Pietäten umwerfen will; und nur das Alte ist das Gute! Die guten Menschen jeder Zeit sind die, welche die alten Gedanken in die Tiefe graben und mit ihnen Frucht tragen, die Ackerbauer des Geistes. Aber jenes Land wird endlich ausgenützt, und immer wieder muß die Pflugschar des Bösen kommen. – Es gibt jetzt eine gründliche Irrlehre der Moral, welche namentlich in England sehr gefeiert wird: nach ihr sind die Urteile »gut« und »böse« die Aufsammlung der Erfahrungen über »zweckmäßig« und »unzweckmäßig«; nach ihr ist das »gut« Genannte das Arterhaltende, das »bös« Genannte aber das der Art Schädliche. In Wahrheit sind aber die bösen Triebe in ebenso hohem Grade zweckmäßig, arterhaltend und unentbehrlich wie die guten: – nur ist ihre Funktion eine verschiedene.

5

Unbedingte Pflichten. – Alle Menschen, welche fühlen, daß sie die stärksten Worte und Klänge, die beredtesten Gebärden und Stellungen nötig haben, um *überhaupt* zu wirken, Revolutions-Politiker, Sozialisten, Bußprediger mit und ohne Christentum, bei denen allen es keine halben Erfolge geben darf: alle diese reden von »Pflichten«, und zwar immer von Pflichten mit dem·Charakter des Unbedingten – ohne solche hätten sie kein Recht zu ihrem großen Pathos: das wissen sie recht wohl! So greifen sie nach Philosophien der Moral, welche irgendeinen kategorischen Imperativ predigen, oder sie nehmen ein gutes Stück Religion in sich hinein, wie dies zum Beispiel Mazzini getan hat. Weil sie wollen, daß ihnen unbedingt vertraut werde, haben sie zuerst nötig, daß sie sich selber unbedingt vertrauen, auf Grund irgendeines letzten indiskutablen und an sich erhabenen Gebotes, als dessen Diener und Werkzeuge sie sich fühlen und ausgeben möchten. Hier haben wir die natürlichsten und meistens sehr einflußreichen Gegner der moralischen Aufklärung und Skepsis: aber sie sind selten. Dagegen gibt es eine sehr umfängliche Klasse dieser Gegner überall dort, wo das Interesse die Unterwerfung lehrt, während Ruf und Ehre die Unterwerfung zu verbieten scheinen. Wer sich entwürdigt fühlt bei dem Gedanken, das *Werkzeug* eines Fürsten oder einer Partei und Sekte oder gar einer Geldmacht zu sein, zum Beispiel als Abkömmling einer alten stolzen Familie, aber eben dies Werkzeug sein will oder sein muß, vor sich und vor der Öffentlichkeit, der hat pathetische Prinzipien nötig, die man jederzeit in den Mund nehmen kann – Prinzipien eines unbedingten Sollens, welchen man sich ohne Beschämung unterwerfen und unterworfen zeigen darf. Alle feinere Servilität hält am kategorischen Imperativ fest und ist der Todfeind derer, welche der Pflicht den unbedingten Charakter nehmen wollen: so fordert es von ihnen der Anstand, und nicht nur der Anstand.

6

Verlust an Würde. – Das Nachdenken ist um all seine Würde der Form gekommen, man hat das Zeremoniell und die feierliche Gebärde des Nachdenkens zum Gespött gemacht und würde einen weisen Mann alten Stils nicht mehr aushalten. Wir denken zu rasch, und unterwegs, und mitten im Gehen, mitten in Geschäften aller Art, selbst wenn wir an das Ernsthafteste denken; wir brauchen wenig Vorbereitung, selbst wenig Stille – es ist als ob wir eine unaufhaltsam rollende Maschine im Kopfe herumtrügen, welche selbst unter den ungünstigsten Umständen noch arbeitet. Ehemals sah man es jedem an, daß er einmal denken wollte – es war wohl die Ausnahme! –, daß er jetzt weiser werden wollte und sich auf einen Gedanken gefaßt machte: man zog ein Gesicht dazu wie zu einem Gebet und hielt den Schritt an; ja man stand stundenlang auf der Straße still, wenn der Gedanke »kam« – auf einem oder auf zwei Beinen. So war es »der Sache würdig«!

7

Etwas für Arbeitsame. – Wer jetzt aus den moralischen Dingen ein Studium machen will, eröffnet sich ein ungeheures Feld der Arbeit. Alle Arten Passionen müssen einzeln durchdacht, einzeln durch Zeiten, Völker, große und kleine Einzelne verfolgt werden; ihre ganze Vernunft und alle ihre Wertschätzungen und Beleuchtungen der Dinge sollen ans Licht hinaus! Bisher hat alles das, was dem Dasein Farbe gegeben hat, noch keine Geschichte: oder wo gäbe es eine Geschichte der Liebe, der Habsucht, des Neides, des Gewissens, der Pietät, der Grausamkeit? Selbst eine vergleichende Geschichte des Rechtes, oder auch nur der Strafe, fehlt bisher vollständig. Hat man schon die verschiedene Einteilung des Tages, die Folgen einer regelmäßigen Festsetzung von Arbeit, Fest und Ruhe zum Gegenstand der Forschung gemacht? Kennt man die moralischen Wirkungen der Nahrungsmittel? Gibt es eine Philosophie der Ernährung? (Der immer wieder losbrechende Lärm für und wider den Vegetarismus beweist schon, daß es noch keine solche Philosophie gibt!) Sind die Erfahrungen über das Zusammenleben, zum Beispiel die Erfahrungen der Klöster, schon gesammelt? Ist die Dialektik der Ehe und Freundschaft schon dargestellt? Die Sitten der Gelehrten, der Kaufleute, Künstler, Handwerker – haben sie schon ihre Denker gebunden? Es ist so viel daran zu denken! Alles, was bis jetzt die Menschen als ihre »Existenz-Bedingungen« betrachtet haben, und alle Vernunft, Leidenschaft und Aberglaube an dieser Betrachtung – ist dies schon zu Ende erforscht? Allein die Beobachtung des verschiedenen Wachstums welches die menschlichen Triebe je nach dem verschiedenen moralischen Klima gehabt haben und noch haben könnten, gibt schon zu viel der Arbeit für den Arbeitsamsten; es bedarf ganzer Geschlechter und planmäßig zusammenarbeitender Geschlechter von Gelehrten, um hier die Gesichtspunkte und das Material zu erschöpfen. Dasselbe gilt von der Nachweisung der Gründe für die Verschiedenheit des moralischen Klimas (»weshalb leuchtet hier diese Sonne eines moralischen Grundurteils und Hauptwertmessers – und dort jene?«). Und wieder eine neue Arbeit ist es, welche die Irrtümlichkeit aller dieser Gründe und das ganze Wesen des bisherigen moralischen Urteils feststellt. Gesetzt, alle diese Arbeiten seien getan, so träte die heikeligste aller Fragen in den Vordergrund: ob die Wissenschaft imstande sei, Ziele des Handelns zu *geben*, nachdem sie bewiesen hat, daß sie solche nehmen und vernichten kann, – und dann würde ein Experimentieren am Platze sein, an dem jede Art von Heroismus sich befriedigen könnte, ein jahrhundertelanges Experimentieren, welches alle großen Arbeiten und Aufopferungen der bisherigen Geschichte in Schatten stellen könnte. Bisher hat die Wissenschaft ihre Zyklopen-Bauten noch nicht gebaut; auch dafür wird die Zeit kommen!

8

Unbewußte Tugenden. – Alle Eigenschaften eines Menschen, deren er sich bewußt ist – und namentlich, wenn er deren Sichtbarkeit und Evidenz auch für seine Umgebung voraussetzt –, stehen unter ganz andern Gesetzen der Entwicklung als jene Eigenschaften, welche ihm unbekannt oder schlecht bekannt sind und die sich auch vor dem Auge des feineren Beobachters durch ihre Feinheit verbergen und wie hinter das Nichts zu verstecken wissen. So steht es mit den feinen Skulpturen auf den Schuppen der Reptilien: es würde ein Irrtum sein, in ihnen einen Schmuck oder eine Waffe zu vermuten – denn man sieht sie erst mit dem Mikroskop, also mit einem so künstlich verschärften Auge, wie es ähnliche Tiere, *für* welche es etwa Schmuck oder Waffe zu bedeuten hätte, nicht besitzen! Unsere sichtbaren moralischen Qualitäten, und namentlich unsere sichtbar *geglaubten*, gehen ihren Gang – und die unsichtbaren ganz gleichnamigen, welche uns in Hinsicht auf andere weder Schmuck noch Waffe sind, *gehen auch ihren Gang*: einen ganz andern wahrscheinlich, und mit Linien und Feinheiten und Skulpturen, welche vielleicht einem Gotte mit einem göttlichen Mikroskope Vergnügen machen könnten. Wir haben zum Beispiel unsern Fleiß, unsern Ehrgeiz, unsern Scharfsinn: alle Welt weiß darum –, und außerdem haben wir wahrscheinlich noch einmal *unsern* Fleiß, *unsern* Ehrgeiz, *unsern* Scharfsinn: aber für diese unsere Reptilien-Schuppen ist das Mikroskop noch nicht erfunden! – Und hier werden die Freunde der instinktiven Moralität sagen: »Bravo! Er hält wenigstens unbewußte Tugenden für möglich – das genügt uns!« – Oh ihr Genügsamen!

9

Unsere Eruptionen. – Unzähliges, was sich die Menschheit auf früheren Stufen aneignete, aber so schwach und embryonisch, daß es niemand als angeeignet wahrzunehmen wußte, stößt plötzlich, lange darauf, vielleicht nach Jahrhunderten, ans Licht: es ist inzwischen stark und reif geworden. Manchen Zeitaltern scheint dies oder jenes Talent, diese oder jene

Tugend ganz zu fehlen, wie manchen Menschen: aber man warte nur bis auf die Enkel und Enkelkinder, wenn man Zeit hat zu warten, – sie bringen das Innere ihrer Großväter an die Sonne, jenes Innere, von dem die Großväter selbst noch nichts wußten. Oft ist schon der Sohn der Verräter seines Vaters: dieser versteht sich selber besser, seit er seinen Sohn hat. Wir haben alle verborgene Gärten und Pflanzungen in uns; und, mit einem andern Gleichnisse, wir sind alle wachsende Vulkane, die ihre Stunde der Eruption haben werden – wie nah aber oder wie fern diese ist, das freilich weiß niemand, selbst der liebe Gott nicht.

10

Eine Art von Atavismus. – Die seltnen Menschen einer Zeit verstehe ich am liebsten als plötzlich auftauchende Nachschößlinge vergangener Kulturen und deren Kräften: gleichsam als den Atavismus eines Volks und seiner Gesittung – so ist wirklich etwas noch an ihnen zu *verstehen*! Jetzt erscheinen sie fremd, selten, außerordentlich: und wer diese Kräfte in sich fühlt, hat sie gegen eine widerstrebende andere Welt zu pflegen, zu verteidigen, zu ehren, großzuziehn: und so wird er damit entweder ein großer Mensch oder ein verrückter und absonderlicher, sofern er überhaupt nicht beizeiten zugrunde geht. Ehedem waren diese selben Eigenschaften gewöhnlich und galten folglich als gemein: sie zeichneten nicht aus. Vielleicht wurden sie gefordert, vorausgesetzt; es war unmöglich, mit ihnen groß zu werden, und schon deshalb, weil die Gefahr fehlte, mit ihnen auch toll und einsam zu werden. – Die *erhaltenden* Geschlechter und Kasten eines Volkes sind es vornehmlich, in denen solche Nachschläge alter Triebe vorkommen, während keine Wahrscheinlichkeit für solchen Atavismus ist, wo Rassen, Gewohnheiten, Wertschätzungen zu rasch wechseln. Das Tempo bedeutet nämlich unter den Kräften der Entwicklung bei Völkern ebensoviel wie bei der Musik; für unsern Fall ist durchaus ein Andante der Entwicklung notwendig, als das Tempo eines leidenschaftlichen und langsamen Geistes – und der Art ist ja der Geist konservativer Geschlechter.

11

Das Bewußtsein. – Die Bewußtheit ist die letzte und späteste Entwicklung des Organischen und folglich auch das Unfertigste und Unkräftigste daran. Aus der Bewußtheit stammen unzählige Fehlgriffe, welche machen, daß ein Tier, ein Mensch zugrunde geht, früher als es nötig wäre, »über das Geschick«, wie Homer sagt. Wäre nicht der erhaltende Verband der Instinkte so überaus viel mächtiger diente er nicht im ganzen als Regulator: an ihrem verkehrten Urteilen und Phantasieren mit offnen Augen, an ihrer Ungründlichkeit und Leichtgläubigkeit, kurz eben an ihrer Bewußtheit müßte die Menschheit zugrunde gehen: oder vielmehr, ohne jenes gäbe es diese längst nicht mehr! Bevor eine Funktion ausgebildet und reif ist, ist sie eine Gefahr des Organismus: gut, wenn sie so lange tüchtig tyrannisiert wird! so wird die Bewußtheit tüchtig tyrannisiert – und nicht am wenigsten von dem Stolze darauf! Man denkt, hier sei *der Kern* des Menschen; sein Bleibendes, Ewiges, Letztes, Ursprünglichstes! Man hält die Bewußtheit für eine feste gegebene Größe! Leugnet ihr Wachstum, ihre Intermittenzen! Nimmt sie als »Einheit des Organismus«! – Diese lächerliche Überschätzung und Verkennung des Bewußtseins hat die große Nützlichkeit zur Folge, daß damit eine allzuschnelle Ausbildung desselben *verhindert* worden ist. Weil die Menschen die Bewußtheit schon zu haben glaubten, haben sie sich wenig Mühe darum gegeben, sie zu erwerben – und auch jetzt noch steht es nicht anders! Es ist immer noch eine ganz neue und eben erst dem menschlichen Auge aufdämmernde, kaum noch deutlich erkennbare *Aufgabe, das Wissen sich einzuverleiben* und instinktiv zu machen, – eine Aufgabe, welche nur von denen gesehen wird, die begriffen haben, daß bisher nur unsere *Irrtümer* uns einverleibt waren und daß alle unsre Bewußtheit sich auf Irrtümer bezieht!

12

Vom Ziele der Wissenschaft. – Wie? Das letzte Ziel der Wissenschaft sei, dem Menschen möglichst viel Lust und möglichst wenig Unlust zu schaffen? Wie, wenn nun Lust und Unlust so mit einem Stricke zusammengeknüpft wären, daß, wer möglichst viel von der einen haben *will,* auch möglichst viel von der andern haben *muß* – daß, wer das »Himmelhoch-Jauchzen« lernen will, sich auch für das »Zum-Tode-betrübt« bereit halten muß? Und so steht es vielleicht! Die Stoiker glaubten wenigstens, daß es so stehe, und waren konsequent, als sie nach möglichst wenig Lust begehrten, um möglichst wenig Unlust vom Leben zu haben. (Wenn man den Spruch im Munde führte: »Der Tugendhafte ist der Glücklichste«, so hatte man in ihm sowohl ein Aushängeschild der Schule für die große Masse, als auch eine kasuistische Feinheit für die Feinen.) Auch heute noch habt ihr die Wahl: entweder *möglichst wenig Unlust,* kurz Schmerzlosigkeit – und im Grunde dürften Sozialisten und Politiker aller Parteien ihren Leuten ehrlicherweise nicht mehr verheißen – oder *möglichst viel Unlust* als Preis für das Wachstum einer Fülle von feinen und bisher selten gekosteten Lüsten und Freuden! Entschließt ihr euch für das erstere, wollt ihr also die Schmerzhaftigkeit der Menschen herabdrücken und vermindern, nun, so müßt ihr auch ihre *Fähigkeit zur Freude* herabdrücken und vermindern. In der Tat kann man *mit der Wissenschaft* das eine wie das andre Ziel fördern! Vielleicht ist sie jetzt noch bekannter wegen ihrer Kraft, den Menschen um seine Freuden zu bringen und ihn kälter, statuenhafter, stoischer zu machen. Aber sie könnte auch noch als die *große Schmerzbringerin* entdeckt werden – und dann würde vielleicht zugleich ihre Gegenkraft entdeckt sein, ihr ungeheures Vermögen, neue Sternenwelten der Freude aufleuchten zu lassen!

13

Zur Lehre vom Machtgefühl. – Mit Wohltun und Wehtun übt man seine Macht an andern aus – mehr will man dabei nicht! Mit *Wehtun* an solchen, denen wir unsere Macht erst fühlbar machen müssen; denn der Schmerz ist ein viel empfindlicheres Mittel dazu als die Lust – der Schmerz fragt immer nach der Ursache, während die Lust geneigt ist, bei sich selber stehenzubleiben und nicht rückwärts zu schauen. Mit *Wohltun* und Wohlwollen an solchen, die irgendwie schon von uns abhängen (das heißt gewohnt sind, an uns als ihre Ursachen zu denken); wir wollen ihre Macht mehren, weil wir so die unsere mehren, oder wir wollen ihnen den Vorteil zeigen, den es hat, in unserer Macht zu stehen, – so werden sie mit ihrer Lage zufriedener und gegen die Feinde *unserer* Macht feindseliger und kampfbereiter sein. Ob wir beim Wohl- oder Wehtun Opfer bringen, verändert den letzten Wert unserer Handlungen nicht; selbst wenn wir unser Leben daran setzen, wie der Märtyrer zugunsten seiner Kirche, – es ist ein Opfer, gebracht *unserm* Verlangen nach Macht oder zum Zweck der Erhaltung unseres Machtgefühls. Wer da empfindet »ich bin im Besitz der Wahrheit«, wie viel Besitztümer läßt der nicht fahren, um diese Empfindung zu retten! Was wirft er nicht alles über Bord, um sich »oben« zu erhalten – das heißt *über* den andern, welche der »Wahrheit« ermangeln! Gewiß ist der Zustand, wo wir wehtun, selten so angenehm, so ungemischt-angenehm, wie der, in welchem wir wohltun – es ist ein Zeichen, daß uns noch Macht fehlt, oder verrät den Verdruß über diese Armut, es bringt neue

Gefahren und Unsicherheiten für unsern vorhandenen Besitz von Macht mit sich und umwölkt unsern Horizont durch die Aussicht auf Rache, Hohn, Strafe, Mißerfolg. Nur für die reizbarsten und begehrlichsten Menschen des Machtgefühls mag es lustvoller sein, dem Widerstrebenden das Siegel der Macht aufzudrücken; für solche, denen der Anblick des bereits Unterworfnen (als welcher der Gegenstand des Wohlwollens ist) Last und Langeweile macht. Es kommt darauf an, wie man gewöhnt ist, sein Leben zu *würzen*; es ist eine Sache des Geschmacks, ob man lieber den langsamen oder den plötzlichen, den sicheren oder den gefährlichen und verwegenen Machtzuwachs haben will – man sucht diese oder jene Würze immer nach seinem Temperamente. Eine leichte Beute ist stolzen Naturen etwas Verächtliches, sie empfinden ein Wohlgefühl erst beim Anblick ungebrochener Menschen, welche ihnen feind werden könnten, und ebenso beim Anblick aller schwer zugänglichen Besitztümer; gegen den Leidenden sind sie oft hart, denn er ist ihres Strebens und Stolzes nicht wert – aber um so verbindlicher zeigen sie sich gegen die *Gleichen*, mit denen ein Kampf und Ringen jedenfalls ehrenvoll wäre, *wenn* sich einmal eine Gelegenheit dazu finden sollte. Unter dem Wohlgefühle *dieser* Perspektive haben sich die Menschen der ritterlichen Kaste gegeneinander an eine ausgesuchte Höflichkeit gewöhnt. – Mitleid ist das angenehmste Gefühl bei solchen, welche wenig stolz sind und keine Aussicht auf große Eroberungen haben: für sie ist die leichte Beute – und das ist jeder Leidende – etwas Entzückendes. Man rühmt das Mitleid als die Tugend der Freudenmädchen.

14

Was alles Liebe genannt wird. – Habsucht und Liebe: wie verschieden empfinden wir bei jedem dieser Worte! – und doch könnte es derselbe Trieb sein, zweimal benannt, das eine Mal verunglimpft vom Standpunkte der bereits Habenden aus, in denen der Trieb etwas zur Ruhe gekommen ist, und die nun für ihre »Habe« fürchten; das andere Mal vom Standpunkte der Unbefriedigten, Durstigen aus, und daher verherrlicht als »gut«. Unsere Nächstenliebe – ist sie nicht ein Drang nach neuem *Eigentum*? Und ebenso unsre Liebe zum Wissen, zur Wahrheit? und überhaupt all jener Drang nach Neuigkeiten? Wir werden des Alten, sicher Besessenen allmählich überdrüssig und strekken die Hände wieder aus; selbst die schönste Landschaft, in der wir drei Monate leben, ist unsrer Liebe nicht mehr gewiß, und irgendeine fernere Küste reizt unsre Habsucht an: der Besitz wird durch das Besitzen zumeist geringer. Unsere Lust an uns selber will sich so aufrecht erhalten, daß sie immer wieder etwas Neues *in uns selber* verwandelt – das eben heißt Besitzen. Eines Besitzes überdrüssig werden, das ist: unser selber überdrüssig werden. (Man kann auch am Zuviel leiden – auch die Begierde wegzuwerfen, auszuteilen kann sich den Ehrennamen »Liebe« zulegen.) Wenn wir jemanden leiden sehen, so benützen wir gerne die jetzt gebotene Gelegenheit, Besitz von ihm zu ergreifen; dies tut zum Beispiel der Wohltätige und Mitleidige, auch er nennt die in ihm erweckte Begierde nach neuem Besitz »Liebe« und hat seine Lust dabei wie bei einer neuen ihm winkenden Eroberung. Am deutlichsten aber verrät sich die Liebe der Geschlechter als Drang nach Eigentum: der Liebende will den unbedingten Alleinbesitz der von ihm ersehnten Person, er will eine ebenso unbedingte Macht über ihre Seele wie ihren Leib, er will allein geliebt sein und als das Höchste und Begehrenswerteste in der andern Seele wohnen und herrschen. Erwägt man, daß dies nichts anderes heißt, als alle Welt von einem kostbaren Gute, Glücke und Genusse *ausschließen*: erwägt man, daß der Liebende auf die Verarmung und Entbehrung aller anderen Mitbewerber ausgeht und zum Drachen seines goldenen Hortes werden möchte, als der rücksichtsloseste und selbstsüchtigste aller »Eroberer« und Ausbeuter: erwägt man endlich, daß dem Liebenden selber die ganze andere Welt gleichgültig, blaß, wertlos erscheint und er jedes Opfer zu bringen, jede Ordnung zu stören, jedes Interesse hintennach zu setzen bereit ist: so wundert man sich in der Tat, daß diese wilde Habsucht und Ungerechtigkeit der Geschlechtsliebe dermaßen verherrlicht und vergöttlicht worden ist, wie zu allen Zeiten geschehen, ja daß man aus dieser Liebe den Begriff Liebe als den Gegensatz des Egoismus hergenommen hat, während sie vielleicht gerade der unbefangenste Ausdruck des Egoismus ist. Hier haben offenbar die Nichtbesitzenden und Begehrenden den Sprachgebrauch gemacht – es gab wohl ihrer immer zu viele. Solche, welchen auf diesem Bereiche viel Besitz und Sättigung gegönnt war, haben wohl hier und da ein Wort vom »wütenden Dämon« fallen lassen, wie jener liebenswürdigste und geliebteste aller Athener, Sophokles: aber Eros lachte jederzeit über solche Lästerer – es waren immer gerade seine größten Lieblinge. – Es gibt wohl hier und da auf Erden eine Art Fortsetzung der Liebe, bei der jenes habsüchtige Verlangen zweier Personen nacheinander einer neuen Begierde und Habsucht, einem *gemeinsamen* höheren Durste nach einem über ihnen stehenden Ideale, gewichen ist: aber wer kennt diese Liebe? wer hat sie erlebt? Ihr rechter Name ist *Freundschaft*.

15

Aus der Ferne. – Dieser Berg macht die ganze Gegend, die er beherrscht, auf alle Weise reizend und bedeutungsvoll: nachdem wir dies uns zum hundertsten Male gesagt haben, sind wir so unvernünftig und so dankbar gegen ihn gestimmt, daß wir glauben, er, der Geber dieses Reizes, müsse selber das Reizvollste der Gegend sein – und so steigen wir auf ihn hinauf und sind enttäuscht. Plötzlich ist er selber, und die ganze Landschaft um uns, unter uns, wie entzaubert; wir hatten vergessen, daß manche Größe, wie manche Güte, nur auf eine gewisse Distanz hin gesehn werden will, und durchaus von unten, nicht von oben – so allein *wirkt sie*. Vielleicht kennst du Menschen in deiner Nähe, die sich selber nur aus einer gewissen Ferne ansehen dürfen, um sich überhaupt erträglich oder anziehend und kraftgebend zu finden; die Selbsterkenntnis ist ihnen zu widerraten.

16

Über den Steg. – Im Verkehre mit Personen, welche gegen ihre Gefühle schamhaft sind, muß man sich verstellen können; sie empfinden einen plötzlichen Haß gegen den, welcher sie auf einem zärtlichen oder schwärmerischen und hochgehenden Gefühle ertappt, wie als ob er ihre Heimlichkeiten gesehn habe. Will man ihnen in solchen Augenblicken wohltun, so mache man sie lachen oder sage irgendeine kalte scherzhafte Bosheit – ihr Gefühl erfriert dabei, und sie sind ihrer wieder mächtig. Doch ich gebe die Moral vor der Geschichte. – Wir sind uns einmal im Leben so nahe gewesen, daß nichts unsere Freund- und Bruderschaft mehr zu hemmen schien und nur noch ein kleiner Steg zwischen uns war. Indem du ihn eben betreten wolltest, fragte ich dich: »willst du zu mir über den Steg?« – aber da wolltest du nicht mehr; und als ich nochmals bat, schwiegst du. Seitdem sind Berge und reißende Ströme, und was nur trennt und fremd macht, zwischen uns geworfen, und wenn wir auch zueinander wollten, wir könnten es nicht mehr! Gedenkst du aber jetzt jenes kleinen Steges, so hast du nicht Worte mehr – nur noch Schluchzen und Verwunderung.

17

Seine Armut motivieren. – Wir können freilich durch kein Kunststück aus einer armen Tugend eine reiche, reichfließende machen, aber wohl können wir ihre Armut schön in die Notwendigkeit umdeuten, so daß ihr Anblick uns nicht mehr wehtut und wir ihrethalben dem Fatum keine vorwurfsvollen Gesichter machen. So tut der weise Gärtner, der das arme Wässerchen seines Gartens einer Quellnymphe in den Arm legt und also die Armut motiviert – und wer hätte nicht gleich ihm die Nymphen nötig!

18

Antiker Stolz. – Die antike Färbung der Vornehmheit fehlt uns, weil unserm Gefühle der antike Sklave fehlt. Ein Grieche edler Abkunft fand zwischen seiner Höhe und jener letzten Niedrigkeit solche ungeheure Zwischen-Stufen und eine solche Ferne, daß er den Sklaven kaum noch deutlich sehen konnte: selbst Plato hat ihn nicht ganz mehr gesehen. Anders wir, gewöhnt wie wir sind an die *Lehre* von der Gleichheit der Menschen, wenn auch nicht an die Gleichheit selber. Ein Wesen, das nicht über sich selber verfügen kann und dem die Muße fehlt – das gilt unserm Auge noch keineswegs als etwas Verächtliches; es ist von derlei Sklavenhaftem vielleicht zu viel an jedem von uns, nach den Bedingungen unserer gesellschaftlichen Ordnung und Tätigkeit, welche grundverschieden von denen der Alten sind. – Der griechische Philosoph ging durch das Leben mit dem geheimen Gefühle, daß es viel mehr Sklaven gebe, als man vermeine – nämlich daß jedermann Sklave sei, der nicht Philosoph sei; sein Stolz schwoll über, wenn er erwog, daß auch die Mächtigsten der Erde unter diesen seinen Sklaven seien. Auch dieser Stolz ist uns fremd und unmöglich: nicht einmal im Gleichnis hat das Wort »Sklave« für uns seine volle Kraft.

19

Das Böse. – Prüfet das Leben der besten und fruchtbarsten Menschen und Völker und fragt euch, ob ein Baum, der stolz in die Höhe wachsen soll, des schlechten Wetters und der Stürme entbehren könne: ob Ungunst und Widerstand von außen, ob irgendwelche Arten von Haß, Eifersucht, Eigensinn, Mißtrauen, Härte, Habgier und Gewaltsamkeit nicht zu den *begünstigenden* Umständen gehören, ohne welche ein großes Wachstum selbst in der Tugend kaum möglich ist? Das Gift, an dem die schwächere Natur zugrunde geht, ist für den Starken Stärkung – und er nennt es auch nicht Gift.

20

Würde der Torheit. – Einige Jahrtausende weiter auf der Bahn des letzten Jahrhunderts! – und in allem, was der Mensch tut, wird die höchste Klugheit sichtbar sein: aber eben damit wird die Klugheit alle ihre Würde verloren haben. Es ist dann zwar notwendig, klug zu sein, aber auch so gewöhnlich und so gemein, daß ein edlerer Geschmack diese Notwendigkeit als eine *Gemeinheit* empfinden wird. Und ebenso wie eine Tyrannei der Wahrheit und Wissenschaft imstande wäre, die Lüge hoch im Preise steigen zu machen, so könnte eine Tyrannei der Klugheit eine neue Gattung von Edelsinn hervortreiben. Edel sein – das hieße dann vielleicht: Torheiten im Kopfe haben.

21

An die Lehrer der Selbstlosigkeit. – Man nennt die Tugenden eines Menschen *gut*, nicht in Hinsicht auf die Wirkungen, welche sie für ihn selber haben, sondern in Hinsicht auf die Wirkungen, welche wir von ihnen für uns und die Gesellschaft voraussetzen – man ist von jeher im Lobe der Tugenden sehr wenig »selbstlos«, sehr wenig »unegoistisch« gewesen! Sonst nämlich hätte man sehen müssen, daß die

Tugenden (wie Fleiß, Gehorsam, Keuschheit, Pietät, Gerechtigkeit) ihren Inhabern meistens *schädlich* sind, als Triebe, welche allzu heftig und begehrlich in ihnen walten und von der Vernunft sich durchaus nicht im Gleichgewicht zu den andern Trieben halten lassen wollen. Wenn du eine Tugend hast, eine wirkliche, ganze Tugend (und nicht nur ein Triebchen nach einer Tugend!) – so bist du ihr *Opfer*! Aber der Nachbar lobt eben deshalb deine Tugend! Man lobt den Fleißigen, ob er gleich die Sehkraft seiner Augen oder die Ursprünglichkeit und Frische seines Geistes mit diesem Fleiße schädigt: man ehrt und bedauert den Jüngling, welcher sich »zuschanden gearbeitet hat«, weil man urteilt: »Für das ganze Große der Gesellschaft ist auch der Verlust des besten einzelnen nur ein kleines Opfer! Schlimm, daß das Opfer nottut! Viel schlimmer freilich, wenn der einzelne anders denken und seine Erhaltung und Entwicklung wichtiger nehmen sollte, als seine Arbeit im Dienste der Gesellschaft!« Und so bedauert man diesen Jüngling, nicht um seiner selbst willen, sondern weil ein ergebenes und gegen sich rücksichtsloses *Werkzeug* – ein sogenannter »braver Mensch« – durch diesen Tod der Gesellschaft verloren gegangen ist. Vielleicht erwägt man noch, ob es im Interesse der Gesellschaft nützlicher gewesen sein würde, wenn er minder rücksichtslos gegen sich gearbeitet und sich länger erhalten hätte – ja man gesteht sich wohl einen Vorteil davon zu, schlägt aber jenen andern Vorteil, daß ein *Opfer* gebracht ist und die Gesinnung des Opfertiers sich wieder einmal *augenscheinlich* bestätigt hat, für höher und nachhaltiger an. Es ist also einmal die Werkzeug-Natur in den Tugenden, die eigentlich gelobt wird, wenn die Tugenden gelobt werden, und sodann der blinde in jeder Tugend waltende Trieb, welcher durch den Gesamt-Vorteil des Individuums sich nicht in Schranken halten läßt, kurz: die Unvernunft in der Tugend, vermöge deren das Einzelwesen sich zur Funktion des Ganzen umwandeln läßt. Das Lob der Tugenden ist das Lob von etwas Privat-Schädlichem – das Lob von

Trieben, welche dem Menschen seine edelste Selbstsucht und die Kraft zur höchsten Obhut über sich selber nehmen. – Freilich: zur Erziehung und zur Einverleibung tugendhafter Gewohnheiten kehrt man eine Reihe von Wirkungen der Tugend heraus, welche Tugend und Privat-Vorteil als verschwistert erscheinen lassen – und es gibt in der Tat eine solche Geschwisterschaft! Der blind wütende Fleiß zum Beispiel, diese typische Tugend eines Werkzeugs, wird dargestellt als der Weg zu Reichtum und Ehre und als das heilsamste Gift gegen die Langeweile und die Leidenschaften: aber man verschweigt seine Gefahr, seine höchste Gefährlichkeit. Die Erziehung verfährt durchweg so: sie sucht den einzelnen durch eine Reihe von Reizen und Vorteilen zu einer Denk- und Handlungsweise zu bestimmen, welche, wenn sie Gewohnheit, Trieb und Leidenschaft geworden ist, *wider seinen letzten Vorteil*, aber »zum allgemeinen Besten« in ihm und über ihn herrscht. Wie oft sehe ich es, daß der blind wütende Fleiß zwar Reichtümer und Ehre schafft, aber zugleich den Organen die Feinheit nimmt, vermöge deren es einen Genuß an Reichtum und Ehren geben könnte, ebenso, daß jenes Hauptmittel gegen die Langeweile und die Leidenschaften zugleich die Sinne stumpf und den Geist widerspenstig gegen neue Reize macht. (Das fleißigste aller Zeitalter – unser Zeitalter – weiß aus seinem vielen Fleiße und Gelde nichts zu machen, als immer wieder mehr Geld und immer wieder mehr Fleiß: es gehört eben mehr Genie dazu, auszugeben, als zu erwerben! – Nun, wir werden unsre »Enkel« haben!) Gelingt die Erziehung, so ist jede Tugend des einzelnen eine öffentliche Nützlichkeit und ein privater Nachteil im Sinne des höchsten privaten Zieles, – wahrscheinlich irgendeine geistig-sinnliche Verkümmerung oder gar der frühzeitige Untergang: man erwäge der Reihe nach von diesem Gesichtspunkte aus die Tugend des Gehorsams, der Keuschheit, der Pietät, der Gerechtigkeit. Das Lob des Selbstlosen, Aufopfernden, Tugendhaften – also desjenigen, der nicht seine ganze

Kraft und Vernunft auf *seine* Erhaltung, Entwicklung, Erhebung, Förderung, Macht-Erweiterung verwendet, sondern in bezug auf sich bescheiden und gedankenlos, vielleicht sogar gleichgültig oder ironisch lebt – dieses Lob ist jedenfalls nicht aus dem Geiste der Selbstlosigkeit entsprungen! Der »Nächste« lobt die Selbstlosigkeit, weil *er durch sie Vorteile hat!* Dächte der Nächste selber »selbstlos«, so würde er jenen Abbruch an Kraft, jene Schädigung zu *seinen* Gunsten abweisen, der Entstehung solcher Neigungen entgegenarbeiten und vor allem seine Selbstlosigkeit eben dadurch bekunden, daß er dieselbe *nicht gut* nennte! – Hiermit ist der Grundwiderspruch jener Moral angedeutet, welche gerade jetzt sehr in Ehren steht: die *Motive* zu dieser Moral stehen im Gegensatz zu ihrem *Prinzip!* Das, womit sich diese Moral beweisen will, widerlegt sie aus ihrem Kriterium des Moralischen! Der Satz »du sollst dir selber entsagen und dich zum Opfer bringen« dürfte, um seiner eignen Moral nicht zuwiderzugehen, nur von einem Wesen dekretiert werden, welches damit selber seinem Vorteil entsagte und vielleicht in der verlangten Aufopferung der einzelnen seinen eigenen Untergang herbeiführte. Sobald aber der Nächste (oder die Gesellschaft) den Altruismus *um des Nutzens willen* anempfiehlt, wird der gerade entgegengesetzte Satz, »du sollst den Vorteil, auch auf Unkosten alles anderen, suchen«, zur Anwendung gebracht, also in einem Atem ein »Du sollst« und »Du sollst nicht« gepredigt!

22

L'ordre du jour pour le roi. – Der Tag beginnt: beginnen wir für diesen Tag die Geschäfte und Feste unseres allergnädigsten Herrn zu ordnen, der jetzt noch zu ruhen geruht. Seine Majestät hat heute schlechtes Wetter: wir werden uns hüten, es schlecht zu nennen; man wird nicht vom Wetter reden – aber wir werden die Geschäfte heute etwas feierlicher und die

Feste etwas festlicher nehmen, als sonst nötig wäre. Seine Majestät wird vielleicht sogar krank sein: wir werden zum Frühstück die letzte gute Neuigkeit vom Abend präsentieren, die Ankunft des Herrn von Montaigne, der so angenehm über seine Krankheit zu scherzen weiß – er leidet am Stein. Wir werden einige Personen empfangen (Personen! – was würde jener alte aufgeblasene Frosch, der unter ihnen sein wird, sagen, wenn er dies Wort hörte! »Ich bin keine Person«, würde er sagen, »sondern immer die Sache selber«) – und der Empfang wird länger dauern, als irgend jemandem angenehm ist: Grund genug, von jenem Dichter zu erzählen, der auf seine Türe schrieb: »wer hier eintritt, wird mir eine Ehre erweisen; wer es nicht tut – ein Vergnügen.« – Dies heißt fürwahr eine Unhöflichkeit auf höfliche Manier sagen! Und vielleicht hat dieser Dichter für seinen Teil ganz recht, unhöflich zu sein: man sagt, daß seine Verse besser seien als der Verse-Schmied. Nun, so mag er noch viele machen und sich selber möglichst der Welt entziehn: und das ist ja der Sinn seiner artigen Unart! Umgekehrt ist ein Fürst immer mehr wert als sein »Vers«, selbst wenn – doch was machen wir? Wir plaudern, und der ganze Hof meint, wir arbeiteten schon und zerbrächen uns die Köpfe: man sieht kein Licht früher als das in unserem Fenster brennen. – Horch! War das nicht die Glocke? Zum Teufel! Der Tag und der Tanz beginnt, und wir wissen seine Touren nicht! So müssen wir improvisieren – alle Welt improvisiert ihren Tag. Machen wir es heute einmal wie alle Welt! – Und damit verschwand mein wunderlicher Morgentraum, wahrscheinlich vor den harten Schlägen der Turmuhr, die eben mit all der Wichtigkeit, die ihr eigen ist, die fünfte Stunde verkündete. Es scheint mir, daß diesmal der Gott der Träume sich über meine Gewohnheiten lustig machen wollte – es ist meine Gewohnheit, den Tag so zu beginnen, daß ich ihn *für mich* zurechtlege und erträglich mache, und es mag sein, daß ich dies öfters zu förmlich und zu prinzenhaft getan habe.

23

Die Anzeichen der Korruption. – Man beachte an jenen von Zeit zu Zeit notwendigen Zuständen der Gesellschaft, welche mit dem Wort »Korruption« bezeichnet werden, folgende Anzeichen. Sobald irgendwo die Korruption eintritt, nimmt ein bunter *Aberglaube* überhand, und der bisherige Gesamtglaube eines Volkes wird blaß und ohnmächtig dagegen: der Aberglaube ist nämlich die Freigeisterei zweiten Ranges – wer sich ihm ergibt, wählt gewisse ihm zusagende Formen und Formeln aus und erlaubt sich ein Recht der Wahl. Der Abergläubische ist, im Vergleich mit dem Religiösen, immer viel mehr »Person« als dieser, und eine abergläubische Gesellschaft wird eine solche sein, in der es schon viele Individuen und Lust am Individuellen gibt. Von diesem Standpunkte aus gesehen, erscheint der Aberglaube immer als ein *Fortschritt* gegen den Glauben und als Zeichen dafür, daß der Intellekt unabhängiger wird und sein Recht haben will. Über Korruption klagen dann die Verehrer der alten Religion und Religiosität – sie haben bisher auch den Sprachgebrauch bestimmt und dem Aberglauben eine üble Nachrede selbst bei den freiesten Geistern gemacht. Lernen wir, daß er ein Symptom der *Aufklärung* ist. – Zweitens beschuldigt man eine Gesellschaft, in der die Korruption Platz greift, der *Erschlaffung*: und ersichtlich nimmt in ihr die Schätzung des Krieges und die Lust am Kriege ab, und die Bequemlichkeiten des Lebens werden jetzt ebenso heiß erstrebt wie ehedem die kriegerischen und gymnastischen Ehren. Aber man pflegt zu übersehen, daß jene alte Volks-Energie und Volks-Leidenschaft, welche durch den Krieg und die Kampfspiele eine prachtvolle Sichtbarkeit bekam, jetzt sich in unzählige Privat-Leidenschaften umgesetzt hat und nur weniger sichtbar geworden ist; ja wahrscheinlich ist in Zuständen der Korruption die Macht und Gewalt der jetzt verbrauchten Energie eines Volkes größer als je, und das Individuum gibt so verschwenderisch davon aus, wie es ehedem nicht konnte – es war damals noch nicht reich genug dazu! Und so sind es gerade die Zeiten der »Erschlaffung«, wo die Tragödie durch die Häuser und Gassen läuft, wo die große Liebe und der große Haß geboren werden und die Flamme der Erkenntnis lichterloh zum Himmel aufschlägt. – Drittens pflegt man, gleichsam zur Entschädigung für den Tadel des Aberglaubens und der Erschlaffung, solchen Zeiten der Korruption nachzusagen, daß sie milder seien und daß jetzt die Grausamkeit, gegen die ältere gläubigere und stärkere Zeit gerechnet, sehr in Abnahme komme. Aber auch dem Lobe kann ich nicht beipflichten, ebensowenig als jenem Tadel: nur so viel gebe ich zu, daß jetzt die Grausamkeit sich verfeinert, und daß ihre älteren Formen von nun an wider den Geschmack gehen; aber die Verwundung und Folterung durch Wort und Blick erreicht in Zeiten der Korruption ihre höchste Ausbildung – jetzt erst wird die *Bosheit* geschaffen und die Lust an der Bosheit. Die Menschen der Korruption sind witzig und verleumderisch; sie wissen, daß es noch andere Arten des Mordes gibt als durch Dolch und Überfall – sie wissen auch, daß alles *Gutgesagte* geglaubt wird. – Viertens: wenn »die Sitten verfallen«, so tauchen zuerst jene Wesen auf, welche man Tyrannen nennt: es sind die Vorläufer und gleichsam die frühreifen *Erstlinge der Individuen.* Noch eine kleine Weile: und diese Frucht der Früchte hängt reif und gelb am Baume eines Volkes – und nur um dieser Früchte willen gab es diesen Baum! Ist der Verfall auf seine Höhe gekommen und der Kampf aller Art Tyrannen ebenfalls, so kommt dann immer der Cäsar, der Schluß-Tyrann, der dem ermüdeten Ringen um Alleinherrschaft ein Ende macht, indem er die Müdigkeit für sich arbeiten läßt. Zu seiner Zeit ist gewöhnlich das Individuum am reifsten und folglich die »Kultur« am höchsten und fruchtbarsten – aber nicht um seinetwillen und nicht durch ihn: obwohl die höchsten Kultur-Menschen ihrem Cäsar damit zu schmeicheln lieben, daß sie sich als *sein* Werk ausgeben. Die

Wahrheit aber ist, daß sie Ruhe von außen nötig haben, weil sie ihre Unruhe und Arbeit in sich haben. In diesen Zeiten ist die Bestechlichkeit und der Verrat am größten: denn die Liebe zu dem eben erst entdeckten *ego* ist jetzt viel mächtiger als die Liebe zum alten, verbrauchten, totgeredeten »Vaterlande«; und das Bedürfnis, sich irgendwie gegen die furchtbaren Schwankungen des Glücks sicherzustellen, öffnet auch edlere Hände, sobald ein Mächtiger und Reicher sich bereit zeigt, Gold in sie zu schütten. Es gibt jetzt so wenig sichere Zukunft: da lebt man für heute: ein Zustand der Seele, bei dem alle Verführer ein leichtes Spiel spielen – man läßt sich nämlich auch nur »für heute« verführen und bestechen und behält sich die Zukunft und die Tugend vor! Die Individuen, diese wahren An- und Für-sichs, sorgen, wie bekannt, mehr für den Augenblick als ihre Gegensätze, die Herden-Menschen, weil sie sich selber für ebenso unberechenbar halten wie die Zukunft; ebenso knüpfen sie sich gerne an Gewaltmenschen an, weil sie sich Handlungen und Auskünfte zutrauen, die bei der Menge weder auf Verständnis noch auf Gnade rechnen können – aber der Tyrann oder Cäsar versteht das Recht des Individuums auch in seiner Ausschreitung und hat ein Interesse daran, einer kühneren Privatmoral das Wort zu reden und selbst die Hand zu bieten. Denn er denkt von sich und will über sich gedacht haben, was Napoleon einmal in seiner klassischen Art und Weise ausgesprochen hat: »Ich habe das Recht, auf alles, worüber man gegen mich Klage führt, durch ein ewiges ›Das-bin-ich!‹ zu antworten. Ich bin abseits von aller Welt, ich nehme von niemandem Bedingungen an. Ich will, daß man sich auch meinen Phantasien unterwerfe und es ganz einfach finde, wenn ich mich diesen oder jenen Zerstreuungen hingebe.« So sprach Napoleon einmal zu seiner Gemahlin, als diese Gründe hatte, die eheliche Treue ihres Gatten in Frage zu ziehen. – Die Zeiten der Korruption sind die, in welchen die Äpfel vom Baume fallen: ich meine die Individuen, die Samenträger der Zukunft, die Urheber der geistigen Kolonisation und Neubildung von Staats- und Gesellschaftsverbänden. Korruption ist nur ein Schimpfwort für die *Herbstzeiten* eines Volkes.

24

Verschiedene Unzufriedenheit. – Die schwachen und gleichsam weiblichen Unzufriednen sind die Erfindsamen für die Verschönerung und Vertiefung des Lebens; die starken Unzufriednen – die Mannspersonen unter ihnen, im Bilde zu bleiben – für Verbesserung und Sicherung des Lebens. Die ersteren zeigen darin ihre Schwäche und Weiberart, daß sie sich gerne zeitweilig täuschen lassen und wohl schon mit ein wenig Rausch und Schwärmerei einmal fürlieb nehmen, aber im ganzen nie zu befriedigen sind und an der Unheilbarkeit ihrer Unzufriedenheit leiden; überdies sind sie die Förderer aller derer, welche opiatische und narkotische Tröstungen zu schaffen wissen, und eben darum jenen gram, die den Arzt höher als den Priester schätzen – dadurch unterhalten sie die *Fortdauer* der wirklichen Notstände! Hätte es nicht seit den Zeiten des Mittelalters eine Überzahl von Unzufriedenen dieser Art in Europa gegeben, so würde vielleicht die berühmte europäische Fähigkeit zur beständigen *Verwandlung* gar nicht entstanden sein: denn die Ansprüche der starken Unzufriedenen sind zu grob und im Grunde zu anspruchslos, um nicht endlich einmal zur Ruhe gebracht werden zu können. China ist das Beispiel eines Landes, wo die Unzufriedenheit im großen und die Fähigkeit der Verwandlung seit vielen Jahrhunderten ausgestorben ist; und die Sozialisten und Staats-Götzendiener Europas könnten es mit ihren Maßregeln zur Verbesserung und Sicherung des Lebens auch in Europa leicht zu chinesischen Zuständen und einem chinesischen »Glücke« bringen, vorausgesetzt, daß sie hier zuerst jene kränklichere, zartere, weiblichere, einstweilen noch überreichlich vorhandene Unzufriedenheit und Romantik ausrotten könnten.

Europa ist ein Kranker, der seiner Unheilbarkeit und ewigen Verwandlung seines Leidens den höchsten Dank schuldig ist: diese beständigen neuen Lagen, diese ebenso beständigen neuen Gefahren, Schmerzen und Auskunftsmittel haben zuletzt eine intellektuale Reizbarkeit erzeugt, welche beinahe so viel als Genie, und jedenfalls die Mutter alles Genies ist.

25

Nicht zur Erkenntnis vorausbestimmt. – Es gibt eine gar nicht seltene blöde Demütigkeit, mit der behaftet man ein für allemal nicht zum Jünger der Erkenntnis taugt. Nämlich: in dem Augenblick, wo ein Mensch dieser Art etwas Auffälliges wahrnimmt, dreht er sich gleichsam auf dem Fuße um und sagt sich: »du hast dich getäuscht! Wo hast du deine Sinne gehabt! Dies darf nicht die Wahrheit sein!« – und nun, statt noch einmal schärfer hinzusehen und hinzuhören, läuft er wie eingeschüchtert dem auffälligen Dinge aus dem Wege und sucht es sich so schnell wie möglich aus dem Kopfe zu schlagen. Sein innerlicher Kanon nämlich lautet: »ich will nichts sehen, was der üblichen Meinung über die Dinge widerspricht! Bin *ich* dazu gemacht, neue Wahrheiten zu entdecken? Es gibt schon der alten zu viele.«

26

Was heißt Leben? – Leben – das heißt: fortwährend etwas von sich abstoßen, das sterben will; Leben – das heißt: grausam und unerbittlich gegen alles sein, was schwach und alt an uns, und nicht nur an uns, wird. Leben – das heißt also: ohne Pietät gegen Sterbende, Elende und Greise sein? Immerfort Mörder sein? – Und doch hat der alte Moses gesagt: »Du sollst nicht töten!«

Der Entsagende. – Was tut der Entsagende? Er strebt nach einer höheren Welt, er will weiter und ferner und höher fliegen als alle Menschen der Bejahung – *er wirft vieles weg*, was seinen Flug beschweren würde, und manches darunter, was ihm nicht unwert, nicht unliebsam ist: er opfert es seiner Begierde zur Höhe. Dieses Opfern, dieses Wegwerfen ist nun gerade das, was allein sichtbar an ihm wird: danach gibt man ihm den Namen des Entsagenden, und als dieser steht er vor uns, eingehüllt in seine Kapuze und wie die Seele eines härenen Hemdes. Mit diesem Effekte, den er auf uns macht, ist er aber wohl zufrieden: er will vor uns seine Begierde, seinen Stolz, seine Absicht, *über* uns hinauszufliegen, verborgen halten. – Ja! Er ist klüger, als wir dachten, und so höflich gegen uns – dieser Bejahende! Denn das ist er gleich uns, auch indem er entsagt.

Mit seinem Besten schaden. – Unsere Stärken treiben uns mitunter so weit vor, daß wir unsere Schwächen nicht mehr aushalten können und an ihnen zugrunde gehen: wir sehen auch wohl diesen Ausgang voraus und wollen es trotzdem nicht anders. Da werden wir hart gegen das an uns, was geschont sein will, und unsere Größe ist auch unsere Unbarmherzigkeit. – Ein solches Erlebnis, das wir zuletzt mit dem Leben bezahlen müssen, ist ein Gleichnis für das gesamte Wirken großer Menschen auf andre und auf ihre Zeit – gerade mit ihrem Besten, mit dem, was nur *sie* können, richten sie viel Schwache, Unsichere, Werdende, Wollende zugrunde und sind hierdurch schädlich. Ja es kann der Fall vorkommen, daß sie, im ganzen gerechnet, nur schaden, weil ihr Bestes allein von solchen angenommen und gleichsam aufgetrunken wird, welche an ihm, wie an einem zu starken Getränke, ihren Verstand und ihre Selbstsucht verlieren: sie werden so berauscht, daß sie ihre Glieder auf allen den Irrwegen brechen müssen, wohin sie der Rausch treibt.

<h2 style="text-align:center">29</h2>

Die Hinzu-Lügner. – Als man in Frankreich die Einheiten des Aristoteles zu bekämpfen und folglich auch zu verteidigen anfing, da war es wieder einmal zu sehen, was so oft zu sehen ist, aber so ungern gesehen wird – *man log sich Gründe vor,* um derenthalben jene Gesetze bestehen sollten, bloß um sich nicht einzugestehen, daß man sich an die Herrschaft dieser Gesetze *gewöhnt* habe und es nicht mehr anders haben wolle. Und so macht man es innerhalb jeder herrschenden Moral und Religion und hat es von jeher gemacht: die Gründe und die Absichten hinter der Gewohnheit werden immer zu ihr erst hinzugelogen, wenn einige anfangen, die Gewohnheit zu bestreiten und nach Gründen und Absichten zu *fragen.* Hier steckt die große Unehrlichkeit der Konservativen aller Zeiten – es sind die Hinzu-Lügner.

<h2 style="text-align:center">30</h2>

Komödienspiel der Berühmten. – Berühmte Männer, welche ihren Ruhm *nötig haben,* wie zum Beispiel alle Politiker, wählen ihre Verbündeten und Freunde nie mehr ohne Hintergedanken: von diesem wollen sie ein Stück Glanz und Abglanz seiner Tugend, von jenem das Furchteinflößende gewisser bedenklicher Eigenschaften, die jedermann an ihm kennt, einem andern stehlen sie den Ruf seines Müßigganges, seines In-der-Sonne-liegens, weil es ihren eignen Zwecken frommt, zeitweilig für unachtsam und träge zu gelten – es verdeckt, daß sie auf der Lauer liegen; bald brauchen sie den Phantasten, bald den Kenner, bald den Grübler, bald den Pedanten in ihrer Nähe und gleichsam als ihr gegenwärtiges Selbst, aber ebensobald brauchen sie dieselben nicht mehr! Und so sterben fortwährend ihre Umgebungen und Außenseiten ab, während alles sich in diese Umgebung zu drängen scheint und zu ihrem »Charakter« werden will: darin gleichen sie den großen Städten. Ihr Ruf ist fortwährend im Wandel wie ihr Charakter, denn ihre wechselnden Mittel verlangen diesen Wechsel und schieben bald diese, bald jene wirkliche oder erdichtete Eigenschaft hervor und auf die Bühne *hinaus*: ihre Freunde und Verbündeten gehören, wie gesagt, zu diesen Bühnen-Eigenschaften. Dagegen muß das, was sie wollen, um so mehr fest und ehern und weithin glänzend stehenbleiben – und auch dies hat bisweilen seine Komödie und sein Bühnenspiel nötig.

31

Handel und Adel. – Kaufen und verkaufen gilt jetzt als gemein wie die Kunst des Lesens und Schreibens; jeder ist jetzt darin eingeübt, selbst wenn er kein Handelsmann ist, und übt sich noch an jedem Tage in dieser Technik: ganz wie ehemals, im Zeitalter der wilderen Menschheit, jedermann Jäger war und sich Tag für Tag in der Technik der Jagd übte. Damals war die Jagd gemein: aber wie diese endlich ein Privilegium der Mächtigen und Vornehmen wurde und damit den Charakter der Alltäglichkeit und Gemeinheit verlor – dadurch, daß sie aufhörte notwendig zu sein und eine Sache der Laune und des Luxus wurde –: so könnte es irgendwann einmal mit dem Kaufen und Verkaufen werden. Es sind Zustände der Gesellschaft denkbar, wo nicht verkauft und gekauft wird, und wo die Notwendigkeit dieser Technik allmählich ganz verlorengeht: vielleicht, daß dann einzelne, welche dem Gesetze des allgemeinen Zustandes weniger unterworfen sind, sich dann das Kaufen und Verkaufen wie einen *Luxus der Empfindung* erlauben. Dann erst bekäme der Handel Vornehmheit, und die Adeligen würden sich dann vielleicht ebensogern mit dem Handel abgeben, wie bisher mit dem Kriege und der Politik: während umgekehrt die Schätzung der Politik sich dann völlig geändert haben könnte. Schon jetzt hört sie auf, das Handwerk des Edelmanns zu sein: und es wäre möglich, daß man sie eines Tages so gemein fände, um sie, gleich aller Partei- und Tagesliteratur, unter die Rubrik »Prostitution des Geistes« zu bringen.

32

Unerwünschte Jünger. – Was soll ich mit diesen beiden Jünglingen machen! – rief mit Unmut ein Philosoph, welcher die Jugend »verdarb«, wie Sokrates sie einst verdorben hat – es sind mir unwillkommne Schüler. Der da kann nicht nein sagen, und jener sagt zu allem: »halb und halb«. Gesetzt, sie ergriffen meine Lehre, so würde der erstere zu viel *leiden*, denn meine Denkweise erfordert eine kriegerische Seele, ein Wehtun-Wollen, eine Lust am Neinsagen, eine harte Haut, – er würde an offnen und innern Wunden dahinsiechen. Und der andere wird sich aus jeder Sache, die er vertritt, eine Mittelmäßigkeit zurechtmachen und sie dergestalt zur Mittelmäßigkeit machen – einen solchen Jünger wünsche ich meinem Feinde!

33

Außerhalb des Hörsaals. – »Um Ihnen zu beweisen, daß der Mensch im Grunde zu den gutartigen Tieren gehört, würde ich Sie daran erinnern, wie leichtgläubig er so lange gewesen ist. Jetzt erst ist er, ganz spät und nach ungeheurer Selbstüberwindung, ein *mißtrauisches* Tier geworden – ja! der Mensch ist jetzt böser als je.« – Ich verstehe dies nicht: warum sollte der Mensch jetzt mißtrauischer und böser sein? – »Weil er jetzt eine Wissenschaft hat – nötig hat!«

34

Historia abscondita. – Jeder große Mensch hat eine rückwirkende Kraft: alle Geschichte wird um seinetwillen wieder auf die Waage gestellt, und tausend Geheimnisse der Vergangenheit kriechen aus ihren Schlupfwinkeln – hinein in *seine* Sonne. Es ist gar nicht abzusehen, was alles einmal noch Geschichte sein wird. Die Vergangenheit ist vielleicht immer noch wesentlich unentdeckt! Es bedarf noch so vieler rückwirkender Kräfte!

35

Ketzerei und Hexerei. – Anders denken, als Sitte ist – das ist lange nicht so sehr die Wirkung eines besseren Intellektes als die Wirkung starker, böser Neigungen, loslösender, isolierender, trotziger, schadenfroher, hämischer Neigungen. Die Ketzerei ist das Seitenstück zur Hexerei, und gewiß ebenso wenig als diese etwas Harmloses oder gar an sich selber Verehrungswürdiges. Die Ketzer und die Hexen sind zwei Gattungen böser Menschen: gemeinsam ist ihnen, daß sie sich auch als böse fühlen, daß aber ihre unbezwingliche Lust ist, an dem, was herrscht (Menschen oder Meinungen), sich schädigend auszulassen. Die Reformation, eine Art Verdoppelung des mittelalterlichen Geistes, zu einer Zeit, als er bereits das gute Gewissen nicht mehr bei sich hatte, brachte sie beide in größter Fülle hervor.

36

Letzte Worte. – Man wird sich erinnern, daß der Kaiser Augustus, jener fürchterliche Mensch, der sich ebenso in der Gewalt hatte und der ebenso schweigen konnte wie irgendein weiser Sokrates, mit seinem letzten Worte indiskret gegen sich selber wurde: er ließ zum ersten Male seine Maske fallen, als er zu verstehen gab, daß er eine Maske getragen und eine Komödie gespielt habe, er hatte den Vater des Vaterlandes und die Weisheit auf dem Throne gespielt, gut bis zur Illusion! *Plaudite amici, comoedia finita est!* – Der Gedanke des sterbenden Nero: *qualis artifex pereo!* war auch der Gedanke des sterbenden Augustus: Histrionen-Eitelkeit! Histrionen-Schwatzhaftigkeit! Und recht das Gegenstück zum sterbenden Sokrates! – Aber Tiberius starb schweigsam, dieser gequälteste aller Selbstquäler – *der* war *echt* und kein Schauspieler! Was mag dem wohl zuletzt durch den Kopf gegangen sein! Vielleicht dies: »Das Leben – das ist ein langer Tod. Ich Narr, der ich so vielen das Leben verkürzte! War *ich* dazu gemacht, ein Wohltäter zu sein? Ich hätte ihnen das ewige Leben geben sollen: so hätte ich sie ewig *sterben sehen* können. *Dafür* hatte ich ja so gute Augen: *qualis spectator pereo!*« Als er nach einem langen Todeskampfe doch wieder zu Kräften zu kommen schien, hielt man es für ratsam, ihn mit Bettkissen zu ersticken – er starb eines doppelten Todes.

37

Aus drei Irrtümern. – Man hat in den letzten Jahrhunderten die Wissenschaft gefördert, teils weil man mit ihr und durch sie Gottes Güte und Weisheit am besten zu verstehen hoffte – das Hauptmotiv in der Seele der großen Engländer (wie Newton) –, teils weil man an die absolute Nützlichkeit der Erkenntnis glaubte, namentlich an den innersten Verband von

Moral, Wissen und Glück – das Hauptmotiv in der Seele der großen Franzosen (wie Voltaire) –, teils weil man in der Wissenschaft etwas Selbstloses, Harmloses, Sich-selber-Genügendes, wahrhaft Unschuldiges zu haben und zu lieben meinte, an dem die bösen Triebe des Menschen überhaupt nicht beteiligt seien, – das Hauptmotiv in der Seele Spinozas, der sich als Erkennender göttlich fühlte: – also aus drei Irrtümern!

38

Die Explosiven. – Erwägt man, wie explosionsbedürftig die Kraft junger Männer daliegt, so wundert man sich nicht, sie so unfein und so wenig wählerisch sich für diese oder jene Sache entscheiden zu sehen: das, was sie reizt, ist der Anblick des Eifers, der um eine Sache ist, und gleichsam der Anblick der brennenden Lunte – nicht die Sache selber. Die feineren Verführer verstehen sich deshalb darauf, ihnen die Explosion in Aussicht zu stellen und von der Begründung ihrer Sache abzusehen: mit Gründen gewinnt man diese Pulverfässer nicht!

39

Veränderter Geschmack. – Die Veränderung des allgemeinen Geschmacks ist wichtiger als die der Meinungen; Meinungen mit allen Beweisen, Widerlegungen und der ganzen intellektuellen Maskerade sind nur Symptome des veränderten Geschmacks und ganz gewiß gerade das *nicht*, wofür man sie noch so häufig anspricht, dessen Ursachen. Wie verändert sich der allgemeine Geschmack? Dadurch, daß Einzelne, Mächtige, Einflußreiche ohne Schamgefühl *ihr hoc est ridiculum, hoc est absurdum*, also das Urteil ihres Geschmacks und Ekels, aussprechen und tyrannisch durchsetzen – sie legen damit vielen einen Zwang auf, aus dem allmählich eine Gewöhnung noch mehrerer und zuletzt ein *Bedürfnis aller* wird. Daß diese einzelnen aber anders empfinden und »schmecken«, das hat gewöhnlich seinen Grund in einer Absonderlichkeit ihrer Lebensweise, Ernährung, Verdauung, vielleicht in einem Mehr oder Weniger der anorganischen Salze in ihrem Blute und Gehirne, kurz in der Physis: sie haben aber den Mut, sich zu ihrer Physis zu bekennen und deren Forderungen noch in ihren feinsten Tönen Gehör zu schenken: ihre ästhetischen und moralischen Urteile sind solche »feinste Töne« der Physis.

40

Vom Mangel der vornehmen Form. – Soldaten und Führer haben immer noch ein viel höheres Verhalten zueinander als Arbeiter und Arbeitgeber. Einstweilen wenigstens steht alle militärisch begründete Kultur noch hoch über aller sogenannten industriellen Kultur: letztere in ihrer jetzigen Gestalt ist überhaupt die gemeinste Daseinsform, die es bisher gegeben hat. Hier wirkt einfach das Gesetz der Not: man will leben und muß sich verkaufen, aber man verachtet den, der diese Not ausnützt und sich den Arbeiter *kauft*. Es ist seltsam, daß die Unterwerfung unter mächtige, furchterregende, ja schreckliche Personen, unter Tyrannen und Heerführer, bei weitem nicht so peinlich empfunden wird als diese Unterwerfung unter unbekannte und uninteressante Personen, wie es alle Größen der Industrie sind: in dem Arbeitgeber sieht der Arbeiter gewöhnlich nur einen listigen, aussaugenden, auf alle Not spekulierenden Hund von Menschen, dessen Name, Gestalt, Sitte und Ruf ihm ganz gleichgültig sind. Den Fabrikanten und Groß-Unternehmern des Handels fehlten bisher wahrscheinlich allzusehr alle jene Formen und Abzeichen der *höheren Rasse*, welche erst die *Personen* interessant werden lassen; hätten sie die Vornehmheit des Geburts-Adels im Blick und in der Gebärde, so gäbe es vielleicht keinen Sozialismus der Massen. Denn diese sind im Grunde bereit zur *Sklaverei* jeder Art, vorausgesetzt daß der Höhere über ihnen sich beständig als höher, als zum Befehlen *geboren* legitimiert – durch die vornehme Form! Der gemeinste Mann fühlt, daß die Vornehmheit nicht zu improvisieren ist und daß er in ihr die Frucht langer Zeiten zu ehren hat – aber die Abwesenheit der höheren Form und die berüchtigte Fabrikanten-Vulgarität mit roten feisten Händen bringen ihn auf den Gedanken, daß nur Zufall und Glück hier den einen über den andern erhoben habe: wohlan, so schließt er bei sich, versuchen *wir* einmal den Zufall und das Glück! Werfen wir einmal die Würfel! – und der Sozialismus beginnt.

41

Gegen die Reue. – Der Denker sieht in seinen eignen Handlungen Versuche und Fragen, irgendworüber Aufschluß zu erhalten: Erfolg und Mißerfolg sind ihm zu allererst *Antworten*. Sich aber darüber, daß etwas mißrät, ärgern oder gar Reue empfinden – das überläßt er denen, welche handeln, weil es ihnen befohlen wird, und welche Prügel zu erwarten haben, wenn der gnädige Herr mit dem Erfolg nicht zufrieden ist.

42

Arbeit und Langeweile. – Sich Arbeit suchen um des Lohnes willen – darin sind sich in den Ländern der Zivilisation jetzt fast alle Menschen gleich; ihnen allen ist Arbeit ein Mittel, und nicht selber das Ziel; weshalb sie in der Wahl der Arbeit wenig fein sind, vorausgesetzt daß sie einen reichlichen Gewinn abwirft. Nun gibt es seltnere Menschen, welche lieber zugrunde gehen wollen, als ohne *Lust* an der Arbeit arbeiten: jene Wählerischen, schwer zu Befriedigenden, denen mit einem reichlichen Gewinn nicht gedient wird, wenn die Arbeit nicht selber der Gewinn aller Gewinne ist. Zu dieser seltenen Gattung von Menschen gehören die Künstler und Kontemplativen aller Art, aber auch schon jene Müßiggänger, die ihr Leben auf der Jagd, auf Reisen oder in Liebeshändeln und Abenteuern zubringen. Alle diese wollen Arbeit und Not, sofern sie mit Lust verbunden ist, und die schwerste, härteste Arbeit, wenn es sein muß. Sonst aber sind sie von einer entschlossenen Trägheit, sei es selbst, daß Verarmung, Unehre, Gefahr der Gesundheit und des Lebens an diese Trägheit geknüpft sein sollte. Sie fürchten die Langeweile nicht so sehr als die Arbeit ohne Lust: ja sie haben viel Langeweile nötig, wenn ihnen *ihre* Arbeit gelingen soll. Für den Denker und für alle empfindsamen Geister ist Langeweile jene unangenehme »Windstille« der Seele, welche der glücklichen Fahrt und den lustigen Winden vorangeht; er muß sie ertragen, muß ihre Wirkung bei sich *abwarten* – *das* gerade ist es, was die geringeren Naturen durchaus nicht von sich erlangen können! Langeweile auf jede Weise von sich scheuchen ist gemein: wie arbeiten ohne Lust gemein ist. Es zeichnet vielleicht die Asiaten vor den Europäern aus, daß sie einer längeren, tieferen Ruhe fähig sind als diese; selbst ihre *Narcotica* wirken langsam und verlangen Geduld, im Gegensatz zu der widrigen Plötzlichkeit des europäischen Giftes, des Alkohols.

43

Was die Gesetze verraten. – Man vergreift sich sehr, wenn man die Strafgesetze eines Volkes studiert, als ob sie ein Ausdruck seines Charakters wären; die Gesetze verraten nicht das, was ein Volk ist, sondern das, was ihm fremd, seltsam, ungeheuerlich, ausländisch erscheint. Die Gesetze beziehen sich auf die Ausnahmen der Sittlichkeit der Sitte; und die härtesten Strafen treffen das, was der Sitte des Nachbarvolkes gemäß ist. So gibt es bei den Wahabiten nur zwei Todsünden: einen andern Gott haben als den Wahabiten-Gott und – rauchen (es wird bei ihnen bezeichnet als »die schmachvolle Art des Trinkens«). »Und wie steht es mit Mord und Ehebruch?« – fragte erstaunt der Engländer, der diese Dinge erfuhr. »Nun, Gott ist gnädig und barmherzig!« – sagte der alte Häuptling. – So gab es bei den alten Römern die Vorstellung, daß ein Weib sich nur auf zweierlei Art tödlich versündigen könne: einmal durch Ehebruch, sodann – durch Weintrinken. Der alte Cato meinte, man habe das Küssen unter Verwandten nur deshalb zur Sitte gemacht, um die Weiber in diesem Punkte unter Kontrolle zu halten; ein Kuß bedeute: riecht sie nach Wein? Man hat wirklich Frauen, die beim Weine ertappt wurden, mit dem Tode gestraft: und gewiß nicht nur, weil die Weiber mitunter unter der Einwirkung des Weines alles Nein-Sagen verlernen; die Römer fürchteten vor allem das orgiastische und dionysische Wesen, von dem die Weiber des europäischen Südens damals, als der Wein noch neu in Europa war, von Zeit zu Zeit heimgesucht wurden, als eine ungeheuerliche Ausländerei, welche den Grund der römischen Empfindung umwarf; es war ihnen wie ein Verrat an Rom, wie die Einverleibung des Auslandes.

44

Die geglaubten Motive. – So wichtig es sein mag, die Motive zu wissen, nach denen wirklich die Menschheit bisher gehandelt hat: vielleicht ist der *Glaube* an diese oder jene Motive, also das, was die Menschheit sich selber als die eigentlichen Hebel ihres Tuns bisher untergeschoben und eingebildet hat, etwas noch Wesentlicheres für den Erkennenden. Das innere Glück und Elend der Menschen ist ihnen nämlich je nach ihrem Glauben an diese oder jene Motive zuteil geworden – *nicht* aber durch das, was wirklich Motiv war! Alles dies letztere hat ein Interesse zweiten Ranges.

45

Epikur. – Ja, ich bin stolz darauf, den Charakter Epikurs anders zu empfinden als irgend jemand vielleicht, und bei allem, was ich von ihm höre und lese, das Glück des Nachmittags des Altertums zu genießen – ich sehe sein Auge auf ein weites, weißliches Meer blicken, über Uferfelsen hin, auf denen die Sonne liegt, während großes und kleines Getier in ihrem Lichte spielt, sicher und ruhig wie dies Licht und jenes Auge selber. Solch ein Glück hat nur ein fortwährend Leidender erfinden können, das Glück eines Auges, vor dem das Meer des Daseins stille geworden ist, und das nun an seiner Oberfläche und an dieser bunten, zarten, schaudernden Meeres-Haut sich nicht mehr sattsehen kann: es gab nie zuvor eine solche Bescheidenheit der Wollust.

46

Unser Erstaunen. – Es liegt ein tiefes und gründliches Glück darin, daß die Wissenschaft Dinge ermittelt, die *standhalten* und die immer wieder den Grund zu neuen Ermittlungen abgeben – es könnte ja anders sein! Ja, wir sind so sehr von all der Unsicherheit und Phantasterei unsrer Urteile und von dem ewigen Wandel aller menschlichen Gesetze und Begriffe überzeugt, daß es uns eigentlich ein Erstaunen macht, *wie sehr* die Ergebnisse der Wissenschaft standhalten! Früher wußte man nichts von dieser Wandelbarkeit alles Menschlichen, die Sitte der Sittlichkeit hielt den Glauben aufrecht, daß das ganze innere Leben des Menschen mit ewigen Klammern an die eherne Notwendigkeit geheftet sei – vielleicht empfand man damals eine ähnliche Wollust des Erstaunens, wenn man sich Märchen und Feengeschichten erzählen ließ. Das Wunderbare tat jenen Menschen so wohl, die der Regel und der Ewigkeit mitunter wohl müde werden mochten. Einmal den Boden verlieren! Schweben! Irren! Toll sein! – das gehörte zum Paradies und zur Schwelgerei früherer Zeiten: während unsere Glückseligkeit der des Schiffbrüchigen gleicht, der ans Land gestiegen ist und mit beiden Füßen sich auf die alte feste Erde stellt – staunend, daß sie nicht schwankt.

47

Von der Unterdrückung der Leidenschaften. – Wenn man sich anhaltend den Ausdruck der Leidenschaften verbietet, wie als etwas den »Gemeinen«, den gröberen, bürgerlichen, bäuerlichen Naturen zu Überlassendes – also nicht die Leidenschaften selber unterdrücken will, sondern nur ihre Sprache und Gebärde: so erreicht man nichtsdestoweniger eben das *mit*, was man nicht will: die Unterdrückung der Leidenschaften selber, mindestens ihre Schwächung und Veränderung – wie dies zum belehrendsten Beispiele der Hof Ludwigs des Vierzehnten und alles, was von ihm abhängig war, erlebt hat. Das Zeitalter *darauf*, erzogen in der Unterdrückung des Ausdrucks, hatte die Leidenschaften selber nicht mehr und ein anmutiges, flaches, spielendes Wesen an ihrer Stelle – ein Zeitalter, das mit der Unfähigkeit behaftet war, unartig zu sein: so daß selbst eine Beleidigung nicht anders als mit verbindlichen Worten angenommen und zurückgegeben wurde. Vielleicht gibt unsere Gegenwart das merkwürdigste Gegenstück dazu ab: ich sehe überall, im Leben und auf dem Theater und nicht am wenigsten in allem, was geschrieben wird, das Wohlbehagen an allen *gröberen* Ausbrüchen und

Gebärden der Leidenschaft: es wird jetzt eine gewisse Konvention der Leidenschaftlichkeit verlangt – nur nicht die Leidenschaft selber! Trotzdem wird man *sie* damit zuletzt erreichen, und unsre Nachkommen werden eine *echte Wildheit* haben und nicht nur eine Wildheit und Ungebärdigkeit der Formen.

48

Kenntnis der Not. – Vielleicht werden die Menschen und Zeiten durch nichts so sehr voneinander geschieden als durch den verschiednen Grad von Kenntnis der Not, den sie haben: Not der Seele wie des Leibes. In bezug auf letztere sind wir Jetzigen vielleicht allesamt, trotz unsrer Gebrechen und Gebrechlichkeiten, aus Mangel an reicher Selbst-Erfahrung Stümper und Phantasten zugleich: im Vergleich zu einem Zeitalter der Furcht – dem längsten aller Zeitalter –, wo der einzelne sich selber gegen Gewalt zu schützen hatte und um dieses Zieles willen selber Gewaltmensch sein mußte. Damals machte ein Mann seine reiche Schule körperlicher Qualen und Entbehrungen durch und begriff selbst in einer gewissen Grausamkeit gegen sich, in einer freiwilligen Übung des Schmerzes, ein ihm notwendiges Mittel seiner Erhaltung; damals erzog man seine Umgebung zum Ertragen des Schmerzes, damals fügte man gern Schmerz zu und sah das Furchtbarste dieser Art über andere ergehen, ohne ein anderes Gefühl als das der eigenen Sicherheit. Was die Not der Seele aber betrifft, so sehe ich mir jetzt jeden Menschen darauf an, ob er sie aus Erfahrung oder Beschreibung kennt; ob er diese Kenntnis zu heucheln doch noch für nötig hält, etwa als ein Zeichen der feineren Bildung, oder ob er überhaupt an große Seelenschmerzen im Grunde seiner Seele nicht glaubt und es ihm bei Nennung derselben ähnlich ergeht wie bei Nennung großer körperlicher Erduldungen: wobei ihm seine Zahn-

und Magenschmerzen einfallen. So aber scheint es mir bei den meisten jetzt zu stehen. Aus der allgemeinen Ungeübtheit im Schmerz beiderlei Gestalt und einer gewissen Seltenheit des Anblicks eines Leidenden ergibt sich nun eine wichtige Folge: man haßt jetzt den Schmerz viel mehr als frühere Menschen und redet ihm viel übler nach als je, ja man findet schon das Vorhandensein des Schmerzes *als eines Gedankens* kaum erträglich und macht dem gesamten Dasein eine Gewissenssache und einen Vorwurf daraus. Das Auftauchen pessimistischer Philosophien ist durchaus nicht das Merkmal großer furchtbarer Notstände; sondern diese Fragezeichen am Werte alles Lebens werden in Zeiten gemacht, wo die Verfeinerung und Erleichterung des Daseins bereits die unvermeidlichen Mückenstiche der Seele und des Leibes als gar zu blutig und bösartig befindet und in der Armut an wirklichen Schmerz-Erfahrungen am liebsten schon *quälende allgemeine Vorstellungen* als das Leid höchster Gattung erscheinen lassen möchte. – Es gäbe schon ein Rezept gegen pessimistische Philosophien und die übergroße Empfindlichkeit, welche mir die eigentliche »Not der Gegenwart« zu sein scheint –: aber vielleicht klingt dies Rezept schon zu grausam und würde selber unter die Anzeichen gerechnet werden, auf Grund deren hin man jetzt urteilt: »das Dasein ist etwas Böses«. Nun! Das Rezept gegen »die Not« lautet: *Not.*

49

Großmut und Verwandtes. – Jene paradoxen Erscheinungen, wie die plötzliche Kälte im Benehmen des Gemütsmenschen, wie der Humor des Melancholikers, wie vor allem die *Großmut*, als eine plötzliche Verzichtleistung auf Rache oder Befriedigung des Neides – treten an Menschen auf, in denen eine mächtige innere Schleuderkraft ist, an Menschen der plötzlichen Sättigung und des plötzlichen Ekels. Ihre Befriedigungen sind so schnell und so stark, daß diesen sofort Überdruß und Widerwille und eine Flucht in den entgegengesetzten Geschmack auf dem Fuße folgt: in diesem Gegensatze löst sich der Krampf der Empfindung aus, bei diesem durch plötzliche Kälte, bei jenem durch Gelächter, bei einem dritten durch Tränen und Selbstaufopferung. Mir erscheint der Großmütige – wenigstens jene Art des Großmütigen, die immer am meisten Eindruck gemacht hat – als ein Mensch des äußersten Rachedurstes, dem eine Befriedigung sich in der Nähe zeigt und der sie so reichlich, gründlich und bis zum letzten Tropfen *schon in der Vorstellung* austrinkt, daß ein ungeheurer schneller Ekel dieser schnellen Ausschweifung folgt – er erhebt sich nunmehr »über sich«, wie man sagt, und verzeiht seinem Feinde, ja segnet und ehrt ihn. Mit dieser Vergewaltigung seiner selber, mit dieser Verhöhnung seines eben noch so mächtigen Rachetriebes gibt er aber nur dem neuen Triebe nach, der eben jetzt in ihm mächtig geworden ist (dem Ekel) und tut dies ebenso ungeduldig und ausschweifend, wie er kurz vorher die Freude an der Rache mit der Phantasie *vorwegnahm* und gleichsam ausschöpfte. Es ist in der Großmut derselbe Grad von Egoismus wie in der Rache, aber eine andere Qualität des Egoismus.

50

Das Argument der Vereinsamung. – Der Vorwurf des Gewissens ist auch beim Gewissenhaftesten schwach gegen das Gefühl: »Dies und jenes ist wider die gute Sitte *deiner* Gesellschaft.« Ein kalter Blick, ein verzogener Mund von seiten derer, unter denen und für die man erzogen ist, wird auch vom Stärksten noch *gefürchtet.* Was wird da eigentlich gefürchtet? Die Vereinsamung! als das Argument, das auch die besten Argumente für eine Person oder Sache niederschlägt! – So redet der Herden-Instinkt aus uns.

Wahrheitssinn. – Ich lobe mir eine jede Skepsis, auf welche mir erlaubt ist zu antworten: »Versuchen wir's!« Aber ich mag von allen Dingen und allen Fragen, welche das Experiment nicht zulassen, nichts mehr hören. Dies ist die Grenze meines »Wahrheitssinnes«: denn dort hat die Tapferkeit ihr Recht verloren.

52

Was andere von uns wissen. – Das, was wir von uns selber wissen und im Gedächtnis haben, ist für das Glück unsres Lebens nicht so entscheidend, wie man glaubt. Eines Tages stürzt das, was *andre* von uns wissen (oder zu wissen meinen) über uns her – und jetzt erkennen wir, daß es das Mächtigere ist. Man wird mit seinem schlechten Gewissen leichter fertig als mit seinem schlechten Rufe.

53

Wo das Gute beginnt. – Wo die geringe Sehkraft des Auges den bösen Trieb wegen seiner Verfeinerung nicht mehr als solchen zu sehen vermag, da setzt der Mensch das Reich des Guten an, und die Empfindung, nunmehr ins Reich des Guten übergetreten zu sein, bringt alle die Triebe in Miterregung, welche durch den bösen Trieb bedroht und eingeschränkt waren, wie das Gefühl der Sicherheit, des Behagens, des Wohlwollens. Also: je stumpfer das Auge, desto weiter reicht das Gute! Daher die ewige Heiterkeit des Volkes und der Kinder! Daher die Düsterkeit und der dem schlechten Gewissen verwandte Gram der großen Denker!

Das Bewußtsein vom Scheine. – Wie wundervoll und neu und zugleich wie schauerlich und ironisch fühle ich mich mit meiner Erkenntnis zum gesamten Dasein gestellt! Ich habe für mich *entdeckt*, daß die alte Mensch- und Tierheit, ja die gesamte Urzeit und Vergangenheit alles empfindenden Seins in mir fortdichtet, fortliebt, forthaßt, fortschließt – ich bin plötzlich mitten in diesem Traum erwacht, aber nur zum Bewußtsein, daß ich eben träume und daß ich weiterträumen *muß*, um nicht zugrunde zu gehn: wie der Nachtwandler weiterträumen muß, um nicht hinabzustürzen. Was ist mir jetzt »Schein«! Wahrlich nicht der Gegensatz irgendeines Wesens – was weiß ich von irgendwelchem Wesen auszusagen, als eben nur die Prädikate seines Scheins! Wahrlich nicht eine tote Maske, die man einem unbekannten X aufsetzen und auch wohl abnehmen könnte! Schein ist für mich das Wirkende und Lebende selber, das so weit in seiner Selbstverspottung geht, mich fühlen zu lassen, daß hier Schein und Irrlicht und Geistertanz und nichts mehr ist – daß unter allen diesen Träumenden auch ich, der »Erkennende«, meinen Tanz tanze, daß der Erkennende ein Mittel ist, den irdischen Tanz in die Länge zu ziehn, und insofern zu den Festordnern des Daseins gehört, und daß die erhabene Konsequenz und Verbundenheit aller Erkenntnisse vielleicht das höchste Mittel ist und sein wird, die Allgemeinheit der Träumerei und die Allverständlichkeit aller dieser Träumenden untereinander und eben damit *die Dauer des Traumes aufrechtzuerhalten.*

55

Der letzte Edelsinn. – Was macht denn »edel«? Gewiß nicht, daß man Opfer bringt; auch der rasend Wollüstige bringt Opfer. Gewiß nicht, daß man überhaupt einer Leidenschaft folgt; es gibt verächtliche Leidenschaften. Gewiß nicht, daß man für andere etwas tut und ohne Selbstsucht: vielleicht ist die Konsequenz der Selbstsucht gerade bei dem Edelsten am größten. – Sondern daß die Leidenschaft, die den Edlen befällt, eine Sonderheit ist, ohne daß er um diese Sonderheit weiß: der Gebrauch eines seltenen und singulären Maßstabes und beinahe eine Verrücktheit: das Gefühl der Hitze in Dingen, welche sich für alle andern kalt anfühlen: ein Erraten von Werten, für die die Waage noch nicht erfunden ist: ein Opferbringen auf Altären, die einem unbekannten Gotte geweiht sind: eine Tapferkeit ohne den Willen zur Ehre: eine Selbstgenügsamkeit, welche Überfluß hat und an Menschen und Dinge mitteilt. Bisher war es also das Seltene und die Unwissenheit um dies Seltensein, was edel machte. Dabei erwäge man aber, daß durch diese Richtschnur alles Gewöhnte, Nächste und Unentbehrliche, kurz das am meisten Arterhaltende, und überhaupt die *Regel* in der bisherigen Menschheit, unbillig beurteilt und im ganzen verleumdet worden ist, zugunsten der Ausnahmen. Der Anwalt der Regel werden – das könnte vielleicht die letzte Form und Feinheit sein, in welcher der Edelsinn auf Erden sich offenbart.

56

Die Begierde nach Leiden. – Denke ich an die Begierde, etwas zu tun, wie sie die Millionen junger Europäer fortwährend kitzelt und stachelt, welche alle die Langeweile und sich selber nicht ertragen können, – so begreife ich, daß in ihnen eine Begierde etwas zu leiden sein muß, um aus ihrem Leiden einen probablen Grund zum Tun, zur Tat herzunehmen. Not ist nötig! Daher das Geschrei der Politiker, daher die vielen falschen, erdichteten, übertriebenen »Notstände« aller möglichen Klassen und die blinde Bereitwilligkeit, an sie zu glauben. Diese junge Welt verlangt, *von außen her* solle – nicht etwa das Glück – sondern das Unglück kommen oder sichtbar werden; und ihre Phantasie ist schon voraus geschäftig, ein Ungeheuer daraus zu formen, damit sie nachher mit einem Ungeheuer kämpfen könne. Fühlten diese Notsüchtigen in sich die Kraft, von innen her sich selber wohlzutun, sich selber etwas anzutun, so würden sie auch verstehen, von innen her sich eine eigene, selbsteigene Not zu schaffen. Ihre Erfindungen könnten dann feiner sein, und ihre Befriedigungen könnten wie gute Musik klingen: während sie jetzt die Welt mit ihrem Notgeschrei und folglich gar zu oft erst mit dem *Notgefühle* anfüllen! Sie verstehen mit sich nichts anzufangen – und so malen sie das Unglück anderer an die Wand: sie haben immer andere nötig! Und immer wieder andere andere! – Verzeihung, meine Freunde, ich habe gewagt, mein *Glück* an die Wand zu malen.

ZWEITES BUCH

57

An die Realisten. – Ihr nüchternen Menschen, die ihr euch gegen Leidenschaft und Phantasterei gewappnet fühlt und gerne einen Stolz und einen Zierat aus eurer Leere machen möchtet, ihr nennt euch Realisten und deutet an, so wie euch die Welt erscheine, so sei sie wirklich beschaffen: vor euch allein stehe die Wirklichkeit entschleiert, und ihr selber wäret vielleicht der beste Teil davon – oh ihr geliebten Bilder von Sais! Aber seid ihr nicht auch in eurem entschleiertsten Zustande noch höchst leidenschaftliche und dunkle Wesen, verglichen mit den Fischen, und immer noch einem verliebten Künstler allzu ähnlich? – und was ist für einen verliebten Künstler »Wirklichkeit«! Immer noch tragt ihr die Schätzungen der Dinge mit euch herum, welche in den Leidenschaften und Verliebtheiten früherer Jahrhunderte ihren Ursprung haben! Immer noch ist eurer Nüchternheit eine geheime und unvertilgbare Trunkenheit einverleibt! Eure Liebe zur »Wirklichkeit« zum Beispiel – oh das ist eine alte, uralte »Liebe«! In jeder Empfindung, in jedem Sinneseindruck ist ein Stück dieser alten Liebe: und ebenso hat irgendeine Phantasterei, ein Vorurteil, eine Unvernunft, eine Unwissenheit, eine Furcht und was sonst noch alles! daran gearbeitet und gewebt. Da jener Berg! Da jene Wolke! Was ist denn daran »wirklich«? Zieht einmal das Phantasma und die ganze menschliche *Zutat* davon ab, ihr Nüchternen! Ja, wenn ihr *das* könntet! Wenn ihr eure Herkunft, Vergangenheit, Vorschule vergessen könntet – eure gesamte Menschheit und Tierheit! Es gibt für uns keine »Wirklichkeit« – und auch für euch nicht, ihr Nüchternen –, wir sind einander lange nicht so fremd, als ihr meint, und vielleicht ist unser guter Wille, über die Trunkenheit hinauszukommen, ebenso achtbar als euer Glaube, der Trunkenheit überhaupt *unfähig* zu sein.

Nur als Schaffende! – Dies hat mir die größte Mühe gemacht und macht mir noch immerfort die größte Mühe: einzusehen, daß unsäglich mehr daran liegt, *wie die Dinge heißen*, als was sie sind. Der Ruf, Name und Anschein, die Geltung, das übliche Maß und Gewicht eines Dinges – im Ursprunge zu allermeist ein Irrtum und eine Willkürlichkeit, den Dingen übergeworfen wie ein Kleid und seinem Wesen und selbst seiner Haut ganz fremd – ist durch den Glauben daran und sein Fortwachsen von Geschlecht zu Geschlecht dem Dinge allmählich gleichsam an- und eingewachsen und zu seinem Leibe selber geworden; der Schein von Anbeginn wird zuletzt fast immer zum Wesen und *wirkt* als Wesen! Was wäre das für ein Narr, der da meinte, es genüge, auf diesen Ursprung und diese Nebelhülle des Wahns hinzuweisen, um die als wesenhaft geltende Welt, die sogenannte »*Wirklichkeit*«, zu *vernichten*! Nur als Schaffende können wir vernichten! – Aber vergessen wir auch dies nicht: es genügt, neue Namen und Schätzungen und Wahrscheinlichkeiten zu schaffen, um auf die Länge hin neue »Dinge« zu schaffen.

Wir Künstler! – Wenn wir ein Weib lieben, so haben wir leicht einen Haß auf die Natur, aller der widerlichen Natürlichkeiten gedenkend, denen jedes Weib ausgesetzt ist; gerne denken wir überhaupt daran vorbei, aber wenn einmal unsere Seele diese Dinge streift, so zuckt sie ungeduldig und blickt, wie gesagt, verächtlich nach der Natur hin – wir sind beleidigt, die Natur scheint in unsern Besitz einzugreifen, und mit den ungeweihtesten Händen. Da macht man die Ohren zu gegen alle Physiologie und dekretiert für sich insgeheim: »ich will davon, daß der Mensch noch etwas anderes ist, außer *Seele und Form*,

nichts hören!« »Der Mensch unter der Haut« ist allen Liebenden ein Greuel und Ungedanke, eine Gottes- und Liebesläste-
rung. – Nun, so wie jetzt noch der Liebende empfindet, in
Hinsicht der Natur und Natürlichkeit, so empfand ehedem
jeder Verehrer Gottes und seiner »heiligen Allmacht«: bei
allem, was von der Natur gesagt wurde, durch Astronomen,
Geologen, Physiologen, Ärzte, sah er einen Eingriff in seinen
köstlichsten Besitz und folglich einen Angriff – und noch dazu
eine Schamlosigkeit des Angreifenden! Das »Naturgesetz«
klang ihm schon wie eine Verleumdung Gottes; im Grunde
hätte er gar zu gern alle Mechanik auf moralische Willens- und
Willkürakte zurückgeführt gesehn: aber weil ihm niemand
diesen Dienst erweisen konnte, so *verhehlte* er sich die Natur
und Mechanik, so gut er konnte, und lebte im Traume. Oh
diese Menschen von ehedem haben verstanden zu *träumen* und
hatten nicht erst nötig, einzuschlafen! – und auch wir Menschen von heute verstehen es noch viel zu gut, mit allem unserem guten Willen zum Wachsein und zum Tage! Es genügt
zu lieben, zu hassen, zu begehren, überhaupt zu empfinden –
sofort kommt der Geist und die Kraft des Traumes über uns,
und wir steigen offnen Auges und kalt gegen alle Gefahr auf
den gefährlichsten Wegen empor, hinauf auf die Dächer und
Türme der Phantasterei, und ohne allen Schwindel, wie geboren zum Klettern – wir Nachtwandler des Tages! Wir Künstler! Wir Verhehler der Natürlichkeit! Wir Mond- und Gott-
süchtigen! Wir totenstillen, unermüdlichen Wanderer, auf
Höhen, die wir nicht als Höhen sehen, sondern als unsere
Ebenen, als unsere Sicherheiten!

60

Die Frauen und ihre Wirkung in die Ferne. – Habe ich noch
Ohren? Bin ich nur noch Ohr und nichts weiter mehr? Hier
stehe ich inmitten des Brandes der Brandung, deren weiße

Flammen bis zu meinem Fuße heraufzüngeln – von allen Seiten heult, droht, schreit, schrillt es auf mich zu, während in der tiefsten Tiefe der alte Erderschütterer seine Arie singt, dumpf wie ein brüllender Stier: er stampft sich dazu einen solchen Erderschütterer-Takt, daß selbst diesen verwetterten Felsunholden hier das Herz darüber im Leibe zittert. Da, plötzlich, wie aus dem Nichts geboren, erscheint vor dem Tore dieses höllischen Labyrinthes, nur wenige Klafter weit entfernt – ein großes Segelschiff, schweigsam wie ein Gespenst dahergleitend. Oh diese gespenstische Schönheit! Mit welchem Zauber faßt sie mich an! Wie? Hat alle Ruhe und Schweigsamkeit der Welt sich hier eingeschifft? Sitzt mein Glück selber an diesem stillen Platze, mein glücklicheres Ich, mein zweites verewigtes Selbst? Nicht tot sein und doch auch nicht mehr lebend? Als ein geisterhaftes, stilles, schauendes, gleitendes, schwebendes Mittelwesen? Dem Schiffe gleichend, welches mit seinen weißen Segeln wie ein ungeheurer Schmetterling über das dunkle Meer hinläuft! Ja! *Über das Dasein hinlaufen!* Das ist es! Das wäre es! – – Es scheint, der Lärm hier hat mich zum Phantasten gemacht? Aller große Lärm macht, daß wir das Glück in die Stille und Ferne setzen. Wenn ein Mann inmitten *seines* Lärms steht, inmitten seiner Brandung von Würfen und Entwürfen: da sieht er auch wohl stille zauberhafte Wesen an sich vorübergleiten, nach deren Glück und Zurückgezogenheit er sich sehnt – *es sind die Frauen*. Fast meint er, dort bei den Frauen wohne sein besseres Selbst: an diesen stillen Plätzen werde auch die lauteste Brandung zur Totenstille und das Leben selber zum Traume über das Leben. Jedoch! Jedoch! Mein edler Schwärmer, es gibt auch auf dem schönsten Segelschiffe so viel Geräusch und Lärm, und leider so viel kleinen erbärmlichen Lärm! Der Zauber und die mächtigste Wirkung der Frauen ist, um die Sprache der Philosophen zu reden, eine Wirkung in die Ferne, eine *actio in distans*: dazu gehört aber, zuerst und vor allem – *Distanz*!

61

Zu Ehren der Freundschaft. – Daß das Gefühl der Freundschaft
dem Altertum als das höchste Gefühl galt, höher selbst als der
gerühmteste Stolz des Selbstgenügsamen und Weisen, ja
gleichsam als dessen einzige und noch heiligere Geschwisterschaft: dies drückt sehr gut die Geschichte von jenem maze-
donischen Könige aus, der einem weltverachtenden Philosophen Athens ein Talent zum Geschenk machte und es von
ihm zurückerhielt. »Wie?« sagte der König, »hat er denn keinen Freund?« Damit wollte er sagen: »ich ehre diesen Stolz des
Weisen und Unabhängigen, aber ich würde seine Menschlichkeit noch höher ehren, wenn der Freund in ihm den Sieg über
seinen Stolz davongetragen hätte. Vor mir hat sich der Philosoph herabgesetzt, indem er zeigte, daß er eines der beiden
höchsten Gefühle nicht kennt – und zwar das höhere nicht!«

62

Liebe. – Die Liebe vergibt dem Geliebten sogar die Begierde.

63

Das Weib in der Musik. – Wie kommt es, daß warme und reg-
nerische Winde auch die musikalische Stimmung und die er-
finderische Lust der Melodie mit sich führen? Sind es nicht
dieselben Winde, welche die Kirchen füllen und den Frauen
verliebte Gedanken geben?

64

Skeptiker. – Ich fürchte, daß altgewordene Frauen im geheim-
sten Versteck ihres Herzens skeptischer sind als alle Männer:

sie glauben an die Oberflächlichkeit des Daseins als an sein Wesen, und alle Tugend und Tiefe ist ihnen nur Verhüllung dieser »Wahrheit«, die sehr wünschenswerte Verhüllung eines *pudendum* – also eine Sache des Anstandes und der Scham, und nicht mehr!

65

Hingebung. – Es gibt edle Frauen mit einer gewissen Armut des Geistes, welche, um ihre tiefste Hingebung *auszudrücken*, sich nicht anders zu helfen wissen als so, daß sie ihre Tugend und Scham anbieten: es ist ihnen ihr Höchstes. Und oft wird dies Geschenk angenommen, ohne so tief zu verpflichten, als die Geberinnen voraussetzen – eine sehr schwermütige Geschichte!

66

Die Stärke der Schwachen. – Alle Frauen sind fein darin, ihre Schwäche zu übertreiben, ja sie sind erfinderisch in Schwächen, um ganz und gar als zerbrechliche Zieraten zu erscheinen, denen selbst ein Stäubchen wehtut: ihr Dasein soll dem Manne seine Plumpheit zu Gemüte führen und ins Gewissen schieben. So wehren sie sich gegen die Starken und alles »Faustrecht«.

67

Sich selber heucheln. – Sie liebt ihn nun und blickt seitdem mit so ruhigem Vertrauen vor sich hin wie eine Kuh: aber wehe! gerade dies war seine Bezauberung, daß sie durchaus veränderlich und unfaßbar schien! Er hatte eben schon zu viel beständiges Wetter an sich selber! Sollte sie nicht guttun, ihren alten Charakter zu heucheln? Lieblosigkeit zu heucheln? Rät ihr also nicht – die Liebe? *Vivat comoedia!*

68

Wille und Willigkeit. – Man brachte einen Jüngling zu einem weisen Mann und sagte: »Siehe, das ist einer, der durch die Weiber verdorben wird!« Der weise Mann schüttelte den Kopf und lächelte. »Die Männer sind es«, rief er, »welche die Weiber verderben: und alles, was die Weiber fehlen, soll an den Männern gebüßt und gebessert werden, – denn der Mann macht sich das Bild des Weibes, und das Weib bildet sich nach diesem Bilde.« – »Du bist zu mildherzig gegen die Weiber«, sagte einer der Umstehenden, »du kennst sie nicht!« Der weise Mann antwortete: »Des Mannes Art ist Wille, des Weibes Art Willigkeit – so ist es das Gesetz der Geschlechter, wahrlich! ein hartes Gesetz für das Weib! Alle Menschen sind unschuldig für ihr Dasein, die Weiber aber sind unschuldig im zweiten Grade: wer könnte für sie des Öls und der Milde genug haben.« – »Was Öl! Was Milde!« rief ein andrer aus der Menge: »man muß die Weiber besser erziehn!« – »Man muß die Männer besser erziehn«, sagte der weise Mann und winkte dem Jünglinge, daß er ihm folge. – Der Jüngling aber folgte ihm nicht.

69

Fähigkeit zur Rache. – Daß einer sich nicht verteidigen kann und folglich auch nicht will, gereicht ihm in unsern Augen noch nicht zur Schande: aber wir schätzen den gering, der zur Rache weder das Vermögen noch den guten Willen hat – gleichgültig ob Mann oder Weib. Würde uns ein Weib festhalten (oder wie man sagt »fesseln«) können, dem wir nicht zutrauten, daß es unter Umständen den Dolch (irgendeine Art von Dolch) *gegen uns* gut zu handhaben wüßte? Oder gegen sich: was in einem bestimmten Falle die empfindlichere Rache wäre (die chinesische Rache).

70

Die Herrinnen der Herren. – Eine tiefe mächtige Altstimme, wie man sie bisweilen im Theater hört, zieht uns plötzlich den Vorhang vor Möglichkeiten auf, an die wir für gewöhnlich nicht glauben: wir glauben mit einem Male daran, daß es irgendwo in der Welt Frauen mit hohen, heldenhaften, königlichen Seelen geben könne, fähig und bereit zu grandiosen Entgegnungen, Entschließungen und Aufopferungen, fähig und bereit zur Herrschaft über Männer, weil in ihnen das Beste vom Manne, über das Geschlecht hinaus, zum leibhaften Ideal geworden ist. Zwar sollen solche Stimmen nach der Absicht des Theaters gerade *nicht* diesen Begriff vom Weibe geben: gewöhnlich sollen sie den idealen männlichen Liebhaber, zum Beispiel einen Romeo, darstellen; aber nach meiner Erfahrung zu urteilen, verrechnet sich dabei das Theater und der Musiker, der von einer solchen Stimme solche Wirkungen erwartet, ganz regelmäßig. Man glaubt nicht an *diese* Liebhaber: diese Stimmen enthalten immer noch eine Farbe des Mütterlichen und Hausfrauenhaften, und gerade dann am meisten, wenn Liebe in ihrem Klange ist.

71

Von der weiblichen Keuschheit. – Es ist etwas ganz Erstaunliches und Ungeheures in der Erziehung der vornehmen Frauen, ja vielleicht gibt es nichts Paradoxeres. Alle Welt ist darüber einverstanden, sie *in eroticis* so unwissend wie möglich zu erziehen und ihnen eine tiefe Scham vor dergleichen und die äußerste Ungeduld und Flucht beim Andeuten dieser Dinge in die Seele zu geben. Alle »Ehre« des Weibes steht im Grunde nur hier auf dem Spiele: was verziehe man ihnen sonst nicht! Aber hierin sollen sie unwissend bis ins Herz hinein bleiben – sie sollen weder Augen noch Ohren noch Worte noch Gedanken für dies ihr »Böses« haben: ja das Wissen ist hier schon das Böse. Und nun! Wie mit einem grausigen Blitzschlage in die Wirklichkeit und das Wissen geschleudert werden, mit der Ehe – und zwar durch den, welchen sie am meisten lieben und hochhalten: Liebe und Scham im Widerspruch ertappen, ja Entzücken, Preisgebung, Pflicht, Mitleid und Schrecken über die unerwartete Nachbarschaft von Gott und Tier und was alles sonst noch! in *einem* empfinden müssen! – Da hat man in der Tat sich einen Seelen-Knoten geknüpft, der seinesgleichen sucht! Selbst die mitleidige Neugier des weisesten Menschenkenners reicht nicht aus zu erraten, wie sich dieses und jenes Weib in diese Lösung des Rätsels und in dies Rätsel von Lösung zu finden weiß, und was für schauerliche, weithin greifende Verdachte sich dabei in der armen aus den Fugen geratenen Seele regen müssen, ja wie die letzte Philosophie und Skepsis des Weibes an diesem Punkte ihre Anker wirft! – Hinterher dasselbe tiefe Schweigen wie vorher: und oft ein Schweigen vor sich selber, ein Augen-Zuschließen vor sich selber. – Die jungen Frauen bemühen sich sehr darum, oberflächlich und gedankenlos zu erscheinen; die feinsten unter ihnen erheucheln eine Art Frechheit. – Die Frauen empfinden leicht ihre Männer als ein Fragezeichen ihrer Ehre und ihre Kinder als eine Apologie oder Buße – sie bedürfen der Kinder und wünschen sie sich, in einem ganz andern Sinne, als ein Mann sich Kinder wünscht. – Kurz, man kann nicht mild genug gegen die Frauen sein!

Die Mütter. – Die Tiere denken anders über die Weiber als die Menschen; ihnen gilt das Weibchen als das produktive Wesen. Vaterliebe gibt es bei ihnen nicht, aber so etwas wie Liebe zu den Kindern einer Geliebten und Gewöhnung an sie. Die Weibchen haben an den Kindern Befriedigung ihrer Herrschsucht, ein Eigentum, eine Beschäftigung, etwas ihnen ganz Verständliches, mit dem man schwätzen kann: dies alles zusammen ist Mutterliebe – sie ist mit der Liebe des Künstlers zu seinem Werke zu vergleichen. Die Schwangerschaft hat die Weiber milder, abwartender, furchtsamer, unterwerfungslustiger gemacht; und ebenso erzeugt die geistige Schwangerschaft den Charakter der Kontemplativen, welcher dem weiblichen Charakter verwandt ist – es sind die männlichen Mütter. – Bei den Tieren gilt das männliche Geschlecht als das schöne.

Heilige Grausamkeit. – Zu einem Heiligen trat ein Mann, der ein eben geborenes Kind in den Händen hielt. »Was soll ich mit dem Kinde machen?« fragte er, »es ist elend, mißgestaltet und hat nicht genug Leben, um zu sterben.« »Töte es«, rief der Heilige mit schrecklicher Stimme, »töte es und halte es dann drei Tage und drei Nächte lang in deinen Armen, auf daß du dir ein Gedächtnis machest – so wirst du nie wieder ein Kind zeugen, wenn es nicht an der Zeit für dich ist, zu zeugen.« – Als der Mann dies gehört hatte, ging er enttäuscht davon; und viele tadelten den Heiligen, weil er zu einer Grausamkeit geraten hatte, denn er hatte geraten, das Kind zu töten. »Aber ist es nicht grausamer, es leben zu lassen?« sagte der Heilige.

Die Erfolglosen. – Jenen armen Frauen fehlt es immer an Erfolg, welche in Gegenwart dessen, den sie lieben, unruhig und unsicher werden und zu viel reden; denn die Männer werden am sichersten durch eine gewisse heimliche und phlegmatische Zärtlichkeit verführt.

75

Das dritte Geschlecht. – »Ein kleiner Mann ist eine Paradoxie, aber doch ein Mann – aber die kleinen Weibchen scheinen mir, im Vergleich mit hochwüchsigen Frauen, von einem andern Geschlechte zu sein« – sagte ein alter Tanzmeister. Ein kleines Weib ist niemals schön – sagte der alte Aristoteles.

76

Die größte Gefahr. – Hätte es nicht allezeit eine Überzahl von Menschen gegeben, welche die Zucht ihres Kopfes – ihre »Vernünftigkeit« – als ihren Stolz, ihre Verpflichtung, ihre Tugend fühlten, welche durch alles Phantasieren und Ausschweifen des Denkens beleidigt oder beschämt wurden, als die Freunde »des gesunden Menschenverstandes«: so wäre die Menschheit längst zugrunde gegangen! Über ihr schwebte und schwebt fortwährend als ihre größte Gefahr der ausbrechende *Irrsinn* – das heißt eben das Ausbrechen des Beliebens im Empfinden, Sehen und Hören, der Genuß in der Zuchtlosigkeit des Kopfes, die Freude am Menschen-Unverstande. Nicht die Wahrheit und Gewißheit ist der Gegensatz der Welt des Irrsinnigen, sondern die Allgemeinheit und Allverbindlichkeit eines Glaubens, kurz das Nicht-Beliebige im Urteilen. Und die größte Arbeit der Menschen bisher war die, über sehr viele Dinge miteinander übereinzustimmen und sich ein Gesetz *der Übereinstimmung* aufzulegen – gleichgültig ob diese Dinge wahr oder falsch sind. Dies ist die Zucht des Kopfes, welche die Menschheit erhalten hat – aber die Gegentriebe sind immer noch so mächtig, daß man im Grunde von der Zukunft der Menschheit mit wenig Vertrauen reden darf. Fortwährend schiebt und verschiebt sich noch das Bild der Dinge, und vielleicht von jetzt ab mehr und schneller als je; fortwährend sträuben sich gerade die ausgesuchtesten Geister gegen jene Allverbindlichkeit – die Erforscher der *Wahrheit* voran! Fortwährend erzeugt jener Glaube als Allerweltsglaube einen Ekel und eine neue Lüsternheit bei feineren Köpfen: und schon das langsame Tempo, welches er für alle geistigen Prozesse verlangt, jene Nachahmung der Schildkröte, welche hier als die Norm anerkannt wird, macht Künstler und Dichter zu Überläufern – diese ungeduldigen Geister sind es, in denen eine förmliche Lust am Irrsinn ausbricht, weil der Irrsinn ein so fröhliches Tempo hat! Es bedarf also der tugendhaften Intellekte – ach! ich will das unzweideutigste Wort gebrauchen – es bedarf der *tugendhaften Dummheit*, es bedarf unerschütterlicher Taktschläger des *langsamen* Geistes, damit die Gläubigen des großen Gesamtglaubens beieinander bleiben und ihren Tanz weitertanzen: es ist eine Notdurft ersten Ranges, welche hier gebietet und fordert. *Wir anderen sind die Ausnahme und die Gefahr* – wir bedürfen ewig der Verteidigung! – Nun, es läßt sich wirklich etwas zugunsten der Ausnahme sagen, *vorausgesetzt daß sie nie Regel werden will.*

77

Das Tier mit gutem Gewissen. – Das Gemeine in alledem, was im Süden Europas gefällt – sei dies nun die italienische Oper (zum Beispiel Rossinis und Bellinis) oder der spanische Abenteuer-Roman (uns in der französischen Verkleidung des Gil Blas am besten zugänglich) – bleibt mir nicht verborgen, aber es beleidigt mich nicht, ebensowenig als die Gemeinheit, der man bei einer Wanderung durch Pompeji und im Grunde selbst beim Lesen jedes antiken Buches begegnet: woher kommt dies? Ist es, daß hier die Scham fehlt und daß alles Gemeine so sicher und seiner gewiß auftritt wie irgend etwas Edles, Liebliches und Leidenschaftliches in derselben Art Musik oder Roman? »Das Tier hat sein Recht wie der Mensch: so mag es frei herumlaufen, und du, mein lieber Mitmensch, bist auch dies Tier noch, trotz alledem!« – das scheint mir die Moral der Sache und die Eigenheit der südländischen Humanität zu sein. Der schlechte Geschmack hat sein Recht wie der gute, und sogar ein Vorrecht vor ihm, falls er das große Bedürfnis, die sichere Befriedigung und gleichsam eine allgemeine Sprache, eine unbedingt verständliche Larve und Gebärde ist: der gute gewählte Geschmack hat dagegen immer etwas Suchendes, Versuchtes, seines Verständnisses nicht völlig Gewisses – er ist und war niemals volkstümlich! Volkstümlich ist und bleibt die *Maske*! So mag denn alles dies Maskenhafte in den Melodien und Kadenzen, in den Sprüngen und Lustigkeiten des Rhythmus dieser Opern dahinlaufen! Gar das antike Leben! Was versteht man von dem, wenn man die Lust an der Maske, das gute Gewissen alles Maskenhaften nicht versteht! Hier ist das Bad und die Erholung des antiken Geistes – und vielleicht war dies Bad den seltenen und erhabenen Naturen der alten Welt noch nötiger als den gemeinen. – Dagegen beleidigt mich eine gemeine Wendung in nordischen Werken, zum Beispiel in deutscher Musik, unsäglich. Hier ist *Scham* dabei, der Künstler ist vor sich selber hinabgestiegen und konnte es nicht einmal verhüten, dabei zu erröten: wir schämen uns mit ihm und sind so beleidigt, weil wir ahnen, daß er unsertwegen glaubte hinabsteigen zu müssen.

Wofür wir dankbar sein sollen. – Erst die Künstler, und namentlich die des Theaters, haben den Menschen Augen und
Ohren eingesetzt, um das mit einigem Vergnügen zu hören
und zu sehen, was jeder selber ist, selber erlebt, selber will;
erst sie haben uns die Schätzung des Helden, der in jedem von
allen diesen Alltagsmenschen verborgen ist, und die Kunst gelehrt, wie man sich selber als Held, aus der Ferne und gleichsam vereinfacht und verklärt ansehen könne – die Kunst, sich
vor sich selber »in Szene zu setzen«. So allein kommen wir
über einige niedrige Details an uns hinweg! Ohne jene Kunst
würden wir nichts als Vordergrund sein und ganz und gar im
Banne jener Optik leben, welche das Nächste und Gemeinste
als ungeheuer groß und als die Wirklichkeit an sich erscheinen läßt. – Vielleicht gibt es ein Verdienst ähnlicher Art an
jener Religion, welche die Sündhaftigkeit jedes einzelnen
Menschen mit dem Vergrößerungsglase ansehen hieß und aus
dem Sünder einen großen, unsterblichen Verbrecher machte:
indem sie ewige Perspektiven um ihn beschrieb, lehrte sie den
Menschen, sich aus der Ferne und als etwas Vergangenes,
Ganzes sehen.

Reiz der Unvollkommenheit. – Ich sehe hier einen Dichter, der,
wie so mancher Mensch, durch seine Unvollkommenheiten
einen höheren Reiz ausübt als durch alles das, was sich unter
seiner Hand rundet und vollkommen gestaltet – ja, er hat den
Vorteil und den Ruhm vielmehr von seinem letzten Unver-
mögen als von seiner reichen Kraft. Sein Werk spricht es niemals ganz aus, was er eigentlich aussprechen möchte, was er
gesehen haben möchte: es scheint, daß er den Vorgeschmack
einer Vision gehabt hat, und niemals sie selber – aber eine un-

geheure Lüsternheit nach dieser Vision ist in seiner Seele zurückgeblieben, und aus ihr nimmt er seine ebenso ungeheure
Beredsamkeit des Verlangens und Heißhungers. Mit ihr hebt
er den, welcher ihm zuhört, über sein Werk und alle »Werke«
hinaus und gibt ihm Flügel, um so hoch zu steigen, wie Zuhörer nie sonst steigen: und so, selber zu Dichtern und Sehern
geworden, zollen sie dem Urheber ihres Glücks eine Bewun-
derung, wie als ob er sie unmittelbar zum Schauen seines Hei-
ligsten und Letzten geführt hätte, wie als ob er sein Ziel erreicht und seine Vision wirklich *gesehen* und mitgeteilt hätte.
Es kommt seinem Ruhme 'zugute, nicht eigentlich ans Ziel
gekommen zu sein.

80

Kunst und Natur. – Die Griechen (oder wenigstens die Athe-
ner) hörten gerne gut reden: ja sie hatten einen gierigen
Hang danach, der sie mehr als alles andere von den Nicht-
Griechen unterscheidet. Und so verlangten sie selbst von der
Leidenschaft auf der Bühne, daß sie gut rede, und ließen die
Unnatürlichkeit des dramatischen Verses mit Wonne über
sich ergehen – in der Natur ist ja die Leidenschaft so wort-
karg! so stumm und verlegen! Oder wenn sie Worte findet,
so verwirrt und unvernünftig und sich selber zur Scham!
Nun haben wir uns alle, dank den Griechen, an diese Un-
natur auf der Bühne gewöhnt, wie wir jene andere Unna-
tur, die *singende* Leidenschaft ertragen und gerne ertragen,
dank den Italienern. – Es ist uns ein Bedürfnis geworden,
welches wir aus der Wirklichkeit nicht befriedigen können:
Menschen in den schwersten Lagen gut und ausführlich
reden zu hören: es entzückt uns jetzt, wenn der tragische
Held da noch Worte, Gründe, beredte Gebärden und im
ganzen eine helle Geistigkeit findet, wo das Leben sich den
Abgründen nähert, und der wirkliche Mensch meistens den

Kopf und gewiß die schöne Sprache verliert. Diese Art *Abweichung von der Natur* ist vielleicht die angenehmste Mahlzeit für den Stolz des Menschen; ihretwegen überhaupt liebt er die Kunst, als den Ausdruck einer hohen, heldenhaften Unnatürlichkeit und Konvention. Man macht mit Recht dem dramatischen Dichter einen Vorwurf daraus, wenn er nicht alles in Vernunft und Wort verwandelt, sondern immer einen Rest *Schweigen* in der Hand zurückbehält – so wie man mit dem Musiker der Oper unzufrieden ist, der für den höchsten Affekt nicht eine Melodie, sondern nur ein affektvolles »natürliches« Stammeln und Schreien zu finden weiß. Hier *soll* eben der Natur widersprochen werden! Hier *soll* eben der gemeine Reiz der Illusion einem höhern Reiz weichen! Die Griechen gehen auf diesem Wege weit, weit – zum Erschrecken weit! Wie sie die Bühne so schmal wie möglich bilden und alle Wirkung durch tiefe Hintergründe sich verbieten, wie sie dem Schauspieler das Mienenspiel und die leichte Bewegung unmöglich machen und ihn in einen feierlichen, steifen, maskenhaften Popanz verwandeln, so haben sie auch der Leidenschaft selber den tiefen Hintergrund genommen und ihr ein Gesetz der schönen Rede diktiert, ja sie haben überhaupt alles getan, um der elementaren Wirkung furcht- und mitleiderweckender Bilder entgegenzuwirken: *sie wollten eben nicht Furcht und Mitleid* – Aristoteles in Ehren und höchsten Ehren! aber er traf sicherlich nicht den Nagel, geschweige den Kopf des Nagels, als er vom letzten Zweck der griechischen Tragödie sprach! Man sehe sich doch die griechischen Dichter der Tragödie daraufhin an, *was* am meisten ihren Fleiß, ihre Erfindsamkeit, ihren Wetteifer erregt hat – gewiß nicht die Absicht auf Überwältigung der Zuschauer durch Affekte! Der Athener ging ins Theater, *um schöne Reden zu hören*! Und um schöne Reden war es dem Sophokles zu tun! – man vergebe mir diese Ketzerei! – Sehr verschieden steht es mit der *ernsten Oper*: alle ihre Meister lassen es sich angelegen sein, zu verhüten, daß man ihre Personen verstehe. »Ein gelegentlich aufgerafftes Wort mag dem unaufmerksamen Zuhörer zu Hilfe kommen: im ganzen muß die Situation sich selber erklären – es liegt nichts an den Reden!« – So denken sie alle und so haben sie alle mit den Worten ihre Possen getrieben. Vielleicht hat es ihnen nur an Mut gefehlt, um ihre letzte Geringschätzung des Wortes ganz auszudrücken: ein wenig Frechheit mehr bei Rossini, und er hätte durchweg la-la-la-la singen lassen – und es wäre Vernunft dabei gewesen! Es soll den Personen der Oper eben nicht »aufs Wort« geglaubt werden, sondern auf den Ton! Das ist der Unterschied, das ist die schöne *Unnatürlichkeit*, derentwegen man in die Oper geht! Selbst das *recitativo secco* will nicht eigentlich als Wort und Text angehört sein: diese Art von Halbmusik soll vielmehr dem musikalischen Ohre zunächst eine kleine Ruhe geben (die Ruhe von der *Melodie*, als dem sublimsten und deshalb auch anstrengendsten Genusse dieser Kunst) –, aber sehr bald etwas anderes: nämlich eine wachsende Ungeduld, ein wachsendes Widerstreben, eine neue Begierde nach *ganzer* Musik, nach Melodie. – Wie verhält es sich, von diesem Gesichtspunkte aus gesehen, mit der Kunst Richard Wagners? Vielleicht anders? Oft wollte es mir scheinen, als ob man Wort *und* Musik seiner Schöpfungen vor der Aufführung auswendig gelernt haben müßte: denn ohne dies – so schien es mir – *höre* man weder die Worte noch selber die Musik.

81

Griechischer Geschmack. – »Was ist Schönes daran?« – sagte jener Feldmesser nach einer Aufführung der Iphigenie – »es wird nichts darin bewiesen!« Sollten die Griechen so fern von diesem Geschmacke gewesen sein? Bei Sophokles wenigstens wird »alles bewiesen«.

82

Der esprit ungriechisch. – Die Griechen sind in allem ihrem Denken unbeschreiblich logisch und schlicht; sie sind dessen, wenigstens für ihre lange gute Zeit, nicht überdrüssig geworden, wie die Franzosen es so häufig werden: welche gar zu gern einen kleinen Sprung ins Gegenteil machen und den Geist der Logik eigentlich nur vertragen, wenn er durch eine Menge solcher kleiner Sprünge ins Gegenteil seine *gesellige* Artigkeit, seine gesellige Selbstverleugnung verrät. Logik erscheint ihnen als notwendig wie Brot und Wasser, aber auch gleich diesen als eine Art Gefangenenkost, sobald sie rein und allein genossen werden sollen. In der guten Gesellschaft muß man niemals vollständig und allein Recht haben wollen, wie es alle reine Logik will: daher die kleine Dosis Unvernunft in allem französischen *esprit.* – Der gesellige Sinn der Griechen war bei weitem weniger entwickelt, als der der Franzosen es ist und war: daher so wenig *esprit* bei ihren geistreichsten Männern, daher so wenig Witz selbst bei ihren Witzbolden, daher – ach! man wird mir schon diese meine Sätze nicht glauben, und wie viele der Art habe ich noch auf der Seele! – *Est res magna tacere* – sagt Martial mit allen Geschwätzigen.

83

Übersetzungen. – Man kann den Grad des historischen Sinns, welchen eine Zeit besitzt, daran abschätzen, wie diese Zeit *Übersetzungen* macht und vergangene Zeiten und Bücher sich einzuverleiben sucht. Die Franzosen Corneilles, und auch noch die der Revolution, bemächtigten sich des römischen Altertums in einer Weise, zu der wir nicht den Mut mehr hätten – dank unserm höhern historischen Sinne. Und das römische Altertum selbst: wie gewaltsam und naiv zugleich legte es seine Hand auf alles Gute und Hohe des griechischen ältern

Altertums! Wie übersetzten sie in die römische Gegenwart hinein! Wie verwischten sie absichtlich und unbekümmert den Flügelstaub des Schmetterlings Augenblick! So übersetzte Horaz hier und da den Alcäus oder den Archilochus, so Properz den Callimachus und Philetas (Dichter gleichen Ranges mit Theokrit, wenn wir urteilen *dürfen*): was lag ihnen daran, daß der eigentliche Schöpfer dies und jenes erlebt und die Zeichen davon in sein Gedicht hineingeschrieben hatte! – als Dichter waren sie dem antiquarischen Spürgeiste, der dem historischen Sinne voranläuft, abhold; als Dichter ließen sie diese ganz persönlichen Dinge und Namen und alles, was einer Stadt, einer Küste, einem Jahrhundert als seine Tracht und Maske zu eigen war, nicht gelten, sondern stellten flugs das Gegenwärtige und das Römische an seine Stelle. Sie scheinen uns zu fragen: »Sollen wir das Alte nicht für uns neu machen und *uns* in ihm zurechtlegen? Sollen wir nicht unsere Seele diesem toten Leibe einblasen dürfen? denn tot ist er nun einmal: wie häßlich ist alles Tote!« – Sie kannten den Genuß des historischen Sinns nicht; das Vergangene und Fremde war ihnen peinlich, und als Römern ein Anreiz zu einer römischen Eroberung. In der Tat, man eroberte damals, wenn man übersetzte – nicht nur so, daß man das Historische wegließ: nein, man fügte die Anspielung auf das Gegenwärtige hinzu, man strich vor allem den Namen des Dichters hinweg und setzte den eignen an seine Stelle – nicht im Gefühl des Diebstahls, sondern mit dem allerbesten Gewissen des *imperium Romanum*.

84

Vom Ursprunge der Poesie. – Die Liebhaber des Phantastischen am Menschen, welche zugleich die Lehre von der instinktiven Moralität vertreten, schließen so: »gesetzt, man habe zu allen Zeiten den Nutzen als die höchste Gottheit verehrt, woher dann in aller Welt ist die Poesie gekommen? – diese Rhythmisierung der Rede, welche der Deutlichkeit der Mitteilung eher entgegenwirkt als förderlich ist und die trotzdem wie ein Hohn auf alle nützliche Zweckmäßigkeit überall auf Erden aufgeschossen ist und noch aufschießt! Die wildschöne Unvernünftigkeit der Poesie widerlegt euch, ihr Utilitarier! Gerade vom Nutzen einmal *loskommen* wollen – das hat den Menschen erhoben, das hat ihn zur Moralität und Kunst inspiriert!« Nun, ich muß hierin einmal den Utilitariern zu Gefallen reden – sie haben ja so selten recht, daß es zum Erbarmen ist! Man hatte in jenen alten Zeiten, welche die Poesie ins Dasein riefen, doch die Nützlichkeit dabei im Auge und eine sehr große Nützlichkeit – damals, als man den Rhythmus in die Rede dringen ließ, jene Gewalt, die alle Atome des Satzes neu ordnet, die Worte wählen heißt und den Gedanken neu färbt und dunkler, fremder, ferner macht: freilich eine *abergläubische Nützlichkeit*! Es sollte vermöge des Rhythmus den Göttern ein menschliches Anliegen tiefer eingeprägt werden, nachdem man bemerkt hatte, daß der Mensch einen Vers besser im Gedächtnis behält als eine ungebundene Rede; ebenfalls meinte man durch das rhythmische Ticktack über größere Fernen hin sich hörbar zu machen; das rhythmisierte Gebet schien den Göttern näher ans Ohr zu kommen. Vor allem aber wollte man den Nutzen von jener elementaren Überwältigung haben, welche der Mensch an sich beim Hören der Musik erfährt: der Rhythmus ist ein Zwang; er erzeugt eine unüberwindliche Lust, nachzugeben, mit einzustimmen; nicht nur der Schritt der Füße, auch die Seele selber geht dem Takte nach – wahrscheinlich, so schloß man, auch die Seele der Götter! Man versuchte sie also durch den Rhythmus zu *zwingen* und eine Gewalt über sie auszuüben: man warf ihnen die Poesie wie eine magische Schlinge um. Es gab noch eine wunderlichere Vorstellung: und diese gerade hat vielleicht am mächtigsten zur Entstehung der Poesie gewirkt. Bei den Pythagoreern erscheint sie als philosophische Lehre und als Kunstgriff der Erziehung: aber längst bevor es Philosophen gab, gestand man der Musik die Kraft zu, die

Affekte zu entladen, die Seele zu reinigen, die *ferocia animi* zu mildern – und zwar gerade durch das Rhythmische in der Musik. Wenn die richtige Spannung und Harmonie der Seele verlorengegangen war, mußte man *tanzen*, in dem Takte des Sängers – das war das Rezept dieser Heilkunst. Mit ihr stillte Terpander einen Aufruhr, besänftigte Empedokles einen Rasenden, reinigte Damon einen liebessiechen Jüngling; mit ihr nahm man auch die wildgewordenen rachsüchtigen Götter in Kur. Zuerst dadurch, daß man den Taumel und die Ausgelassenheit ihrer Affekte aufs Höchste trieb, also den Rasenden toll, den Rachsüchtigen rachetrunken machte – alle orgiastischen Kulte wollen die *ferocia* einer Gottheit auf einmal entladen und zur Orgie machen, damit sie hinterher sich freier und ruhiger fühle und den Menschen in Ruhe lasse. *Melos* bedeutet seiner Wurzel nach ein Besänftigungsmittel, nicht weil es selber sanft ist, sondern weil seine Nachwirkung sanft macht. – Und nicht nur im Kultusliede, auch bei dem weltlichen Liede der ältesten Zeiten ist die Voraussetzung, daß das Rhythmische eine magische Kraft übe, zum Beispiel beim Wasserschöpfen oder Rudern: das Lied ist eine Bezauberung der hierbei tätig gedachten Dämonen, es macht sie willfährig, unfrei und zum Werkzeug des Menschen. Und sooft man handelt, hat man einen Anlaß zu singen – *jede* Handlung ist an die Beihilfe von Geistern geknüpft: Zauberlied und Besprechung scheinen die Urgestalt der Poesie zu sein. Wenn der Vers auch beim Orakel verwendet wurde – die Griechen sagten, der Hexameter sei in Delphi erfunden –, so sollte der Rhythmus auch hier einen Zwang ausüben. Sich prophezeien lassen – das bedeutet ursprünglich (nach der mir wahrscheinlichen Ableitung des griechischen Wortes): sich etwas bestimmen lassen; man glaubt die Zukunft erzwingen zu können, dadurch, daß man Apollo für sich gewinnt: er, der nach der ältesten Vorstellung viel mehr als ein vorhersehender Gott ist. So wie die Formel ausgesprochen wird, buchstäblich und rhythmisch genau, so bindet sie die Zukunft: die Formel aber ist die Erfindung Apollos, welcher, als

Gott der Rhythmen auch die Göttinnen des Schicksals binden kann. – Im ganzen gesehen und gefragt: gab es für die alte abergläubische Art des Menschen überhaupt etwas *Nützlicheres* als den Rhythmus? Mit ihm konnte man alles: eine Arbeit magisch fördern; einen Gott nötigen, zu erscheinen, nahezusein, zuzuhören; die Zukunft sich nach seinem Willen zurechtmachen; die eigne Seele von irgendeinem Übermaße (der Angst, der Manie, des Mitleids, der Rachsucht) entladen, und nicht nur die eigne Seele, sondern die des bösesten Dämons – ohne den Vers war man nichts, durch den Vers wurde man beinahe ein Gott. Ein solches Grundgefühl läßt sich nicht mehr völlig ausrotten – und noch jetzt, nach jahrtausendelanger Arbeit in der Bekämpfung solchen Aberglaubens, wird auch der Weiseste von uns gelegentlich zum Narren des Rhythmus, sei es auch nur darin, daß er einen Gedanken als *wahrer empfindet*, wenn er eine metrische Form hat und mit einem göttlichen Hopsassa daherkommt. Ist es nicht eine sehr lustige Sache, daß immer noch die ernstesten Philosophen, so streng sie es sonst mit aller Gewißheit nehmen, sich auf *Dichtersprüche* berufen, um ihren Gedanken Kraft und Glaubwürdigkeit zu geben? – und doch ist es für eine Wahrheit gefährlicher, wenn der Dichter ihr zustimmt, als wenn er ihr widerspricht! Denn wie Homer sagt: »Viel ja lügen die Sänger!«

85

Das Gute und das Schöne. – Die Künstler *verherrlichen* fortwährend – sie tun nichts anderes –: und zwar alle jene Zustände und Dinge, welche in dem Rufe stehen, daß bei ihnen und in ihnen der Mensch sich einmal gut oder groß oder trunken oder lustig oder wohl und weise fühlen kann. Diese *ausgelesenen* Dinge und Zustände, deren Wert für das menschliche *Glück* als sicher und abgeschätzt gilt, sind die Objekte der Künstler: sie liegen immer auf der Lauer, dergleichen zu entdecken und ins Gebiet der Kunst hinüberzuziehn. Ich will sagen: sie sind nicht selber die Taxatoren des Glücks und des Glücklichen, aber sie drängen sich immer in die Nähe dieser Taxatoren, mit der größten Neugierde und Lust, sich ihre Schätzungen sofort zunutze zu machen. So werden sie, weil sie außer ihrer Ungeduld auch die großen Lungen der Herolde und die Füße der Läufer haben, immer auch unter den Ersten sein, die das *neue* Gute verherrlichen, und oft als die *erscheinen*, welche es zuerst gut nennen und als gut taxieren. Dies aber ist, wie gesagt, ein Irrtum: sie sind nur geschwinder und lauter als die wirklichen Taxatoren. – Und wer sind denn diese? – Es sind die Reichen und die Müßigen.

86

Vom Theater. – Dieser Tag gab mir wieder starke und hohe Gefühle, und wenn ich an seinem Abende Musik und Kunst haben könnte, so weiß ich wohl, welche Musik und Kunst ich *nicht* haben möchte, nämlich alle jene nicht, welche ihre Zuhörer berauschen und zu einem Augenblicke starken und hohen Gefühls *emportreiben* möchte – jene Menschen des Alltags der Seele, die am Abende nicht Siegern auf Triumphwägen gleichen, sondern müden Maultieren, an denen das Leben die Peitsche etwas zu oft geübt hat. Was würden jene Menschen überhaupt von »höheren Stimmungen« wissen, wenn es nicht rauscherzeugende Mittel und idealische Peitschenschläge gäbe! – und so haben sie ihre Begeisterer, wie sie ihre Weine haben. Aber was ist *mir* ihr Getränk und ihre Trunkenheit! Was braucht der Begeisterte den Wein! Vielmehr blickt er mit einer Art von Ekel auf die Mittel und Mittler hin, welche hier eine Wirkung ohne zureichenden Grund erzeugen sollen – eine Nachäffung der hohen Seelenflut! – Wie? Man schenkt dem Maulwurf Flügel und stolze Einbildungen – vor Schlafengehen, bevor er in seine Höhle kriecht?

Man schickt ihn ins Theater und setzt ihm große Gläser vor seine blinden und müden Augen? Menschen, deren Leben keine »Handlung«, sondern ein Geschäft ist, sitzen vor der Bühne und schauen fremdartigen Wesen zu, denen das Leben mehr ist als ein Geschäft? »So ist es anständig«, sagt ihr, »so ist es unterhaltend, so will es die Bildung!« – Nun denn! So fehlt mir allzuoft die Bildung: denn dieser Anblick ist mir allzuoft ekelhaft. Wer an sich der Tragödie und Komödie genug hat, bleibt wohl am liebsten fern vom Theater; oder, zur Ausnahme, der ganze Vorgang – Theater und Publikum und Dichter eingerechnet – wird ihm zum eigentlichen tragischen und komischen Schauspiel, so daß das aufgeführte Stück dagegen ihm nur wenig bedeutet. Wer etwas wie Faust und Manfred ist, was liegt dem an den Fausten und Manfreden des Theaters! – während es ihm gewiß noch zu denken gibt, *daß* man überhaupt dergleichen Figuren aufs Theater bringt. Die *stärksten* Gedanken und Leidenschaften vor denen, welche des Denkens und der Leidenschaft nicht fähig sind – aber des *Rausches!* Und *jene* als ein Mittel zu diesem! Und Theater und Musik das Haschisch-Rauchen und Betel-Kauen der Europäer! Oh wer erzählt uns die ganze Geschichte der *Narcotica!* – Es ist beinahe die Geschichte der »Bildung«, der sogenannten höheren Bildung!

87

Von der Eitelkeit der Künstler. – Ich glaube, daß die Künstler oft nicht wissen, was sie am besten können, weil sie zu eitel sind und ihren Sinn auf etwas Stolzeres gerichtet haben, als diese kleinen Pflanzen zu sein scheinen, welche neu, seltsam und schön, in wirklicher Vollkommenheit auf ihrem Boden zu wachsen vermögen. Das letzthin Gute ihres eigenen Gartens und Weinbergs wird von ihnen obenhin abgeschätzt, und ihre Liebe und ihre Einsicht sind nicht gleichen Ranges. Da ist ein Musiker, der mehr als irgendein Musiker darin seine Meisterschaft hat, die Töne aus dem Reiche leidender, gedrückter, gemarterter Seelen zu finden und auch noch den stummen Tieren Sprache zu geben. Niemand kommt ihm gleich in den Farben des späten Herbstes, dem unbeschreiblich rührenden Glück eines letzten, allerletzten, allerkürzesten Genießens, er kennt einen Klang für jene heimlich-unheimlichen Mitternächte der Seele, wo Ursache und Wirkung aus den Fugen gekommen zu sein scheinen und jeden Augenblick etwas »aus dem Nichts« entstehen kann; er schöpft am glücklichsten von allen aus dem unteren Grunde des menschlichen Glückes und gleichsam aus dessen ausgetrunkenem Becher, wo die herbsten und widrigsten Tropfen zu guter und böser Letzt mit den süßesten zusammengelaufen sind; er kennt jenes müde Sich-schieben der Seele, die nicht mehr springen und fliegen, ja nicht mehr gehen kann; er hat den scheuen Blick des verhehlten Schmerzes, des Verstehens ohne Trost, des Abschiednehmens ohne Geständnis; ja, als der Orpheus alles heimlichen Elends ist er größer als irgendeiner, und manches ist durch ihn überhaupt der Kunst hinzugefügt worden, was bisher unausdrückbar und selbst der Kunst unwürdig erschien, und mit Worten namentlich nur zu verscheuchen, nicht zu fassen war – manches ganz Kleine und Mikroskopische der Seele: ja er ist der Meister des ganz Kleinen. Aber er *will* es nicht sein! Sein *Charakter* liebt vielmehr die großen Wände und die verwegene Wandmalerei! Es entgeht ihm, daß sein *Geist* einen andern Geschmack und Hang hat und am liebsten still in den Winkeln zusammengestürzter Häuser sitzt – da, verborgen, sich selber verborgen, malt er seine eigentlichen Meisterstücke, welche alle sehr kurz sind, oft nur *einen* Takt lang – da erst wird er ganz gut, groß und vollkommen, da vielleicht allein. – Aber er weiß es nicht! Er ist zu eitel dazu, es zu wissen.

Der Ernst um die Wahrheit. – Ernst um die Wahrheit! Wie verschiedenes verstehen die Menschen bei diesen Worten! Eben
dieselben Ansichten und Arten von Beweis und Prüfung,
welche ein Denker an sich wie eine Leichtfertigkeit empfindet, der er zu seiner Scham in dieser oder jener Stunde unterlegen ist – eben dieselben Ansichten können einem Künstler,
der auf sie stößt und mit ihnen zeitweilig lebt, das Bewußtsein geben, jetzt habe ihn der tiefste Ernst um die Wahrheit
erfaßt, und es sei bewunderungswürdig, daß er, obschon
Künstler, doch zugleich die ernsthafteste Begierde nach dem
Gegensatze des Scheinenden zeige. So ist es möglich, daß
einer gerade mit seinem Pathos von Ernsthaftigkeit verrät,
wie oberflächlich und genügsam sein Geist bisher im Reiche
der Erkenntnis gespielt hat. – Und ist nicht alles, was wir *wichtig* nehmen, unser Verräter? Es zeigt, wo unsere Gewichte liegen und wofür wir keine Gewichte besitzen.

Jetzt und ehedem. – Was liegt an aller unsrer Kunst der Kunstwerke, wenn jene höhere Kunst, die Kunst der Feste uns
abhanden kommt! Ehemals waren alle Kunstwerke an der
großen Feststraße der Menschheit aufgestellt, als Erinnerungs-
zeichen und Denkmäler hoher und seliger Momente. Jetzt
will man mit den Kunstwerken die armen Erschöpften und
Kranken von der großen Leidensstraße der Menschheit beiseite locken, für ein lüsternes Augenblickchen; man bietet
ihnen einen kleinen Rausch und Wahnsinn an.

Lichter und Schatten. – Die Bücher und Niederschriften sind bei verschiedenen Denkern verschiedenes: der eine hat im Buche die Lichter zusammengebracht, die er geschwind aus den Strahlen einer ihm aufleuchtenden Erkenntnis wegzustehlen und heimzutragen wußte; ein anderer gibt nur die Schatten, die Nachbilder in Grau und Schwarz von dem wieder, was tags zuvor in seiner Seele sich aufbaute.

Vorsicht. – Alfieri hat, wie bekannt, sehr viel gelogen, als er den erstaunten Zeitgenossen seine Lebensgeschichte erzählte. Er log aus jenem Despotismus gegen sich selber, den er zum Beispiel in der Art bewies, wie sich seine eigne Sprache schuf und sich zum Dichter tyrannisierte – er hatte endlich eine strenge Form von Erhabenheit gefunden, in welche er sein Leben und sein Gedächtnis *hineinpreßte*: es wird viel Qual dabei gewesen sein. – Ich würde auch einer Lebensgeschichte Platons, von ihm selber geschrieben, keinen Glauben schenken: so wenig als der Rousseaus oder der *vita nuova* Dantes.

Prosa und Poesie. – Man beachte doch, daß die großen Meister der Prosa fast immer auch Dichter gewesen sind, sei es öffentlich oder auch nur im Geheimen und für das »Kämmerlein«; und fürwahr, man schreibt nur *im Angesichte der Poesie* gute Prosa! Denn diese ist ein ununterbrochener artiger Krieg mit der Poesie: alle ihre Reize bestehen darin, daß beständig der Poesie ausgewichen und widersprochen wird; jedes Abstraktum will als Schalkheit gegen diese und wie mit spöttischer

Stimme vorgetragen sein; jede Trockenheit und Kühle soll die liebliche Göttin in eine liebliche Verzweiflung bringen; oft gibt es Annäherungen, Versöhnungen des Augenblicks und dann ein plötzliches Zurückspringen und Auslachen; oft wird der Vorhang aufgezogen und grelles Licht hereingelassen, während gerade die Göttin ihre Dämmerungen und dumpfen Farben genießt; oft wird ihr das Wort aus dem Munde genommen und nach einer Melodie abgesungen, bei der sie die feinen Hände vor die feinen Öhrchen hält – und so gibt es tausend Vergnügungen des Krieges, die Niederlagen mitgezählt, von denen die Unpoetischen, die sogenannten Prosa-Menschen gar nichts wissen – diese schreiben und sprechen denn auch nur schlechte Prosa! *Der Krieg ist der Vater aller guten Dinge*, der Krieg ist auch der Vater der guten Prosa! – Vier sehr seltsame und wahrhaft dichterische Menschen waren es in diesem Jahrhundert, welche an die Meisterschaft der Prosa gereicht haben, für die sonst dies Jahrhundert nicht gemacht ist – aus Mangel an Poesie, wie angedeutet. Um von Goethe abzusehen, welchen billigerweise das Jahrhundert in Anspruch nimmt, das ihn hervorbrachte: so sehe ich nur Giacomo Leopardi, Prosper Mérimée, Ralph Waldo Emerson und Walter Savage Landor, den Verfasser der *Imaginary Conversations*, als würdig an, Meister der Prosa zu heißen.

93

Aber warum schreibst denn du? – A: Ich gehöre nicht zu denen, welche mit der nassen Feder in der Hand *denken*; und noch weniger zu jenen, die sich gar vor dem offnen Tintenfasse ihren Leidenschaften überlassen, auf ihrem Stuhle sitzend und aufs Papier starrend. Ich ärgere oder schäme mich alles Schreibens; Schreiben ist für mich eine Notdurft – selbst im Gleichnis davon zu reden, ist mir widerlich. B: Aber warum schreibst du dann? A: Ja, mein Lieber, im Vertrauen gesagt:

ich habe bisher noch kein andres Mittel gefunden, meine Ge-
danken *loszuwerden*. B: Und warum willst du sie loswerden?
A: Warum ich will? Will ich denn? Ich muß – B: Genug!
Genug!

94

Wachstum nach dem Tode. – Jene kleinen verwegenen Worte
über moralische Dinge, welche Fontenelle in seinen unsterblichen Totengesprächen hinwarf, galten seinerzeit als Para-
doxien und Spiele eines nicht unbedenklichen Witzes; selbst
die höchsten Richter des Geschmacks und des Geistes sahen
nicht mehr darin – ja vielleicht Fontenelle selber nicht. Nun
ereignet sich etwas Unglaubliches: diese Gedanken werden
Wahrheiten! Die Wissenschaft beweist sie! Das Spiel wird
zum Ernst! Und wir lesen jene Dialoge mit einer andern
Empfindung, als Voltaire und Helvetius sie lasen, und heben
unwillkürlich ihren Urheber in eine andere und *viel höhere*
Rangklasse der Geister, als jene taten – mit Recht? Mit Unrecht?

95

Chamfort. – Daß ein solcher Kenner der Menschen und der
Menge, wie Chamfort, eben der Menge beisprang und nicht
in philosophischer Entsagung und Abwehr seitwärts stehen
blieb, das weiß ich mir nicht anders zu erklären als so: ein Instinkt war in ihm stärker als seine Weisheit und war nie be-
friedigt worden, der Haß gegen alle Noblesse des Gebluts:
vielleicht der alte, nur zu erklärliche Haß seiner Mutter, welcher durch die Liebe zur Mutter in ihm heilig gesprochen
war, – ein Instinkt der Rache von seinen Knabenjahren her,
der die Stunde erwartete, die Mutter zu rächen. Und nun

hatte ihn das Leben und sein Genie, und ach! am meisten wohl das väterliche Blut in seinen Adern dazu verführt, eben dieser Noblesse sich einzureihen und gleichzustellen – viele, viele Jahre lang! Endlich ertrug er aber seinen eignen Anblick, den Anblick des »alten Menschen« unter dem alten Regime nicht mehr; er geriet in eine heftige Leidenschaft der Buße, und *in dieser* zog er das Gewand des Pöbels an, als *seine* Art von härener Kutte! Sein böses Gewissen war die Versäumnis der Rache. – Gesetzt, Chamfort wäre damals um einen Grad mehr Philosoph geblieben, so hätte die Revolution ihren tragischen Witz und ihren schärfsten Stachel nicht bekommen: sie würde als ein viel dümmeres Ereignis gelten und keine solche Verführung der Geister sein. Aber der Haß und die Rache Chamforts erzogen ein ganzes Geschlecht: und die erlauchtesten Menschen machten diese Schule durch. Man erwäge doch, daß Mirabeau zu Chamfort wie zu seinem höheren und älteren Selbst aufsah, von dem er Antriebe, Warnungen und Richtersprüche erwartete und ertrug – Mirabeau, der als Mensch zu einem ganz anderen Range der Größe gehört als selbst die Ersten unter den staatsmännischen Größen von gestern und heute. – Seltsam, daß trotz einem solchen Freunde und Fürsprecher – man hat ja die Briefe Mirabeaus an Chamfort – dieser witzigste aller Moralisten den Franzosen fremd geblieben ist, nicht anders als Stendhal, der vielleicht unter allen Franzosen *dieses* Jahrhunderts die gedankenreichsten Augen und Ohren gehabt hat. Ist es, daß letzterer im Grunde zu viel von einem Deutschen und Engländer an sich hatte, um den Parisern noch erträglich zu sein? – während Chamfort, ein Mensch, reich an Tiefen und Hintergründen der Seele, düster, leidend, glühend – ein Denker, der das Lachen als das Heilmittel gegen das Leben nötig fand und der sich beinahe verloren gab an jedem Tage, wo er nicht gelacht hatte – vielmehr wie ein Italiener und Blutsverwandter Dantes und Leopardis erscheint als wie ein Franzose! Man kennt die letzten Worte Chamforts: »*Ah! mon ami*«, sagte er zu

Sieyès, »*je m'en vais enfin de ce monde, où il faut que le cœur se brise ou se bronze* –«. Das sind sicherlich nicht Worte eines sterbenden Franzosen!

96

Zwei Redner. – Von diesen beiden Rednern erreicht der eine die ganze Vernunft seiner Sache nur dann, wenn er sich der Leidenschaft überläßt: erst diese pumpt genug Blut und Hitze ihm ins Gehirn, um seine hohe Geistigkeit zur Offenbarung zu zwingen. Der andre versucht wohl hier und da dasselbe: mit Hilfe der Leidenschaft seine Sache volltönend, heftig und hinreißend vorzubringen – aber gewöhnlich mit einem schlechten Erfolge. Er redet dann sehr bald dunkel und verwirrt, er übertreibt, macht Auslassungen und erregt gegen die Vernunft seiner Sache Mißtrauen: ja er selber empfindet dabei dies Mißtrauen, und daraus erklären sich plötzliche Sprünge in die kältesten und abstoßendsten Töne, welche in dem Zuhörer einen Zweifel erregen, ob seine ganze Leidenschaftlichkeit echt gewesen sei. Bei ihm überflutet jedesmal die Leidenschaft den Geist; vielleicht, weil sie stärker ist als bei dem ersten. Aber er ist auf der Höhe seiner Kraft, wenn er dem andringenden Sturme seiner Empfindung widersteht und ihn gleichsam verhöhnt: da erst tritt sein Geist ganz aus seinem Versteck heraus, ein logischer, spöttischer, spielender und doch furchtbarer Geist.

97

Von der Geschwätzigkeit der Schriftsteller. – Es gibt eine Geschwätzigkeit des Zorns – häufig bei Luther, auch bei Schopenhauer. Eine Geschwätzigkeit aus einem zu großen Vorrat von Begriffsformeln, wie bei Kant. Eine Geschwätzigkeit aus

Lust an immer neuen Wendungen derselben Sache: man findet sie bei Montaigne. Eine Geschwätzigkeit hämischer Naturen: wer Schriften dieser Zeit liest, wird sich hierbei zweier Schriftsteller erinnern. Eine Geschwätzigkeit aus Lust an guten Worten und Sprachformen: nicht selten in der Prosa Goethes. Eine Geschwätzigkeit aus innerem Wohlgefallen an Lärm und Wirrwarr der Empfindungen: zum Beispiel bei Carlyle.

98

Zum Ruhme Shakespeares. – Das Schönste, was ich zum Ruhme Shakespeares, *des Menschen*, zu sagen wüßte, ist dies: er hat an Brutus geglaubt und kein Stäubchen Mißtrauens auf diese Art Tugend geworfen! Ihm hat er seine beste Tragödie geweiht – sie wird jetzt immer noch mit einem falschen Namen genannt –, ihm und dem furchtbarsten Inbegriff hoher Moral. Unabhängigkeit der Seele – das gilt es hier! Kein Opfer kann da zu groß sein: seinen liebsten Freund selbst muß man ihr opfern können, und sei er noch dazu der herrlichste Mensch, die Zierde der Welt, das Genie ohnegleichen – wenn man nämlich die Freiheit als die Freiheit großer Seelen liebt und durch ihn *dieser* Freiheit Gefahr droht – derart muß Shakespeare gefühlt haben! Die Höhe, in welche er Cäsar stellt, ist die feinste Ehre, die er Brutus erweisen konnte: so erst erhebt er dessen inneres Problem ins Ungeheure, und ebenso die seelische Kraft, welche *diesen Knoten* zu zerhauen vermochte! – Und war es wirklich die politische Freiheit, welche diesen Dichter zum Mitgefühl mit Brutus trieb – zum Mitschuldigen des Brutus machte? Oder war die politische Freiheit nur eine Symbolik für irgendetwas Unaussprechbares? Stehen wir vielleicht vor irgendeinem unbekannt gebliebenen dunklen Ereignisse und Abenteuer aus des Dichters eigener Seele, von dem er nur durch Zeichen reden mochte? Was ist alle Hamlet-Melancholie gegen die Melancholie des Brutus! – und vielleicht kennt Shakespeare auch diese, wie er jene kannte, aus Erfahrung! Vielleicht hatte auch er seine finstere Stunde und seinen bösen Engel, gleich Brutus! – Was es aber auch derart von Ähnlichkeiten und geheimen Bezügen gegeben haben mag: vor der ganzen Gestalt und Tugend des Brutus warf Shakespeare sich auf den Boden und fühlte sich unwürdig und ferne – das Zeugnis dafür hat er in seine Tragödie hineingeschrieben. Zweimal hat er in ihr einen Poeten vorgeführt und zweimal eine solche ungeduldige und allerletzte Verachtung über ihn geschüttet, daß es wie ein Schrei klingt – wie der Schrei der Selbstverachtung. Brutus, selbst Brutus verliert die Geduld, als der Poet auftritt, eingebildet, pathetisch, zudringlich, wie Poeten zu sein pflegen, als ein Wesen, welches von Möglichkeiten der Größe, auch der sittlichen Größe, zu strotzen scheint und es doch in der Philosophie der Tat und des Lebens selten selbst bis zur gemeinen Rechtschaffenheit bringt. »Kennt er die Zeit, *so kenn ich seine Launen* – fort mit dem Schellen-Hanswurst!« – ruft Brutus. Man übersetze sich dies zurück in die Seele des Poeten, der es dichtete.

99

Die Anhänger Schopenhauers. – Was man bei der Berührung von Kultur-Völkern und Barbaren zu sehen bekommt: daß regelmäßig die niedrigere Kultur von der höheren zuerst deren Laster, Schwächen und Ausschweifungen annimmt, von da aus einen Reiz auf sich ausgeübt fühlt und endlich vermittelst der angeeigneten Laster und Schwächen etwas von der werthaltigen Kraft der höheren Kultur mit auf sich überströmen läßt – das kann man auch in der Nähe und ohne Reisen zu Barbaren-Völkern mit ansehen, freilich etwas verfeinert und vergeistigt und nicht so leicht mit Händen zu greifen. Was pflegen doch die Anhänger *Schopenhauers* in Deutschland von ihrem Meister zuerst anzunehmen? – als welche, im Vergleich zu dessen überlegener Kultur, sich barbarenhaft genug vorkommen müssen, um auch durch ihn zuerst barbarenhaft fasziniert und verführt zu werden. Ist es sein harter Tatsachen-Sinn, sein guter Wille zu Helligkeit und Vernunft, der ihn oft so englisch und so wenig deutsch erscheinen läßt? Oder die Stärke seines intellektuellen Gewissens, das einen lebenslangen Widerspruch zwischen Sein und Wollen *aushielt* und ihn dazu zwang, sich auch in seinen Schriften beständig und fast in jedem Punkte zu widersprechen? Oder seine Reinlichkeit in Dingen der Kirche und des christlichen Gottes? – denn hierin war er reinlich wie kein deutscher Philosoph bisher, so daß er »als Voltairianer« lebte und starb. Oder seine unsterblichen Lehren von der Intellektualität der Anschauung, von der Apriorität des Kausalitätsgesetzes, von der Werkzeug-Natur des Intellekts und der Unfreiheit des Willens? Nein, dies alles bezaubert nicht und wird nicht als bezaubernd gefühlt: aber die mystischen Verlegenheiten und Ausflüchte Schopenhauers, an jenen Stellen, wo der Tatsachen-Denker sich vom eitlen Triebe, der Enträtseler der Welt zu sein, verführen und verderben ließ, die unbeweisbare Lehre von *Einem Willen* (»alle Ursachen sind nur Gelegenheitsursachen der Erscheinung des Willens zu dieser Zeit, an diesem Orte«, »der Wille zum Leben ist in jedem Wesen, auch dem geringsten, ganz und ungeteilt vorhanden, so vollständig, wie in allen, die je waren, sind und sein werden, zusammengenommen«), die *Leugnung des Individuums* (»alle Löwen sind im Grunde nur *ein* Löwe«, »die Vielheit der Individuen ist ein Schein«; sowie auch die *Entwicklung* nur ein Schein ist: – er nennt den Gedanken de Lamarcks »einen genialen, absurden Irrtum«), die Schwärmerei vom *Genie* (»in der ästhetischen Anschauung ist das Individuum nicht mehr Individuum, sondern reines, willenloses, schmerzloses, zeitloses Subjekt der Erkenntnis«; »das Subjekt, indem es in dem angeschauten Gegenstande ganz aufgeht, ist dieser Gegenstand selbst geworden«), der Unsinn vom *Mitleide* und der in ihm ermöglichten Durchbrechung des *principii individuationis* als der Quelle aller Moralität, hinzugerechnet solche Behauptungen: »das Sterben ist eigentlich der Zweck des Daseins«, »es läßt sich *a priori* nicht geradezu die Möglichkeit ableugnen, daß eine magische Wirkung nicht auch sollte von einem bereits Gestorbenen ausgehen können«: diese und ähnliche *Ausschweifungen* und Laster des Philosophen werden immer am ersten angenommen und zur Sache des Glaubens gemacht – Laster und Ausschweifungen sind nämlich immer am leichtesten nachzuahmen und wollen keine lange Vorübung. Doch reden wir von dem berühmtesten der lebenden Schopenhauerianer, von Richard Wagner. – Ihm ist es ergangen, wie es schon manchem Künstler ergangen ist: er vergriff sich in der Deutung der Gestalten, die er schuf, und verkannte die unausgesprochene Philosophie seiner eigensten Kunst. Richard Wagner hat sich bis in die Mitte seines Lebens durch Hegel irreführen lassen; er tat dasselbe noch einmal, als er später Schopenhauers Lehre aus seinen Gestalten herauslas und mit »Wille«, »Genie« und »Mitleid« sich selber zu formulieren begann. Trotzdem wird es wahr bleiben: nichts geht gerade so sehr wider den Geist Schopenhauers als das eigentlich Wagnerische an den Helden Wagners – ich meine, die Unschuld der höchsten Selbstsucht, der Glaube an die große Leidenschaft als an das Gute an sich, mit *einem* Worte, das Siegfriedhafte im Antlitze seiner Helden. »Das alles riecht eher noch nach Spinoza als nach mir« – würde vielleicht Schopenhauer sagen. So gute Gründe also Wagner hätte, sich gerade nach anderen Philosophen umzusehen als nach Schopenhauer: die Bezauberung, der er in betreff dieses Denkers unterlegen ist, hat ihn nicht nur gegen alle andern Philosophen, sondern sogar gegen die Wissenschaft selber blind gemacht; immer mehr will seine ganze Kunst sich als Seitenstück und Ergänzung der Schopenhauerischen Philosophie geben und immer

ausdrücklicher verzichtet sie auf den höheren Ehrgeiz, Seitenstück und Ergänzung der menschlichen Erkenntnis und Wissenschaft zu werden. Und nicht nur reizt ihn dazu der ganze
geheimnisvolle Prunk dieser Philosophie, welche auch einen
Cagliostro gereizt haben würde: auch die einzelnen Gebärden
und die Affekte der Philosophen waren stets Verführer! Schopenhauerisch ist zum Beispiel Wagners Ereiferung über die
Verderbnis der deutschen Sprache; und wenn man hierin die
Nachahmung gutheißen sollte, so darf doch auch nicht verschwiegen werden, daß Wagners Stil selber nicht wenig an all
den Geschwüren und Geschwülsten krankt, deren Anblick
Schopenhauer so wütend machte, und daß in Hinsicht auf die
deutsch schreibenden Wagnerianer die Wagnerei sich so gefährlich zu erweisen beginnt, als nur irgendeine Hegelei sich
erwiesen hat. Schopenhauerisch ist Wagners Haß gegen die
Juden, denen er selbst in ihrer größten Tat nicht gerecht zu
werden vermag: die Juden sind ja die Erfinder des Christentums! Schopenhauerisch ist der Versuch Wagners, das Christentum als ein verwehtes Korn des Buddhismus aufzufassen
und für Europa, unter zeitweiliger Annäherung an katholisch-
christliche Formeln und Empfindungen, ein buddhistisches
Zeitalter vorzubereiten. Schopenhauerisch ist Wagners Predigt zugunsten der Barmherzigkeit im Verkehre mit Tieren;
Schopenhauers Vorgänger hierin war bekanntlich Voltaire,
der vielleicht auch schon, gleich seinen Nachfolgern, seinen
Haß gegen gewisse Dinge und Menschen als Barmherzigkeit
gegen Tiere zu verkleiden wußte. Wenigstens ist Wagners
Haß gegen die Wissenschaft, der aus seiner Predigt spricht,
gewiß nicht vom Geiste der Mildherzigkeit und Güte ein-
gegeben – noch auch, wie es sich von selber versteht, vom
Geiste überhaupt. – Zuletzt ist wenig an der Philosophie eines
Künstlers gelegen, falls sie eben nur eine nachträgliche Philosophie ist und seiner Kunst selber keinen Schaden tut. Man
kann sich nicht genug davor hüten, einem Künstler um einer
gelegentlichen, vielleicht sehr unglücklichen und anmaß-

lichen Maskerade willen gram zu werden; vergessen wir doch nicht, daß die lieben Künstler samt und sonders ein wenig Schauspieler sind und sein müssen und ohne Schauspielerei es schwerlich auf die Länge aushielten. Bleiben wir Wagner in dem treu, was an ihm *wahr* und ursprünglich ist – und namentlich dadurch, daß wir, seine Jünger, uns selber in dem treu bleiben, was an uns wahr und ursprünglich ist. Lassen wir ihm seine intellektuellen Launen und Krämpfe, erwägen wir vielmehr in Billigkeit, welche seltsamen Nahrungen und Notdürfte eine Kunst, wie die seine, haben *darf*, um leben und wachsen zu können! Es liegt nichts daran, daß er als Denker so oft unrecht hat; Gerechtigkeit und Geduld sind nicht *seine* Sache. Genug, daß sein Leben vor sich selber recht hat und recht behält – dieses Leben, welches jedem von uns zuruft: »Sei ein Mann und folge mir nicht nach – sondern dir! Sondern dir!« Auch *unser* Leben soll vor uns selber recht behalten! Auch wir sollen frei und furchtlos, in unschuldiger Selbstigkeit aus uns selber wachsen und blühen! Und so klingen mir, bei der Betrachtung eines solchen Menschen, auch heute noch, wie ehedem, diese Sätze ans Ohr: »daß Leidenschaft besser ist als Stoizismus und Heuchelei, daß Ehrlichsein, selbst im Bösen, besser ist, als sich selber an die Sittlichkeit des Herkommens verlieren, daß der freie Mensch sowohl gut als böse sein kann, daß aber der unfreie Mensch eine Schande der Natur ist und an keinem himmlischen noch irdischen Troste Anteil hat; endlich, daß *jeder, der frei werden will, es durch sich selber werden muß*, und daß niemandem die Freiheit als ein Wundergeschenk in den Schoß fällt«. (Richard Wagner in Bayreuth: I *431*.)

100

Huldigen lernen. – Auch das Huldigen müssen die Menschen lernen wie das Verachten. Jeder, der auf neuen Bahnen geht und viele auf neue Bahnen geführt hat, entdeckt mit Staunen, wie ungeschickt und arm diese vielen im Ausdruck ihrer Dankbarkeit sind, ja wie selten sich überhaupt auch nur die Dankbarkeit äußern *kann*. Es ist, als ob ihr immer, wenn sie einmal reden will, etwas in die Kehle komme, so daß sie sich nur räuspert und im Räuspern wieder verstummt. Die Art, wie ein Denker die Wirkung seiner Gedanken und ihre umbildende und erschütternde Gewalt zu spüren bekommt, ist beinahe eine Komödie; mitunter hat es das Ansehen, als ob die, auf welche gewirkt worden ist, sich im Grunde dadurch beleidigt fühlten und ihre, wie sie fürchten, bedrohte Selbständigkeit nur in allerlei Unarten zu äußern wüßten. Es bedarf ganzer Geschlechter, um auch nur eine höfliche Konvention des Dankes zu erfinden: und erst sehr spät kommt jener Zeitpunkt, wo selbst in die Dankbarkeit eine Art Geist und Genialität gefahren ist. Dann ist gewöhnlich auch einer da, welcher der große Dank-Empfänger ist, nicht nur für das, was er selber Gutes getan hat, sondern zumeist für das, was von seinen Vorgängern als ein Schatz des Höchsten und Besten allmählich aufgehäuft worden ist.

101

Voltaire. – Überall, wo es einen Hof gab, hat er das Gesetz des Gut-Sprechens und damit auch das Gesetz des Stils für alle Schreibenden gegeben. Die höfische Sprache ist aber die Sprache des Höflings, *der kein Fach hat* und der sich selbst in Gesprächen über wissenschaftliche Dinge alle bequemen technischen Ausdrücke verbietet, weil sie nach dem Fache schmecken; deshalb ist der technische Ausdruck und alles, was den Spezialisten verrät, in den Ländern einer höfischen Kultur ein *Flecken des Stils*. Man ist jetzt, wo alle Höfe Karikaturen von sonst und jetzt geworden sind, erstaunt, selbst Voltaire in diesem Punkt unsäglich spröde und peinlich zu finden (zum Beispiel in seinem Urteil über solche Stilisten wie Fontenelle und Montesquieu), – wir sind eben alle vom höfischen Geschmack emanzipiert, während Voltaire dessen *Vollender* war!

102

Ein Wort für die Philologen. – Daß es Bücher gibt, so wertvolle und königliche, daß ganze Gelehrten-Geschlechter gut verwendet sind, wenn durch ihre Mühe diese Bücher rein erhalten und verständlich erhalten werden – diesen Glauben immer wieder zu befestigen, ist die Philologie da. Sie setzt voraus, daß es an jenen seltenen Menschen nicht fehlt (wenn man sie gleich nicht sieht), die so wertvolle Bücher wirklich zu benutzen wissen – es werden wohl die sein, welche selber solche Bücher machen oder machen könnten. Ich wollte sagen, die Philologie setzt einen vornehmen Glauben voraus – daß zugunsten einiger weniger, die immer »kommen werden« und nicht da sind, eine sehr große Menge von peinlicher, selbst unsauberer Arbeit voraus abzutun sei: es ist alles Arbeit *in usum Delphinorum.*

103

Von der deutschen Musik. – Die deutsche Musik ist jetzt schon deshalb mehr als jede andere die europäische Musik, weil in ihr allein die Veränderung, welche Europa durch die Revolution erfuhr, einen Ausdruck bekommen hat: nur die deutschen Musiker verstehen sich auf den Ausdruck bewegter Volksmassen, auf jenen ungeheuren künstlichen Lärm, der nicht einmal sehr laut zu sein braucht, – während zum Beispiel die italienische Oper nur Chöre von Bedienten oder Soldaten kennt, aber kein »Volk«. Es kommt hinzu, daß aus aller deutschen Musik eine tiefe bürgerliche Eifersucht auf die *noblesse* herauszuhören ist, namentlich auf *esprit* und *élégance* als den Ausdruck einer höfischen, ritterlichen, alten, ihrer selber sichern Gesellschaft. Das ist keine Musik, wie die des Goetheschen Sängers vor dem Tor, die auch »im Saale«, und zwar dem Könige, wohlgefällt; da heißt es nicht: »die Ritter schauten mutig drein, und in den Schoß die Schönen«. Schon die Grazie tritt nicht ohne Anwandlung von Gewissensbissen in der deutschen Musik auf; erst bei der Anmut, der ländlichen Schwester der Grazie, fängt der Deutsche an, sich ganz moralisch zu fühlen – und von da an immer mehr bis hinauf zu seiner schwärmerischen, gelehrten, oft bärbeißigen »Erhabenheit«, der Beethovenschen Erhabenheit. Will man sich den Menschen zu *dieser* Musik denken, nun, so denke man sich eben Beethoven, wie er neben Goethe, etwa bei jener Begegnung in Teplitz, erscheint: als die Halbbarbarei neben der Kultur, als Volk neben Adel, als der gutartige Mensch neben dem guten und mehr noch als »guten« Menschen, als der Phantast neben dem Künstler, als der Trostbedürftige neben dem Getrösteten, als der Übertreiber und Verdächtiger neben dem Billigen, als der Grillenfänger und Selbstquäler, als der Närrisch-Verzückte, der Selig-Unglückliche, der Treuherzig-Maßlose, als der Anmaßliche und Plumpe – und, alles in allem, als der »ungebändigte Mensch«: so empfand und bezeichnete ihn Goethe selber, Goethe der Ausnahme-Deutsche, zu dem eine ebenbürtige Musik noch nicht gefunden ist! – Zuletzt erwäge man noch, ob nicht jene jetzt immer mehr um sich greifende Verachtung der Melodie und Verkümmerung des melodischen Sinns bei Deutschen als eine demokratische Unart und Nachwirkung der Revolution zu verstehen ist. Die Melodie hat nämlich eine solche offene Lust an der Gesetzlichkeit und einen solchen Widerwillen bei allem Werdenden, Ungeformten, Willkürlichen, daß sie wie ein Klang aus der *alten* Ordnung der europäischen Dinge und wie eine Verführung und Rückführung zu dieser klingt.

Vom Klange der deutschen Sprache. – Man weiß, woher das Deutsch stammt, welches seit ein paar Jahrhunderten das allgemeine Schriftdeutsch ist. Die Deutschen mit ihrer Ehrfurcht vor allem, was vom *Hofe* kam, haben sich geflissentlich die Kanzleien zum Muster genommen, in allem, was sie zu *schreiben* hatten, also namentlich in ihren Briefen, Urkunden, Testamenten und so weiter. Kanzleimäßig schreiben, das war hof- und regierungsmäßig schreiben – das war etwas Vornehmes, gegen das Deutsch der Stadt gehalten, in der man gerade lebte. Allmählich zog man den Schluß und sprach auch so, wie man schrieb – so wurde man noch vornehmer, in den Wortformen, in der Wahl der Worte und Wendungen und zuletzt auch im Klange: man affektierte einen höfischen Klang, wenn man sprach, und die Affektation wurde zuletzt Natur. Vielleicht hat sich etwas ganz Gleiches nirgendwo ereignet: die Übergewalt des Schreibestils über die Rede, und die Ziererei und Vornehmtuerei eines ganzen Volkes als Grundlage einer gemeinsamen, nicht mehr dialektischen Sprache. Ich glaube, der Klang der deutschen Sprache war im Mittelalter und namentlich nach dem Mittelalter tief bäuerisch und gemein: er hat sich in den letzten Jahrhunderten etwas veredelt, hauptsächlich dadurch, daß man sich genötigt fand, so viel französische, italienische und spanische Klänge nachzuahmen, und zwar gerade von seiten des deutschen (und österreichischen) Adels, der mit der Muttersprache sich durchaus nicht begnügen konnte. Aber für Montaigne oder gar Racine muß trotz dieser Übung Deutsch unerträglich gemein geklungen haben: und selbst jetzt klingt es, im Munde der Reisenden, mitten unter italienischem Pöbel, noch immer sehr roh, wälderhaft, heiser, wie aus räucherigen Stuben und unhöflichen Gegenden stammend. – Nun bemerke ich, daß jetzt wieder unter den ehemaligen Bewunderern der Kanzleien ein ähnlicher Drang nach Vornehmheit des Klanges um sich greift, und daß die Deutschen einem ganz absonderlichen »Klangzauber« sich zu fügen anfangen, der auf die Dauer eine wirkliche Gefahr für die deutsche Sprache werden könnte – denn abscheulichere Klänge sucht man in Europa vergebens. Etwas Höhnisches, Kaltes, Gleichgültiges, Nachlässiges in der Stimme: das klingt jetzt den Deutschen »vornehm« – und ich höre den guten Willen zu dieser Vornehmheit in den Stimmen der jungen Beamten, Lehrer, Frauen, Kaufleute; ja die kleinen Mädchen machen schon dieses Offizierdeutsch nach. Denn der Offizier, und zwar der preußische, ist der Erfinder dieser Klänge: dieser selbe Offizier, der als Militär und Mann des Fachs jenen bewunderungswürdigen Takt der Bescheidenheit besitzt, an dem die Deutschen allesamt zu lernen hätten (die deutschen Professoren und Musikanten eingerechnet!). Aber sobald er spricht und sich bewegt, ist er die unbescheidenste und geschmackwidrigste Figur im alten Europa – sich selber unbewußt, ohne allen Zweifel! Und auch den guten Deutschen unbewußt, die in ihm den Mann der ersten und vornehmsten Gesellschaft anstaunen und sich gerne »den Ton von ihm angeben« lassen. Das tut er denn auch! – und zunächst sind es die Feldwebel und Unteroffiziere, welche seinen Ton nachahmen und vergröbern. Man gebe acht auf die Kommandorufe, von denen die deutschen Städte förmlich umbrüllt werden, jetzt wo man vor allen Toren exerziert: welche Anmaßung, welches wütende Autoritätsgefühl, welche höhnische Kälte klingt aus diesem Gebrüll heraus! Sollten die Deutschen wirklich ein musikalisches Volk sein? – Sicher ist, daß die Deutschen sich jetzt im Klange ihrer Sprache militarisieren: wahrscheinlich ist, daß sie, eingeübt militärisch zu sprechen, endlich auch militärisch schreiben werden. Denn die Gewohnheit an bestimmte Klänge greift tief in den Charakter – man hat bald die Worte und Wendungen und schließlich auch die Gedanken, welche eben zu diesem Klange passen! Vielleicht schreibt man jetzt schon offiziermäßig; vielleicht lese ich nur zu wenig von dem, was man jetzt in Deutschland schreibt. Aber eins weiß ich um so sicherer: die öffentlichen deutschen Kundgebungen, die auch ins Ausland dringen, sind nicht von der deutschen Musik inspiriert, sondern von eben jenem neuen Klange einer geschmackwidrigen Anmaßung. Fast in jeder Rede des ersten deutschen Staatsmanns, und selbst dann, wenn er sich durch sein kaiserliches Sprachrohr vernehmen läßt, ist ein Akzent, den das Ohr eines Ausländers mit Widerwillen zurückweist: aber die Deutschen ertragen ihn – sie ertragen sich selber.

105

Die Deutschen als Künstler. – Wenn der Deutsche einmal wirklich in Leidenschaft gerät (und nicht nur, wie gewöhnlich, in den guten Willen zur Leidenschaft!), so benimmt er sich dann in derselben, wie er eben muß, und denkt nicht weiter an sein Benehmen. Die Wahrheit aber ist, daß er sich dann sehr ungeschickt und häßlich und wie ohne Takt und Melodie benimmt, so daß die Zuschauer ihre Pein oder ihre Rührung dabei haben und nicht mehr – *es sei denn*, daß er sich in das Erhabne und Entzückte hinaufhebt, dessen manche Passionen fähig sind. Dann wird sogar der Deutsche *schön*! Die Ahnung davon, *auf welcher Höhe* erst die Schönheit ihre Zauber selbst über Deutsche ausgießt, treibt die deutschen Künstler in die Höhe und Überhöhe und in die Ausschweifungen der Leidenschaft: ein wirkliches tiefes Verlangen also, über die Häßlichkeit und Ungeschicktheit hinauszukommen, mindestens hinauszublicken – hin nach einer besseren, leichteren, südlicheren, sonnenhafteren Welt. Und so sind ihre Krämpfe oftmals nur Anzeichen dafür, daß sie *tanzen* möchten: diese armen Bären, in denen versteckte Nymphen und Waldgötter ihr Wesen treiben – und mitunter noch höhere Gottheiten!

Musik als Fürsprecherin. – »Ich habe Durst nach einem Meister der Tonkunst«, sagte ein Neuerer zu seinem Jünger, »daß er mir meine Gedanken ablerne und sie fürderhin in seiner Sprache rede: so werde ich den Menschen besser zu Ohr und Herzen dringen. Mit Tönen kann man die Menschen zu jedem Irrtume und jeder Wahrheit verführen: wer vermöchte einen Ton zu *widerlegen*?« – »Also möchtest du für unwiderlegbar gelten?« sagte sein Jünger. Der Neuerer erwiderte: »Ich möchte, daß der Keim zum Baume werde. Damit eine Lehre zum Baume werde, muß sie eine gute Zeit geglaubt werden: damit sie geglaubt werde, muß sie für unwiderlegbar gelten. Dem Baume tun Stürme, Zweifel, Gewürm, Bosheit not, damit er die Art und Kraft seines Keimes offenbar mache; mag er brechen, wenn er nicht stark genug ist! Aber ein Keim wird immer nur vernichtet – nicht widerlegt!« – Als er das gesagt hatte, rief sein Jünger mit Ungestüm: »Aber ich glaube an deine Sache und halte sie für so stark, daß ich alles, alles sagen werde, was ich noch gegen sie auf dem Herzen habe.« – Der Neuerer lachte bei sich und drohte ihm mit dem Finger. »Diese Art Jüngerschaft«, sagte er dann, »ist die beste, aber sie ist gefährlich, und nicht jede Art Lehre verträgt sie.«

Unsere letzte Dankbarkeit gegen die Kunst. – Hätten wir nicht die Künste gutgeheißen und diese Art von Kultus des Unwahren erfunden: so wäre die Einsicht in die allgemeine Unwahrheit und Verlogenheit, die uns jetzt durch die Wissenschaft gegeben wird – die Einsicht in den Wahn und Irrtum als in eine Bedingung des erkennenden und empfindenden Daseins –, gar nicht auszuhalten. Die *Redlichkeit* würde den

Ekel und den Selbstmord im Gefolge haben. Nun aber hat unsere Redlichkeit eine Gegenmacht, die uns solchen Konsequenzen ausweichen hilft: die Kunst, als den *guten* Willen zum Scheine. Wir verwehren es unserm Auge nicht immer, auszurunden, zu Ende zu dichten: und dann ist es nicht mehr die ewige Unvollkommenheit, die wir über den Fluß des Werdens tragen – dann meinen wir eine *Göttin* zu tragen und sind stolz und kindlich in dieser Dienstleistung. Als ästhetisches Phänomen ist uns das Dasein immer noch *erträglich*, und durch die Kunst ist uns Auge und Hand und vor allem das gute Gewissen dazu gegeben, aus uns selber ein solches Phänomen machen zu *können*. Wir müssen zeitweilig von uns ausruhen, dadurch, daß wir auf uns hin und hinab sehen und, aus einer künstlerischen Ferne her, *über* uns lachen oder *über* uns weinen: wir müssen den *Helden* und ebenso den *Narren* entdecken, der in unsrer Leidenschaft der Erkenntnis steckt, wir müssen unsrer Torheit ab und zu froh werden, um unsrer Weisheit froh bleiben zu können! Und gerade weil wir im letzten Grunde schwere und ernsthafte Menschen und mehr Gewichte als Menschen sind, so tut uns nichts so gut als die *Schelmenkappe*: wir brauchen sie vor uns selber – wir brauchen alle übermütige, schwebende, tanzende, spottende, kindische und selige Kunst, um jener *Freiheit über den Dingen* nicht verlustig zu gehen, welche unser Ideal von uns fordert. Es wäre ein *Rückfall* für uns, gerade mit unsrer reizbaren Redlichkeit ganz in die Moral zu geraten und um der überstrengen Anforderungen willen, die wir hierin an uns stellen, gar noch selber zu tugendhaften Ungeheuern und Vogelscheuchen zu werden. Wir sollen auch *über* der Moral stehen *können*: und nicht nur stehen, mit der ängstlichen Steifigkeit eines solchen, der jeden Augenblick auszugleiten und zu fallen fürchtet, sondern auch über ihr schweben und spielen! Wie könnten wir dazu der Kunst, wie des Narren entbehren? – Und solange ihr euch noch irgendwie vor euch selber *schämt*, gehört ihr noch nicht zu uns!

DRITTES BUCH

108

Neue Kämpfe. – Nachdem Buddha tot war, zeigte man noch jahrhundertelang seinen Schatten in einer Höhle – einen ungeheuren schauerlichen Schatten. Gott ist tot: aber so wie die Art der Menschen ist, wird es vielleicht noch jahrtausendelang Höhlen geben, in denen man seinen Schatten zeigt. – Und wir – wir müssen auch noch seinen Schatten besiegen!

109

Hüten wir uns! – Hüten wir uns, zu denken, daß die Welt ein lebendiges Wesen sei. Wohin sollte sie sich ausdehnen? Wovon sollte sie sich nähren? Wie könnte sie wachsen und sich vermehren? Wir wissen ja ungefähr, was das Organische ist: und wir sollten das unsäglich Abgeleitete, Späte, Seltene, Zufällige, das wir nur auf der Kruste der Erde wahrnehmen, zum Wesentlichen, Allgemeinen, Ewigen umdeuten, wie es jene tun, die das All einen Organismus nennen? Davor ekelt mir. Hüten wir uns schon davor, zu glauben, daß das All eine Maschine sei; es ist gewiß nicht auf ein Ziel konstruiert, wir tun ihm mit dem Wort »Maschine« eine viel zu hohe Ehre an. Hüten wir uns, etwas so Formvolles, wie die zyklischen Bewegungen unserer Nachbarsterne überhaupt und überall vorauszusetzen; schon ein Blick in die Milchstraße läßt Zweifel auftauchen, ob es dort nicht viel rohere und widersprechendere Bewegungen gibt, ebenfalls Sterne mit ewigen geradlinigen Fallbahnen und dergleichen. Die astrale Ordnung, in der wir leben, ist eine Ausnahme; diese Ordnung und die ziemliche Dauer, welche durch sie bedingt ist, hat wieder die Ausnahme der Ausnahmen ermöglicht: die Bildung des Organischen. Der Gesamtcharakter der Welt ist dagegen in alle Ewigkeit Chaos, nicht im Sinne der fehlenden Notwendigkeit, sondern der fehlenden Ordnung, Gliederung, Form, Schönheit, Weisheit, und wie alle unsere ästhetischen Menschlichkeiten heißen. Von unserer Vernunft aus geurteilt, sind die verunglückten Würfe weitaus die Regel, die Ausnahmen sind nicht das geheime Ziel, und das ganze Spielwerk wiederholt ewig seine Weise, die nie eine Melodie heißen darf, – und zuletzt ist selbst das Wort »verunglückter Wurf« schon eine Vermenschlichung, die einen Tadel in sich schließt. Aber wie dürften wir das All tadeln oder loben! Hüten wir uns, ihm Herzlosigkeit und Unvernunft oder deren Gegensätze nachzusagen: es ist weder vollkommen, noch schön, noch edel, und will nichts von alledem werden, es strebt durchaus nicht danach, den Menschen nachzuahmen! Es wird durchaus durch keines unserer ästhetischen und moralischen Urteile getroffen! Es hat auch keinen Selbsterhaltungstrieb und überhaupt keine Triebe; es kennt auch keine Gesetze. Hüten wir uns, zu sagen, daß es Gesetze in der Natur gebe. Es gibt nur Notwendigkeiten: da ist keiner, der befiehlt, keiner, der gehorcht, keiner, der übertritt. Wenn ihr wißt, daß es keine Zwecke gibt, so wißt ihr auch, daß es keinen Zufall gibt: denn nur neben einer Welt von Zwecken hat das Wort »Zufall« einen Sinn. Hüten wir uns, zu sagen, daß Tod dem Leben entgegengesetzt sei. Das Lebende ist nur eine Art des Toten, und eine sehr seltene Art. – Hüten wir uns, zu denken, die Welt schaffe ewig Neues. Es gibt keine ewig dauerhaften Substanzen; die Materie ist ein ebensolcher Irrtum wie der Gott der Eleaten. Aber wann werden wir am Ende mit unserer Vorsicht und Obhut sein! Wann werden uns alle diese Schatten Gottes nicht mehr verdunkeln? Wann werden wir die Natur ganz entgöttlicht haben! Wann werden wir anfangen dürfen, uns Menschen mit der reinen, neu gefundenen, neu erlösten Natur zu *vernatürlichen*!

Ursprung der Erkenntnis. – Der Intellekt hat ungeheure Zeit-strecken hindurch nichts als Irrtümer erzeugt; einige davon ergaben sich als nützlich und arterhaltend: wer auf sie stieß oder sie vererbt bekam, kämpfte seinen Kampf für sich und seinen Nachwuchs mit größerem Glücke. Solche irrtümliche Glaubenssätze, die immer weiter vererbt und endlich fast zum menschlichen Art- und Grundbestand wurden, sind zum Bei-spiel diese: daß es dauernde Dinge gebe, daß es gleiche Dinge gebe, daß es Dinge, Stoffe, Körper gebe, daß ein Ding das sei, als was es erscheine, daß unser Wollen frei sei, daß was für mich gut ist, auch an und für sich gut sei. Sehr spät erst traten die Leugner und Anzweifler solcher Sätze auf – sehr spät erst trat die Wahrheit auf, als die unkräftigste Form der Erkennt-nis. Es schien, daß man mit ihr nicht zu leben vermöge, unser Organismus war auf ihren Gegensatz eingerichtet; alle seine höheren Funktionen, die Wahrnehmungen der Sinne und jede Art von Empfindung überhaupt, arbeiteten mit jenen uralt einverleibten Grundirrtümern. Mehr noch: jene Sätze wurden selbst innerhalb der Erkenntnis zu den Normen, nach denen man »wahr« und »unwahr« bemaß – bis hinein in die entlegensten Gegenden der reinen Logik. Also: die *Kraft* der Erkenntnisse liegt nicht in ihrem Grade von Wahrheit, son-dern in ihrem Alter, ihrer Einverleibtheit, ihrem Charakter als Lebensbedingung. Wo Leben und Erkennen in Widerspruch zu kommen schienen, ist nie ernstlich gekämpft worden; da galt Leugnung und Zweifel als Tollheit. Jene Ausnahme-Denker, wie die Eleaten, welche trotzdem die Gegensätze der natürlichen Irrtümer aufstellten und festhielten, glaubten daran, daß es möglich sei, dieses Gegenteil auch zu *leben*: sie erfanden den Weisen als den Menschen der Unveränderlich-keit, Unpersönlichkeit, Universalität der Anschauung, als eins und alles zugleich, mit einem eigenen Vermögen für jene umgekehrte Erkenntnis; sie waren des Glaubens, daß ihre Erkenntnis zugleich das Prinzip des *Lebens* sei. Um dies alles aber behaupten zu können, mußten sie sich über ihren eignen Zustand *täuschen*: sie mußten sich Unpersönlichkeit und Dauer ohne Wechsel andichten, das Wesen des Erkennenden verkennen, die Gewalt der Triebe im Erkennen leugnen und überhaupt die Vernunft als völlig freie, sich selbst entsprungene Aktivität fassen; sie hielten sich die Augen dafür zu, daß auch sie im Widersprechen gegen das Gültige, oder im Verlangen nach Ruhe oder Alleinbesitz oder Herrschaft zu ihren Sätzen gekommen waren. Die feinere Entwicklung der Redlichkeit und der Skepsis machte endlich auch diese Menschen unmöglich; auch ihr Leben und Urteilen ergab sich als unabhängig von uralten Trieben und Grundirrtümern alles empfindenden Daseins. – Jene feinere Redlichkeit und Skepsis hatte überall dort ihre Entstehung, wo zwei entgegengesetzte Sätze auf das Leben *anwendbar* erschienen, weil sich beide mit den Grundirrtümern vertrugen, wo also über den höheren oder geringeren Grad des *Nutzens* für das Leben gestritten werden konnte; ebenfalls dort, wo neue Sätze sich dem Leben zwar nicht nützlich, aber wenigstens auch nicht schädlich zeigten, als Äußerungen eines intellektuellen Spieltriebes, und unschuldig und glücklich gleich allem Spiele. Allmählich füllte sich das menschliche Gehirn mit solchen Urteilen und Überzeugungen, es entstand in diesem Knäuel Gärung, Kampf und Machtgelüst. Nützlichkeit und Lust nicht nur, sondern jede Art von Trieben nahm Partei in dem Kampfe um die »Wahrheiten«; der intellektuelle Kampf wurde Beschäftigung, Reiz, Beruf, Pflicht, Würde –: das Erkennen und das Streben nach dem Wahren ordnete sich endlich als Bedürfnis in die anderen Bedürfnisse ein. Von da an war nicht nur der Glaube und die Überzeugung, sondern auch die Prüfung, die Leugnung, das Mißtrauen, der Widerspruch eine *Macht*, alle »bösen« Instinkte waren der Erkenntnis untergeordnet und in ihren Dienst gestellt und bekamen den Glanz des Erlaubten, Geehrten, Nützlichen und zuletzt das Auge und die Unschuld des *Guten*. Die Erkenntnis wurde also zu einem Stück Leben selber und als Leben zu einer immerfort wachsenden Macht: bis endlich die Erkenntnisse und jene uralten Grundirrtümer aufeinander stießen, beide als Leben, beide als Macht, beide in demselben Menschen. Der Denker: das ist jetzt das Wesen, in dem der Trieb zur Wahrheit und jene lebenerhaltenden Irrtümer ihren ersten Kampf kämpfen, nachdem auch der Trieb zur Wahrheit sich als eine lebenerhaltende Macht *bewiesen* hat. Im Verhältnis zu der Wichtigkeit dieses Kampfes ist alles andere gleichgültig: die letzte Frage um die Bedingung des Lebens ist hier gestellt, und der erste Versuch wird hier gemacht, mit dem Experiment auf diese Frage zu antworten. Inwieweit verträgt die Wahrheit die Einverleibung? – das ist die Frage, das ist das Experiment.

111

Herkunft des Logischen. – Woher ist die Logik im menschlichen Kopfe entstanden? Gewiß aus der Unlogik, deren Reich ursprünglich ungeheuer gewesen sein muß. Aber unzählig viele Wesen, welche anders schlossen, als wir jetzt schließen, gingen zugrunde: es könnte immer noch wahrer gewesen sein! Wer zum Beispiel das »Gleiche« nicht oft genug aufzufinden wußte, in betreff der Nahrung oder in betreff der ihm feindlichen Tiere, wer also zu langsam subsumierte, zu vorsichtig in der Subsumption war, hatte nur geringere Wahrscheinlichkeit des Fortlebens als der, welcher bei allem Ähnlichen sofort auf Gleichheit riet. Der überwiegende Hang aber, das Ähnliche als gleich zu behandeln, ein unlogischer Hang – denn es gibt an sich nichts Gleiches –, hat erst alle Grundlage der Logik geschaffen. Ebenso mußte, damit der Begriff der Substanz entstehe, der unentbehrlich für die Logik ist, ob ihm gleich im strengsten Sinne nichts Wirkliches entspricht, – lange Zeit das Wechselnde an den Dingen nicht gesehen, nicht empfunden worden sein; die nicht genau sehenden Wesen hatten einen Vorsprung vor denen, welche alles »im Flusse« sahen. An und für sich ist schon jeder hohe Grad von Vorsicht im Schließen, jeder skeptische Hang eine große Gefahr für das Leben. Es würden keine lebenden Wesen erhalten sein, wenn nicht der entgegengesetzte Hang, lieber zu bejahen als das Urteil auszusetzen, lieber zu irren und zu dichten als abzuwarten, lieber zuzustimmen als zu verneinen, lieber zu urteilen als gerecht zu sein – außerordentlich stark angezüchtet worden wäre. – Der Verlauf logischer Gedanken und Schlüsse in unserem jetzigen Gehirn entspricht einem Prozesse und Kampfe von Trieben, die an sich einzeln alle sehr unlogisch und ungerecht sind; wir erfahren gewöhnlich nur das Resultat des Kampfes: so schnell und so versteckt spielt sich jetzt dieser uralte Mechanismus in uns ab.

112

Ursache und Wirkung. – »Erklärung« nennen wir's: aber »Beschreibung« ist es, was uns vor älteren Stufen der Erkenntnis und Wissenschaft auszeichnet. Wir beschreiben besser – wir erklären ebensowenig wie alle Früheren. Wir haben da ein vielfaches Nacheinander aufgedeckt, wo der naive Mensch und Forscher älterer Kulturen nur zweierlei sah, »Ursache« und »Wirkung«, wie die Rede lautete; wir haben das Bild des Werdens vervollkommnet, aber sind über das Bild, hinter das Bild nicht hinausgekommen. Die Reihe der »Ursachen« steht viel vollständiger in jedem Falle vor uns, wir schließen: dies und das muß erst vorangehen, damit jenes folge – aber *begriffen* haben wir damit nichts. Die Qualität, zum Beispiel bei jedem chemischen Werden, erscheint nach wie vor als ein »Wunder«, ebenso jede Fortbewegung; niemand hat den Stoß »erklärt«. Wie könnten wir auch erklären! Wir operieren mit lauter Dingen, die es nicht gibt, mit Linien, Flächen, Körpern,

Atomen, teilbaren Zeiten, teilbaren Räumen –, wie soll Erklärung auch nur möglich sein, wenn wir alles erst zum *Bilde* machen, zu unserem Bilde! Es ist genug, die Wissenschaft als möglichst getreue Anmenschlichung der Dinge zu betrachten, wir lernen immer genauer uns selber beschreiben, indem wir die Dinge und ihr Nacheinander beschreiben. Ursache und Wirkung: eine solche Zweiheit gibt es wahrscheinlich nie – in Wahrheit steht ein Kontinuum vor uns, von dem wir ein paar Stücke isolieren; so wie wir eine Bewegung immer nur als isolierte Punkte wahrnehmen, also eigentlich nicht sehen, sondern erschließen. Die Plötzlichkeit, mit der sich viele Wirkungen abheben, führt uns irre; es ist aber nur eine Plötzlichkeit für uns. Es gibt eine unendliche Menge von Vorgängen in dieser Sekunde der Plötzlichkeit, die uns entgehen. Ein Intellekt, der Ursache und Wirkung als Kontinuum, nicht nach unserer Art als willkürliches Zerteilt-und Zerstückt-sein, sähe, der den Fluß des Geschehens sähe – würde den Begriff Ursache und Wirkung verwerfen und alle Bedingtheit leugnen.

113

Zur Lehre von den Giften. – Es gehört so viel zusammen, damit ein wissenschaftliches Denken entstehe: und alle diese nötigen Kräfte haben einzeln erfunden, geübt, gepflegt werden müssen! In ihrer Vereinzelung haben sie aber sehr häufig eine ganz andere Wirkung gehabt als jetzt, wo sie innerhalb des wissenschaftlichen Denkens sich gegenseitig beschränken und in Zucht halten – sie haben als Gifte gewirkt, zum Beispiel der anzweifelnde Trieb, der verneinende Trieb, der abwartende Trieb, der sammelnde Trieb, der auflösende Trieb. Viele Hekatomben von Menschen sind zum Opfer gebracht worden, ehe diese Triebe lernten, ihr Nebeneinander zu begreifen und sich miteinander als Funktionen einer organisierenden Gewalt in einem Menschen zu fühlen! Und wie ferne sind wir noch davon, daß zum wissenschaftlichen Denken sich auch noch die künstlerischen Kräfte und die praktische Weisheit des Lebens hinzufinden, daß ein höheres organisches System sich bildet, in bezug auf welches der Gelehrte, der Arzt, der Künstler und der Gesetzgeber, so wie wir jetzt diese kennen, als dürftige Altertümer erscheinen müßten!

114

Umfang des Moralischen. – Wir konstruieren ein neues Bild, das wir sehen, sofort mit Hilfe aller alten Erfahrungen, die wir gemacht haben, *je nach dem Grade* unserer Redlichkeit und Gerechtigkeit. Es gibt gar keine andern als moralische Erlebnisse, selbst nicht im Bereiche der Sinneswahrnehmung.

115

Die vier Irrtümer. – Der Mensch ist durch seine Irrtümer erzogen worden: er sah sich erstens immer nur unvollständig, zweitens legte er sich erdichtete Eigenschaften bei, drittens fühlte er sich in einer falschen Rangordnung zu Tier und Natur, viertens erfand er immer neue Gütertafeln und nahm sie eine Zeitlang als ewig und unbedingt, so daß bald dieser bald jener menschliche Trieb und Zustand an der ersten Stelle stand und infolge dieser Schätzung veredelt wurde. Rechnet man die Wirkung dieser vier Irrtümer weg, so hat man auch Humanität, Menschlichkeit und »Menschenwürde« hinweggerechnet.

116

Herden-Instinkt. – Wo wir eine Moral antreffen, da finden wir eine Abschätzung und Rangordnung der menschlichen

Triebe und Handlungen. Diese Schätzungen und Rangordnungen sind immer der Ausdruck der Bedürfnisse einer Gemeinde und Herde: das, was *ihr* am ersten frommt – und am zweiten und dritten –, das ist auch der oberste Maßstab für den Wert aller einzelnen. Mit der Moral wird der einzelne angeleitet, Funktion der Herde zu sein und nur als Funktion sich Wert zuzuschreiben. Da die Bedingungen der Erhaltung einer Gemeinde sehr verschieden von denen einer andern Gemeinde gewesen sind, so gab es sehr verschiedene Moralen; und in Hinsicht auf noch bevorstehende wesentliche Umgestaltungen der Herden und Gemeinden, Staaten und Gesellschaften kann man prophezeien, daß es noch sehr abweichende Moralen geben wird. Moralität ist Herden-Instinkt im Einzelnen.

117

Herden-Gewissensbiß. – In den längsten und fernsten Zeiten der Menschheit gab es einen ganz andern Gewissensbiß als heutzutage. Heute fühlt man sich nur verantwortlich für das, was man will und tut, und hat in sich selber seinen Stolz: alle unsere Rechtslehrer gehen von diesem Selbst- und Lustgefühle des einzelnen aus, wie als ob hier von jeher die Quelle des Rechts entsprungen sei. Aber die längste Zeit der Menschheit hindurch gab es nichts Fürcherlicheres, als sich einzeln zu fühlen. Allein sein, einzeln empfinden, weder gehorchen noch herrschen, ein Individuum bedeuten – das war damals keine Lust, sondern eine Strafe; man wurde verurteilt »zum Individuum«. Gedankenfreiheit galt als das Unbehagen selber. Während wir Gesetz und Einordnung als Zwang und Einbuße empfinden, empfand man ehedem den Egoismus als eine peinliche Sache, als eine eigentliche Not. Selbst sein, sich selber nach eigenem Maß und Gewicht schätzen – das ging damals wider den Geschmack. Die Neigung dazu würde als

Wahnsinn empfunden worden sein: denn mit dem Alleinsein war jedes Elend und jede Furcht verknüpft. Damals hatte der »freie Wille« das böse Gewissen in seiner nächsten Nachbarschaft: und je unfreier man handelte, je mehr der Herden-Instinkt und nicht der persönliche Sinn aus der Handlung sprach, um so moralischer schätzte man sich. Alles, was der Herde Schaden tat, sei es, daß der einzelne es gewollt oder nicht gewollt hatte, machte damals dem einzelnen Gewissensbisse – und seinem Nachbar noch dazu, ja der ganzen Herde! – Darin haben wir am allermeisten umgelernt.

118

Wohlwollen. – Ist es tugendhaft, wenn eine Zelle sich in die Funktion einer stärkeren Zelle verwandelt? Sie muß es. Und ist es böse, wenn die stärkere jene assimiliert? Sie muß es ebenfalls; so ist es für sie notwendig, denn sie strebt nach überreichlichem Ersatz und will sich regenerieren. Demnach hat man im Wohlwollen zu unterscheiden: den Aneignungstrieb und den Unterwerfungstrieb, je nachdem der Stärkere oder der Schwächere Wohlwollen empfindet. Freude und Begehren sind bei dem Stärkeren, der etwas zu seiner Funktion umbilden will, beisammen: Freude und Begehrtwerdenwollen bei dem Schwächeren, der Funktion werden möchte. – Mitleid ist wesentlich das erstere, eine angenehme Regung des Aneignungstriebes, beim Anblick des Schwächeren: wobei noch zu bedenken ist, daß »stark« und »schwach« relative Begriffe sind.

119

Kein Altruismus! – Ich sehe an vielen Menschen eine überschüssige Kraft und Lust, Funktion sein zu wollen; sie drängen sich dorthin und haben die feinste Witterung für alle jene

Stellen, wo gerade *sie* Funktion sein können. Dahin gehören jene Frauen, die sich in die Funktion eines Mannes verwandeln, welche an ihm gerade schwach entwickelt ist, und dergestalt zu seinem Geldbeutel oder zu seiner Politik oder zu seiner Geselligkeit werden. Solche Wesen erhalten sich selber am besten, wenn sie sich in einen fremden Organismus einfügen; gelingt es ihnen nicht, so werden sie ärgerlich, gereizt und fressen sich selber auf.

120

Gesundheit der Seele. – Die beliebte medizinische Moralformel (deren Urheber Ariston von Chios ist): »Tugend ist die Gesundheit der Seele« – müßte wenigstens, um brauchbar zu sein, dahin abgeändert werden: »deine Tugend ist die Gesundheit deiner Seele«. Denn eine Gesundheit an sich gibt es nicht, und alle Versuche, ein Ding derart zu definieren, sind kläglich mißraten. Es kommt auf dein Ziel, deinen Horizont, deine Kräfte, deine Antriebe, deine Irrtümer und namentlich auf die Ideale und Phantasmen deiner Seele an, um zu bestimmen *was* selbst für deinen *Leib* Gesundheit zu bedeuten habe. Somit gibt es unzählige Gesundheiten des Leibes; und je mehr man dem Einzelnen und Unvergleichlichen wieder erlaubt, sein Haupt zu erheben, je mehr man das Dogma von der »Gleichheit der Menschen« verlernt, um so mehr muß auch der Begriff einer Normal-Gesundheit, nebst Normal-Diät, Normal-Verlauf der Erkrankung unsern Medizinern abhanden kommen. Und dann erst dürfte es an der Zeit sein, über Gesundheit und Krankheit der *Seele* nachzudenken und die eigentümliche Tugend eines jeden in deren Gesundheit zu setzen: welche freilich bei dem einen so aussehen könnte, wie der Gegensatz der Gesundheit bei einem anderen. Zuletzt bliebe noch die große Frage offen, ob wir der Erkrankung *entbehren* könnten, selbst zur Entwicklung unsrer Tugend, und ob nicht namentlich unser Durst nach Erkenntnis und Selbsterkenntnis der kranken Seele so gut bedürfe als der gesunden: kurz ob nicht der alleinige Wille zur Gesundheit ein Vorurteil, eine Feigheit und vielleicht ein Stück feinster Barbarei und Rückständigkeit sei.

121

Das Leben kein Argument. – Wir haben uns eine Welt zurechtgemacht, in der wir leben können – mit der Annahme von Körpern, Linien, Flächen, Ursachen und Wirkungen, Bewegung und Ruhe, Gestalt und Inhalt: ohne diese Glaubensartikel hielte es jetzt keiner aus zu leben! Aber damit sind sie noch nichts Bewiesenes. Das Leben ist kein Argument; unter den Bedingungen des Lebens könnte der Irrtum sein.

122

Die moralische Skepsis im Christentum. – Auch das Christentum hat einen großen Beitrag zur Aufklärung gegeben: es lehrte die moralische Skepsis – auf eine sehr eindringliche und wirksame Weise: anklagend, verbitternd, aber mit unermüdlicher Geduld und Feinheit; es vernichtete in jedem einzelnen Menschen den Glauben an seine »Tugenden«: es ließ für immer jene großen Tugendhaften von der Erde verschwinden, an denen das Altertum nicht arm war – jene populären Menschen, die im Glauben an ihre Vollendung mit der Würde eines Stiergefechts-Helden umherzogen. Wenn wir jetzt, erzogen in dieser christlichen Schule der Skepsis, die moralischen Bücher der Alten, zum Beispiel Senecas und Epiktets lesen, so fühlen wir eine kurzweilige Überlegenheit und sind voll geheimer Einblicke und Überblicke, es ist uns dabei zumute, als ob ein Kind vor einem alten Manne oder eine junge schöne Begeisterte vor

La Rochefoucauld redete: wir kennen das, was Tugend ist, besser! Zuletzt haben wir aber diese selbe Skepsis auch auf alle *religiösen* Zustände und Vorgänge, wie Sünde, Reue, Gnade, Heiligung, angewendet und den Wurm so gut graben lassen, daß wir nun auch beim Lesen aller christlichen Bücher dasselbe Gefühl der feinen Überlegenheit und Einsicht haben – wir kennen auch die religiösen Gefühle besser! Und es ist Zeit, sie gut zu kennen und gut zu beschreiben, denn auch die Frommen des alten Glaubens sterben aus – retten wir ihr Abbild und ihren Typus wenigstens für die Erkenntnis!

123

Die Erkenntnis mehr als ein Mittel. – Auch *ohne* diese neue Leidenschaft – ich meine die Leidenschaft der Erkenntnis – würde die Wissenschaft gefördert werden: die Wissenschaft ist ohne sie bisher gewachsen und groß geworden. Der gute Glaube an die Wissenschaft, das ihr günstige Vorurteil, von dem unsere Staaten jetzt beherrscht sind (ehedem war es sogar die Kirche), ruht im Grunde darauf, daß jener unbedingte Hang und Drang sich so selten in ihr offenbart hat, und daß Wissenschaft eben *nicht* als Leidenschaft, sondern als Zustand und »Ethos« gilt. Ja es genügt oft schon *amour-plaisir* der Erkenntnis (Neugierde), es genügt *amour-vanité*, Gewöhnung an sie mit der Hinterabsicht auf Ehre und Brot, es genügt selbst für viele, daß sie mit einem Überschuß von Muße nichts anzufangen wissen als lesen, sammeln, ordnen, beobachten, weitererzählen; ihr »wissenschaftlicher Trieb« ist ihre Langeweile. Der Papst Leo der Zehnte hat einmal (im Breve an Beroaldus) das Lob der Wissenschaft gesungen: er bezeichnet sie als den schönsten Schmuck und den größten Stolz unseres Lebens, als eine edle Beschäftigung in Glück und Unglück; »ohne sie«, sagt er endlich, »wäre alles menschliche Unternehmen ohne festen Halt – auch mit ihr ist es ja noch veränderlich und un-

sicher genug!« Aber dieser leidlich skeptische Papst verschweigt, wie alle andern kirchlichen Lobredner der Wissenschaft, sein letztes Urteil über sie. Mag man nun aus seinen
Worten heraushören, was für einen solchen Freund der Kunst
merkwürdig genug ist, daß er die Wissenschaft über die Kunst
stellt; zuletzt ist es doch nur eine Artigkeit, wenn er hier nicht
von dem redet, was auch er hoch über alle Wissenschaft stellt:
von der »geoffenbarten Wahrheit« und von dem »ewigen Heil
der Seele« – was sind ihm dagegen Schmuck, Stolz, Unterhaltung, Sicherung des Lebens! »Die Wissenschaft ist etwas von
zweitem Range, nichts Letztes, Unbedingtes, kein Gegenstand der Passion« – dies Urteil blieb in der Seele Leos zurück:
das eigentlich christliche Urteil über die Wissenschaft! – Im
Altertum war ihre Würde und Anerkennung dadurch verrin-
gert, daß selbst unter ihren eifrigsten Jüngern das Streben nach
der *Tugend* voranstand, und daß man der Erkenntnis schon ihr
höchstes Lob gegeben zu haben glaubte, wenn man sie als das
beste Mittel der Tugend feierte. Es ist etwas Neues in der Geschichte, daß die Erkenntnis mehr sein will als ein Mittel.

124

Im Horizont des Unendlichen. – Wir haben das Land verlassen
und sind zu Schiff gegangen! Wir haben die Brücke hinter
uns – mehr noch, wir haben das Land hinter uns abge-
brochen! Nun, Schifflein! Sieh dich vor! Neben dir liegt der
Ozean, es ist wahr, er brüllt nicht immer, und mitunter liegt
er da wie Seide und Gold und Träumerei der Güte. Aber es
kommen Stunden, wo du erkennen wirst, daß er unendlich
ist und daß es nichts Furchtbareres gibt als Unendlichkeit. Oh
des armen Vogels, der sich frei gefühlt hat und nun an die
Wände dieses Käfigs stößt! Wehe, wenn das Land-Heimweh
dich befällt, als ob dort mehr *Freiheit* gewesen wäre – und es
gibt kein »Land« mehr!

Der tolle Mensch. – Habt ihr nicht von jenem tollen Menschen gehört, der am hellen Vormittage eine Laterne anzündete, auf den Markt lief und unaufhörlich schrie: »Ich suche Gott! Ich suche Gott!« – Da dort gerade viele von denen zusammenstanden, welche nicht an Gott glaubten, so erregte er ein großes Gelächter. Ist er denn verlorengegangen? sagte der eine. Hat er sich verlaufen wie ein Kind? sagte der andere. Oder hält er sich versteckt? Fürchtet er sich vor uns? Ist er zu Schiff gegangen? ausgewandert? – so schrien und lachten sie durcheinander. Der tolle Mensch sprang mitten unter sie und durchbohrte sie mit seinen Blicken. »Wohin ist Gott?« rief er, »ich will es euch sagen! *Wir haben ihn getötet* – ihr und ich! Wir alle sind seine Mörder! Aber wie haben wir dies gemacht? Wie vermochten wir das Meer auszutrinken? Wer gab uns den Schwamm, um den ganzen Horizont wegzuwischen? Was taten wir, als wir diese Erde von ihrer Sonne losketteten? Wohin bewegt sie sich nun? Wohin bewegen wir uns? Fort von allen Sonnen? Stürzen wir nicht fortwährend? Und rückwärts, seitwärts, vorwärts, nach allen Seiten? Gibt es noch ein Oben und ein Unten? Irren wir nicht wie durch ein unendliches Nichts? Haucht uns nicht der leere Raum an? Ist es nicht kälter geworden? Kommt nicht immerfort die Nacht und mehr Nacht? Müssen nicht Laternen am Vormittage angezündet werden? Hören wir noch nichts von dem Lärm der Totengräber, welche Gott begraben? Riechen wir noch nichts von der göttlichen Verwesung? – auch Götter verwesen! Gott ist tot! Gott bleibt tot! Und wir haben ihn getötet! Wie trösten wir uns, die Mörder aller Mörder? Das Heiligste und Mächtigste, was die Welt bisher besaß, es ist unter unsern Messern verblutet – wer wischt dies Blut von uns ab? Mit welchem Wasser könnten wir uns reinigen? Welche Sühnefeiern, welche heiligen Spiele werden wir erfinden müssen? Ist nicht die Größe dieser Tat zu groß für uns? Müssen wir nicht selber zu Göttern werden, um nur ihrer würdig zu erscheinen? Es gab nie eine größere Tat – und wer nur immer nach uns geboren wird, gehört um dieser Tat willen in eine höhere Geschichte, als alle Geschichte bisher war!« – Hier schwieg der tolle Mensch und sah wieder seine Zuhörer an: auch sie schwiegen und blickten befremdet auf ihn. Endlich warf er seine Laterne auf den Boden, daß sie in Stücke sprang und erlosch. »Ich komme zu früh«, sagte er dann, »ich bin noch nicht an der Zeit. Dies ungeheure Ereignis ist noch unterwegs und wandert – es ist noch nicht bis zu den Ohren der Menschen gedrungen. Blitz und Donner brauchen Zeit, das Licht der Gestirne braucht Zeit, Taten brauchen Zeit, auch nachdem sie getan sind, um gesehn und gehört zu werden. Diese Tat ist ihnen immer noch ferner als die fernsten Gestirne – *und doch haben sie dieselbe getan*!« – Man erzählt noch, daß der tolle Mensch desselbigen Tages in verschiedene Kirchen eingedrungen sei und darin sein *Requiem aeternam deo* angestimmt habe. Hinausgeführt und zur Rede gesetzt, habe er immer nur dies entgegnet: »Was sind denn diese Kirchen noch, wenn sie nicht die Grüfte und Grabmäler Gottes sind?«

126

Mystische Erklärungen. – Die mystischen Erklärungen gelten für tief; die Wahrheit ist, daß sie noch nicht einmal oberflächlich sind.

127

Nachwirkung der ältesten Religiosität. – Jeder Gedankenlose meint, der Wille sei das allein Wirkende; Wollen sei etwas Einfaches, schlechthin Gegebnes, Unableitbares, An-sich-Verständliches. Er ist überzeugt, wenn er etwas tut, zum Beispiel einen Schlag ausführt, er sei es, der da schlage, und er habe geschlagen, weil er schlagen *wollte*. Er merkt gar nichts von einem Problem daran, sondern das Gefühl des *Willens* genügt ihm, nicht nur zur Annahme von Ursache und Wirkung, sondern auch zum Glauben, ihr Verhältnis zu *verstehen*. Von dem Mechanismus des Geschehens und der hundertfältigen feinen Arbeit, die abgetan werden muß, damit es zu dem Schlage komme, ebenso von der Unfähigkeit des Willens an sich, auch nur den geringsten Teil dieser Arbeit zu tun, weiß er nichts. Der Wille ist ihm eine magisch wirkende Kraft: der Glaube an den Willen, als an die Ursache von Wirkungen, ist der Glaube an magisch wirkende Kräfte. Nun hat ursprünglich der Mensch überall, wo er ein Geschehen sah, einen Willen als Ursache und persönlich wollende Wesen im Hintergrunde wirkend geglaubt – der Begriff der Mechanik lag ihm ganz ferne. Weil aber der Mensch ungeheure Zeiten lang nur an Personen geglaubt hat (und nicht an Stoffe, Kräfte, Sachen und so weiter), ist ihm der Glaube an Ursache und Wirkung zum Grundglauben geworden, den er überall, wo etwas geschieht, verwendet – auch jetzt noch instinktiv und als ein Stück Atavismus ältester Abkunft. Die Sätze »keine Wirkung ohne Ursache«, »jede Wirkung wieder Ursache« erscheinen als Verallgemeinerungen viel engerer Sätze: »wo gewirkt wird, da ist gewollt worden«, »es kann nur auf wollende Wesen gewirkt werden«, »es gibt nie ein reines, folgenloses Erleiden einer Wirkung, sondern alles Erleiden ist eine Erregung des Willens« (zur Tat, Abwehr, Rache, Vergeltung) – aber in den Urzeiten der Menschheit waren diese und jene Sätze identisch, die ersten nicht Verallgemeinerungen der zweiten, sondern die zweiten Erläuterungen der ersten. – Schopenhauer, mit seiner Annahme, daß alles, was da sei, nur etwas Wollendes sei, hat eine uralte Mythologie auf den Thron gehoben; er scheint nie eine Analyse des Willens versucht zu haben, weil er an die Einfachheit und Unmittelbarkeit alles Wollens *glaubte*, gleich jedermann – während Wollen nur ein so gut eingespielter Mechanismus ist, daß er dem beobachtenden Auge fast entläuft. Ihm gegenüber stelle ich diese Sätze auf: erstens, damit Wille entstehe, ist eine Vorstellung von Lust und Unlust nötig. Zweitens: daß ein heftiger Reiz als Lust oder Unlust empfunden werde, das ist die Sache des *interpretierenden* Intellekts, der freilich zumeist dabei uns unbewußt arbeitet; und ein und derselbe Reiz *kann* als Lust oder Unlust interpretiert werden. Drittens: nur bei den intellektuellen Wesen gibt es Lust, Unlust und Wille; die ungeheure Mehrzahl der Organismen hat nichts davon.

128

Der Wert des Gebetes. – Das Gebet ist für solche Menschen erfunden, welche eigentlich nie von sich aus Gedanken haben und denen eine Erhebung der Seele unbekannt ist oder unbemerkt verläuft: was sollen diese an heiligen Stätten und in allen wichtigen Lagen des Lebens, welche Ruhe und eine Art Würde erfordern? Damit sie wenigstens nicht *stören*, hat die Weisheit aller Religionsstifter, der kleinen wie der großen, ihnen die Formel des Gebetes anbefohlen, als eine lange, mechanische Arbeit der Lippen, verbunden mit Anstrengung des Gedächtnisses und mit einer gleichen festgesetzten Haltung von Händen und Füßen – und Augen! Da mögen sie nun gleich den Tibetanern ihr »*Om mane padme hum*« unzählige Male wiederkäuen, oder, wie in Benares, den Namen des Gottes Ram-Ram-Ram (und so weiter mit oder ohne Grazie) an den Fingern abzählen: oder den Wischnu mit seinen tausend, den Allah mit seinen neunundneunzig Anrufnamen ehren: oder sie mögen sich der Gebetmühlen und der Rosenkränze bedienen – die Hauptsache ist, daß sie mit dieser Arbeit für eine Zeit festgemacht sind und einen erträglichen Anblick gewähren: ihre Art Gebet ist zum Vorteil der Frommen erfunden, welche Gedanken und Erhebungen von sich aus kennen. Und selbst diese haben ihre müden Stunden, wo ihnen eine Reihe ehrwürdiger Worte und Klänge und eine fromme Mechanik wohltut. Aber angenommen, daß diese seltenen Menschen – in jeder Religion ist der religiöse Mensch eine Ausnahme – sich zu helfen wissen: jene Armen im Geiste wissen sich nicht zu helfen, und ihnen das Gebets-Geklapper verbieten heißt ihnen ihre Religion nehmen: wie es der Protestantismus mehr und mehr an den Tag bringt. Die Religion will von solchen eben nicht mehr, als daß sie *Ruhe halten*, mit Augen, Händen, Beinen und Organen aller Art: dadurch werden sie zeitweilig verschönert und – menschen-ähnlicher!

129

Die Bedingungen Gottes. – »Gott selber kann nicht ohne weise Menschen bestehen« – hat Luther gesagt und mit gutem Rechte; aber »Gott kann noch weniger ohne unweise Menschen bestehen« – das hat der gute Luther nicht gesagt!

130

Ein gefährlicher Entschluß. – Der christliche Entschluß, die Welt häßlich und schlecht zu finden, hat die Welt häßlich und schlecht gemacht.

131

Christentum und Selbstmord. – Das Christentum hat das zur Zeit seiner Entstehung ungeheure Verlangen nach dem Selbstmorde zu einem Hebel seiner Macht gemacht: es ließ nur zwei Formen des Selbstmordes übrig, umkleidete sie mit der höchsten Würde und den höchsten Hoffnungen und verbot alle anderen auf eine furchtbare Weise. Aber das Martyrium und die langsame Selbstentleibung des Asketen waren erlaubt.

132

Gegen das Christentum. – Jetzt entscheidet unser Geschmack gegen das Christentum, nicht mehr unsere Gründe.

133

Grundsatz. – Eine unvermeidliche Hypothese, auf welche die Menschheit immer wieder verfallen muß, ist auf die Dauer doch *mächtiger* als der bestgeglaubte Glaube an etwas Unwahres (gleich dem christlichen Glauben). Auf die Dauer: das heißt hier auf hunderttausend Jahre hin.

134

Die Pessimisten als Opfer. – Wo eine tiefe Unlust am Dasein überhand nimmt, kommen die Nachwirkungen eines großen Diätfehlers, dessen sich ein Volk lange schuldig gemacht hat, ans Licht. So ist die Verbreitung des Buddhismus (*nicht* seine Entstehung) zu einem guten Teile abhängig von der übermäßigen und fast ausschließlichen Reiskost der Inder und der dadurch bedingten allgemeinen Erschlaffung. Vielleicht ist die europäische Unzufriedenheit der neuen Zeit daraufhin anzusehen, daß unsere Vorwelt, das ganze Mittelalter, dank den Einwirkungen der germanischen Neigungen auf Europa, dem Trunk ergeben war: Mittelalter, das heißt die Alkoholvergiftung Europas. – Die deutsche Unlust am Leben ist wesentlich

Wintersiechtum, eingerechnet die Wirkungen der Kellerluft und des Ofengiftes in deutschen Wohnräumen.

135

Herkunft der Sünde. – Sünde, so wie sie jetzt überall empfunden wird, wo das Christentum herrscht oder einmal geherrscht hat: Sünde ist ein jüdisches Gefühl und eine jüdische Erfindung, und in Hinsicht auf diesen Hintergrund aller christlichen Moralität war in der Tat das Christentum darauf aus, die ganze Welt zu »verjüdeln«. Bis zu welchem Grade ihm dies in Europa gelungen ist, das spürt man am feinsten an dem Grade von Fremdheit, den das griechische Altertum – eine Welt ohne Sündengefühle – immer noch für unsre Empfindung hat, trotz allem guten Willen zur Annäherung und Einverleibung, an dem es ganze Geschlechter und viele ausgezeichnete einzelne nicht haben fehlen lassen. »Nur wenn du *bereuest*, ist Gott dir gnädig« – das ist einem Griechen ein Gelächter und ein Ärgernis: er würde sagen »so mögen Sklaven empfinden«. Hier ist ein Mächtiger, Übermächtiger und doch Rachelustiger vorausgesetzt: seine Macht ist so groß, daß ihm ein Schaden überhaupt nicht zugefügt werden kann außer in dem Punkte der Ehre. Jede Sünde ist eine Respekts-Verletzung, ein *crimen laesae majestatis divinae* – und nichts weiter! Zerknirschung, Entwürdigung, Sich-im-Staube-wälzen – das ist die erste und letzte Bedingung, an die seine Gnade sich knüpft: Wiederherstellung also seiner göttlichen Ehre! Ob mit der Sünde sonst Schaden gestiftet wird, ob ein tiefes, wachsendes Unheil mit ihr gepflanzt ist, das einen Menschen nach dem andern wie eine Krankheit faßt und würgt – das läßt diesen ehrsüchtigen Orientalen im Himmel unbekümmert: Sünde ist ein Vergehen an ihm, nicht an der Menschheit! – wem er seine Gnade geschenkt hat, dem schenkt er auch diese Unbekümmertheit um die natürlichen Folgen der Sünde. Gott und Menschheit sind hier so getrennt, so entgegengesetzt gedacht, daß im Grunde an letzterer überhaupt nicht gesündigt werden kann – jede Tat soll *nur auf ihre übernatürlichen Folgen hin* angesehen werden, nicht auf ihre natürlichen: so will es das jüdische Gefühl, dem alles Natürliche das Unwürdige an sich ist. Den Griechen dagegen lag der Gedanke näher, daß auch der Frevel Würde haben könne – selbst der Diebstahl, wie bei Prometheus, selbst die Abschlachtung von Vieh als Äußerung eines wahnsinnigen Neides, wie bei Ajax: sie haben in ihrem Bedürfnis, dem Frevel Würde anzudichten und einzuverleiben, die *Tragödie* erfunden – eine Kunst und eine Lust, die dem Juden trotz aller seiner dichterischen Begabung und Neigung zum Erhabnen im tiefsten Wesen fremd geblieben ist.

136

Das auserwählte Volk. – Die Juden, die sich als das auserwählte Volk unter den Völkern fühlen, und zwar, weil sie das moralische Genie unter den Völkern sind (vermöge der Fähigkeit, daß sie den Menschen in sich *tiefer verachtet haben* als irgendein Volk) – die Juden haben an ihrem göttlichen Monarchen und Heiligen einen ähnlichen Genuß, wie der war, welchen der französische Adel an Ludwig dem Vierzehnten hatte. Dieser Adel hatte sich alle seine Macht und Selbstherrlichkeit nehmen lassen und war verächtlich geworden: um dies nicht zu fühlen, um dies vergessen zu können, bedurfte es eines königlichen Glanzes, einer königlichen Autorität und Machtfülle *ohnegleichen*, zu der nur dem Adel der Zugang offenstand. Indem man gemäß diesem Vorrechte sich zur Höhe des Hofes erhob und von da aus blickend alles unter sich, alles verächtlich sah, kam man über alle Reizbarkeit des Gewissens hinaus. So türmte man absichtlich den Turm der königlichen Macht immer mehr in die Wolken hinein und setzte die letzten Bausteine der eigenen Macht daran.

Im Gleichnis gesprochen. – Ein Jesus Christus war nur in einer jüdidischen Landschaft möglich – ich meine in einer solchen, über der fortwährend die düstre und erhabne Gewitterwolke des zürnenden Jehova hing. Hier allein wurde das seltne, plötzliche Hindurchleuchten eines einzelnen Sonnenstrahls durch die grauenhafte, allgemeine und andauernde Tag-Nacht wie ein Wunder der »Liebe« empfunden, als der Strahl der unverdientesten »Gnade«. Hier allein konnte Christus seinen Regenbogen und seine Himmelsleiter träumen, auf der Gott zu den Menschen hinabstieg; überall sonst galt das helle Wetter und die Sonne zu sehr als Regel und Alltäglichkeit.

138

Der Irrtum Christi. – Der Stifter des Christentums meinte, an nichts litten die Menschen so sehr als an ihren Sünden – es war sein Irrtum, der Irrtum dessen, der sich ohne Sünde fühlte, dem es hierin an Erfahrung gebrach! So füllte sich seine Seele mit jenem wundervollen, phantastischen Erbarmen, das einer Not galt, welche selbst bei seinem Volke, dem Erfinder der Sünde, selten eine große Not war! – Aber die Christen haben es verstanden, ihrem Meister nachträglich Recht zu schaffen und seinen Irrtum zur »Wahrheit« zu heiligen.

139

Farbe der Leidenschaften. – Solche Naturen, wie die des Apostels Paulus, haben für die Leidenschaften einen »bösen Blick«; sie lernen von ihnen nur das Schmutzige, Entstellende und Herzbrechende kennen – ihr idealer Drang geht daher auf Vernichtung der Leidenschaften aus: im Göttlichen sehen

sie die völlige Reinheit davon. Ganz anders als Paulus und die
Juden haben die Griechen ihren idealen Drang gerade auf die
Leidenschaften gewendet und diese geliebt, gehoben, vergoldet und vergöttlicht; offenbar fühlten sie sich in der Leidenschaft nicht nur glücklicher, sondern auch reiner und gött-
licher als sonst. – Und nun die Christen? Wollten sie hierin
zu Juden werden? Sind sie es vielleicht geworden?

140

Zu jüdisch. – Wenn Gott ein Gegenstand der Liebe werden
wollte, so hätte er sich zuerst des Richtens und der Gerechtigkeit begeben müssen – ein Richter, und selbst ein gnädiger
Richter, ist kein Gegenstand der Liebe. Der Stifter des Christentums empfand hierin nicht fein genug – als Jude.

141

Zu orientalisch. – Wie? Ein Gott, der die Menschen liebt, vorausgesetzt daß sie an ihn glauben, und der fürchterliche Blicke
und Drohungen gegen den schleudert, der nicht an diese
Liebe glaubt! Wie? Eine verklausulierte Liebe als die Empfindung eines allmächtigen Gottes! Eine Liebe, die nicht einmal
über das Gefühl der Ehre und der gereizten Rachsucht Herr
geworden ist! Wie orientalisch ist das alles! »Wenn ich dich
liebe, was geht's dich an?« – ist schon eine ausreichende
Kritik des ganzen Christentums.

142

Räucherwerk. – Buddha sagt: »Schmeichle deinem Wohltäter
nicht!« Man spreche diesen Spruch nach in einer christlichen
Kirche – er reinigt sofort die Luft von allem Christlichen.

Größter Nutzen des Polytheismus. – Daß der einzelne sich sein *eignes* Ideal aufstelle und aus ihm sein Gesetz, seine Freuden und seine Rechte ableite – das galt wohl bisher als die ungeheuerlichste aller menschlichen Verirrungen und als die Abgötterei an sich; in der Tat haben die wenigen, die dies wagten, immer vor sich selber eine Apologie nötig gehabt, und diese lautete gewöhnlich: »nicht ich! nicht ich! sondern *ein Gott* durch mich!« Die wundervolle Kunst und Kraft, Götter zu schaffen – der Polytheismus – war es, in der dieser Trieb sich entladen durfte, in der er sich reinigte, vervollkommnete, veredelte: denn ursprünglich war es ein gemeiner und unansehnlicher Trieb, verwandt dem Eigensinn, dem Ungehorsam und dem Neide. Diesem Triebe zum eignen Ideal *feind* sein: das war ehemals das Gesetz jeder Sittlichkeit. Da gab es nur eine Norm: »*der* Mensch« – und jedes Volk glaubte diese eine und letzte Norm zu *haben.* Aber über sich und außer sich, in einer fernen Überwelt, durfte man eine *Mehrzahl von Normen* sehen: der eine Gott war nicht die Leugnung oder Lästerung des anderen Gottes! Hier erlaubte man sich zuerst Individuen, hier ehrte man zuerst das Recht von Individuen. Die Erfindung von Göttern, Heroen und Übermenschen aller Art, sowie von Neben- und Untermenschen, von Zwergen, Feen, Zentauren, Satyrn, Dämonen und Teufeln war die unschätzbare Vorübung zur Rechtfertigung der Selbstsucht und Selbstherrlichkeit des einzelnen: die Freiheit, welche man dem Gotte gegen die andern Götter gewährte, gab man zuletzt sich selber gegen Gesetze und Sitten und Nachbarn. Der Monotheismus dagegen, diese starre Konsequenz der Lehre von einem Normalmenschen – also der Glaube an einen Normalgott, neben dem es nur noch falsche Lügengötter gibt – war vielleicht die größte Gefahr der bisherigen Menschheit: da drohte ihr jener vorzeitige Stillstand, welchen, soweit wir sehen können, die meisten andern Tiergattungen schon längst erreicht haben; als welche alle an ein Normaltier und Ideal in ihrer Gattung glauben und die Sittlichkeit der Sitte sich endgültig in Fleisch und Blut übersetzt haben. Im Polytheismus lag die Freigeisterei und Vielgeisterei des Menschen vorgebildet: die Kraft, sich neue und eigne Augen zu schaffen und immer wieder neue und noch eigenere: so daß es für den Menschen allein unter allen Tieren keine ewigen Horizonte und Perspektiven gibt.

144

Religionskriege. – Der größte Fortschritt der Massen war bis jetzt der Religionskrieg: denn er beweist, daß die Masse angefangen hat, Begriffe mit Ehrfurcht zu behandeln. Religionskriege entstehen erst, wenn durch die feineren Streitigkeiten der Sekten die allgemeine Vernunft verfeinert ist: so daß selbst der Pöbel spitzfindig wird und Kleinigkeiten wichtig nimmt, ja es für möglich hält, daß das »ewige Heil der Seele« an den kleinen Unterschieden der Begriffe hänge.

145

Gefahr der Vegetarianer. – Der vorwiegende ungeheure Reisgenuß treibt zur Anwendung von Opium und narkotischen Dingen, in gleicher Weise wie der vorwiegende ungeheure Kartoffelgenuß zu Branntwein treibt –: er treibt aber, in feinerer Nachwirkung, auch zu Denk- und Gefühlsweisen, die narkotisch wirken. Damit stimmt zusammen, daß die Förderer narkotischer Denk- und Gefühlsweisen, wie jene indischen Lehrer, gerade eine Diät preisen und zum Gesetz der Masse machen möchten, welche rein vegetabilisch ist: sie wollen so das Bedürfnis hervorrufen und mehren, welches *sie* zu befriedigen imstande sind.

Deutsche Hoffnungen. – Vergessen wir doch nicht, daß die Völkernamen gewöhnlich Schimpfnamen sind. Die Tartaren sind zum Beispiel ihrem Namen nach »die Hunde«: so wurden sie von den Chinesen getauft. Die »Deutschen«: das bedeutet ursprünglich die »Heiden«; so nannten die Goten nach ihrer Bekehrung die große Masse ihrer ungetauften Stammverwandten, nach Anleitung ihrer Übersetzung der Septuaginta, in der die Heiden mit dem Worte bezeichnet werden, welches im Griechischen »die Völker« bedeutet: man sehe Ulfilas. – Es wäre immer noch möglich, daß die Deutschen aus ihrem alten Schimpfnamen sich nachträglich einen Ehrennamen machten, indem sie das erste *unchristliche* Volk Europas würden: wozu in hohem Maße angelegt zu sein, Schopenhauer ihnen zur Ehre anrechnete. So käme das Werk *Luthers* zur Vollendung, der sie gelehrt hat, unrömisch zu sein und zu sprechen: »hier stehe *ich*! *Ich* kann nicht anders!« –

Frage und Antwort. – Was nehmen jetzt wilde Völkerschaften zuerst von den Europäern an? Branntwein und Christentum, die europäischen *Narcotica.* – Und woran gehen sie am schnellsten zugrunde? – An den europäischen *Narcoticis.*

Wo die Reformationen entstehen. – Zur Zeit der großen Kirchen-Verderbnis war in Deutschland die Kirche am wenigsten verdorben: deshalb entstand *hier* die Reformation, als das Zeichen, daß schon die Anfänge der Verderbnis unerträglich empfunden wurden. Verhältnismäßig war nämlich kein Volk jemals christlicher, als die Deutschen zur Zeit Luthers: ihre christliche Kultur war eben bereit, zu einer hundertfältigen Pracht der Blüte auszuschlagen – es fehlte nur noch eine Nacht; aber diese brachte den Sturm, der allem ein Ende machte.

149

Mißlingen der Reformationen. – Es spricht für die höhere Kultur der Griechen selbst in ziemlich frühen Zeiten, daß mehrere Male die Versuche, neue griechische Religionen zu gründen, gescheitert sind; es spricht dafür, daß es schon früh eine Menge verschiedenartiger Individuen in Griechenland gegeben haben muß, deren verschiedenartige Not nicht mit einem einzigen Rezepte des Glaubens und Hoffens abzutun war. Pythagoras und Plato, vielleicht auch Empedokles, und bereits viel früher die orphischen Schwarmgeister, waren darauf aus, neue Religionen zu gründen; und die beiden Erstgenannten hatten so echte Religionsstifter-Seelen und -Talente, daß man sich über ihr Mißlingen nicht genug verwundern kann: sie brachten es aber nur zu Sekten. Jedesmal, wo die Reformation eines ganzen Volkes mißlingt und nur Sekten ihr Haupt emporheben, darf man schließen, daß das Volk schon sehr vielartig in sich ist und sich von den groben Herdeninstinkten und der Sittlichkeit der Sitte loszulösen beginnt: ein bedeutungsvoller Schwebezustand, den man als Sittenverfall und Korruption zu verunglimpfen gewohnt ist: während er das Reifwerden des Eies und das nahe Zerbrechen der Eierschale ankündigt. Daß Luthers Reformation im Norden gelang, ist ein Zeichen dafür, daß der Norden gegen den Süden Europas zurückgeblieben war und noch ziemlich einartige und einfarbige Bedürfnisse kannte; und es hätte überhaupt keine Verchristlichung Europas gegeben, wenn nicht die Kultur der alten Welt des Südens allmählich durch eine übermäßige Hinzumischung von germanischem Barbarenblut barbarisiert und ihres Kultur-Übergewichtes verlustig gegangen wäre. Je allgemeiner und unbedingter ein einzelner oder der Gedanke eines einzelnen wirken kann, um so gleichartiger und um so niedriger muß die Masse sein, auf die da gewirkt wird; während Gegenbestrebungen innere Gegenbedürfnisse verraten, welche auch sich befriedigen und durchsetzen wollen. Umgekehrt darf man immer auf eine wirkliche Höhe der Kultur schließen, wenn mächtige und herrschsüchtige Naturen es nur zu einer geringen und sektiererischen Wirkung bringen: dies gilt auch für die einzelnen Künste und die Gebiete der Erkenntnis. Wo geherrscht wird, da gibt es Massen: wo Massen sind, da gibt es ein Bedürfnis nach Sklaverei. Wo es Sklaverei gibt, da sind der Individuen nur wenige, und diese haben die Herdeninstinkte und das Gewissen gegen sich.

150

Zur Kritik der Heiligen. – Muß man denn, um eine Tugend zu haben, sie gerade in ihrer brutalsten Gestalt haben wollen? – wie es die christlichen Heiligen wollten und nötig hatten; als welche das Leben nur mit dem Gedanken ertrugen, daß beim Anblick ihrer Tugend einen jeden die Verachtung seiner selber anwandle. Eine Tugend aber mit solcher Wirkung nenne ich brutal.

151

Vom Ursprunge der Religion. – Das metaphysische Bedürfnis ist nicht der Ursprung der Religionen, wie Schopenhauer will, sondern nur ein *Nachschößling* derselben. Man hat sich unter der Herrschaft religiöser Gedanken an die Vorstellung einer

»anderen (hinteren, unteren, oberen) Welt« gewöhnt und
fühlt bei der Vernichtung der religiösen Gedanken eine un-
behagliche Leere und Entbehrung – und nun wächst aus diesem Gefühle wieder eine »andere Welt« heraus, aber jetzt nur
eine metaphysische und nicht mehr religiöse. Das aber, was in
Urzeiten zur Annahme einer »andern Welt« überhaupt führte,
war *nicht* ein Trieb und Bedürfnis, sondern ein *Irrtum* in der
Auslegung bestimmter Naturvorgänge, eine Verlegenheit des
Intellekts.

152

Die größte Veränderung. – Die Beleuchtung und die Farben
aller Dinge haben sich verändert! Wir verstehen nicht mehr
ganz, wie die alten Menschen das Nächste und Häufigste
empfanden – zum Beispiel den Tag und das Wachen: dadurch, daß die Alten an Träume glaubten, hatte das wache
Leben andere Lichter. Und ebenso das ganze Leben, mit der
Zurückstrahlung des Todes und seiner Bedeutung: unser
»Tod« ist ein ganz andrer Tod. Alle Erlebnisse leuchteten anders, denn ein Gott glänzte aus ihnen; alle Entschlüsse und
Aussichten auf die ferne Zukunft ebenfalls: denn man hatte
Orakel und geheime Winke und glaubte an die Vorher-
sagung. »Wahrheit« wurde anders empfunden, denn der
Wahnsinnige konnte ehemals als ihr Mundstück gelten – was
uns schaudern oder lachen macht. Jedes Unrecht wirkte anders auf das Gefühl: denn man fürchtete eine göttliche Vergeltung und nicht nur eine bürgerliche Strafe und Entehrung.
Was war die Freude in der Zeit, als man an den Teufel und
die Versucher glaubte! Was die Leidenschaft, wenn man die
Dämonen in der Nähe lauern sah! Was die Philosophie, wenn
der Zweifel als Versündigung der gefährlichsten Art gefühlt
wurde, und zwar als ein Frevel an der ewigen Liebe, als Mißtrauen gegen alles, was gut, hoch, rein und erbarmend war! –

Wir haben die Dinge neu gefärbt, wir malen immerfort an ihnen – aber was vermögen wir einstweilen gegen die *Farbenpracht* jener alten Meisterin! – ich meine die alte Menschheit.

153

Homo poeta. – »Ich selber, der ich höchsteigenhändig diese Tragödie der Tragödien gemacht habe, so weit sie fertig ist; ich, der ich den Knoten der Moral erst ins Dasein hineinknüpfte und so fest zog, daß nur ein Gott ihn lösen kann – so verlangt es ja Horaz! –, ich selber habe jetzt im vierten Akt alle Götter umgebracht – aus Moralität! Was soll nun aus dem fünften werden! Woher noch die tragische Lösung nehmen! – Muß ich anfangen, über eine komische Lösung nachzudenken?«

154

Verschiedene Gefährlichkeit des Lebens. – Ihr wißt gar nicht, was ihr erlebt, ihr lauft wie betrunken durchs Leben und fallt ab und zu eine Treppe hinab. Aber, dank eurer Trunkenheit brecht ihr doch nicht dabei die Glieder: eure Muskeln sind zu matt und euer Kopf zu dunkel, als daß ihr die Steine dieser Treppe so hart fändet wie wir anderen! Für uns ist das Leben eine größere Gefahr: wir sind von Glas – wehe, wenn wir uns *stoßen*! Und alles ist verloren, wenn wir *fallen*!

155

Was uns fehlt. – Wir lieben die *große* Natur und haben sie entdeckt: das kommt daher, daß in unserem Kopfe die großen Menschen fehlen. Umgekehrt die Griechen: ihr Naturgefühl ist ein anderes als das unsrige.

Der Einflußreichste. – Daß ein Mensch seiner ganzen Zeit Widerstand leistet, sie am Tore aufhält und zur Rechenschaft zieht, das *muß* Einfluß üben! Ob er es will, ist gleichgültig; daß er es *kann*, ist die Sache.

Mentiri. – Gib acht! – er sinnt nach: sofort wird er eine Lüge bereit haben. Dies ist eine Stufe der Kultur, auf der ganze Völker gestanden haben. Man erwäge doch, was die Römer mit *mentiri* ausdrückten!

Unbequeme Eigenschaft. – Alle Dinge tief finden – das ist eine unbequeme Eigenschaft: sie macht, daß man beständig seine Augen anstrengt und am Ende immer mehr findet, als man gewünscht hat.

Jede Tugend hat ihre Zeit. – Wer jetzt unbeugsam ist, dem macht seine Redlichkeit oft Gewissensbisse: denn die Unbeugsamkeit ist die Tugend eines anderen Zeitalters als die Redlichkeit.

Im Verkehre mit Tugenden. – Man kann auch gegen eine Tugend würdelos und schmeichlerisch sein.

161

An die Liebhaber der Zeit. – Der entlaufene Priester und der entlassene Sträfling machen fortwährend Gesichter: was sie wollen, ist ein Gesicht ohne Vergangenheit. – Habt ihr aber schon Menschen gesehn, welche wissen, daß die Zukunft in ihrem Gesichte sich spiegelt, und welche so höflich gegen euch, ihr Liebhaber der »Zeit«, sind, daß sie ein Gesicht ohne Zukunft machen?

162

Egoismus. – Egoismus ist das *perspektivische* Gesetz der Empfindung, nach dem das Nächste groß und schwer erscheint: während nach der Ferne zu alle Dinge an Größe und Gewicht abnehmen.

163

Nach einem großen Siege. – Das Beste an einem großen Siege ist, daß er dem Sieger die Furcht vor einer Niederlage nimmt. »Warum nicht auch einmal unterliegen?« – sagt er sich: »Ich bin jetzt reich genug dazu.«

164

Die Ruhesuchenden. – Ich erkenne die Geister, welche Ruhe suchen, an den vielen *dunklen* Gegenständen, welche sie um sich aufstellen: wer schlafen will, macht sein Zimmer dunkel oder kriecht in eine Höhle. – Ein Wink für die, welche nicht wissen, was sie eigentlich am meisten suchen, und es wissen möchten!

165

Vom Glücke der Entsagenden. – Wer sich etwas gründlich und auf lange Zeit hin versagt, wird bei einem zufälligen Wiederantreffen desselben, fast vermeinen, es entdeckt zu haben – und welches Glück hat jeder Entdecker! Seien wir klüger als die Schlangen, welche zu lange in der selben Sonne liegen.

166

Immer in unserer Gesellschaft. – Alles, was meiner Art ist, in Natur und Geschichte, redet zu mir, lobt mich, treibt mich vorwärts, tröstet mich –: das andere höre ich nicht oder vergesse es gleich. Wir sind stets nur in unserer Gesellschaft.

167

Misanthropie und Liebe. – Man spricht nur dann davon, daß man der Menschen satt sei, wenn man sie nicht mehr verdauen kann und doch noch den Magen voll davon hat. Misanthropie ist die Folge einer allzu begehrlichen Menschenliebe und »Menschenfresserei« – aber wer hieß dich auch, Menschen zu verschlucken wie Austern, mein Prinz Hamlet?

168

Von einem Kranken. – »Es steht schlecht um ihn!« – Woran fehlt es? – »Er leidet an der Begierde, gelobt zu werden, und findet keine Nahrung für sie.« – Unbegreiflich! Alle Welt feiert ihn, und man trägt ihn nicht nur auf den Händen, sondern auch auf den Lippen! – »Ja, aber er hat ein schlechtes Gehör für das Lob. Lobt ihn ein Freund, so klingt es ihm, als ob dieser sich selber lobe; lobt ihn ein Feind, so klingt es ihm, als ob dieser dafür gelobt werden wolle; lobt ihn endlich einer der übrigen – es sind gar nicht so viele übrig, so berühmt ist er! –, so beleidigt es ihn, daß man ihn nicht zum Freund oder Feind haben wolle; er pflegt zu sagen: ›Was liegt mir an einem, der gar noch gegen mich den Gerechten zu spielen vermag!‹«

169

Offene Feinde. – Die Tapferkeit vor dem Feinde ist ein Ding für sich: damit kann man immer noch ein Feigling und ein unentschlossener Wirrkopf sein. So urteilte Napoleon in Hinsicht auf den »tapfersten Menschen«, der ihm bekannt sei, Murat – woraus sich ergibt, daß offene Feinde für manche Menschen unentbehrlich sind, falls sie sich zu *ihrer* Tugend, ihrer Männlichkeit und Heiterkeit erheben sollen.

170

Mit der Menge. – Er läuft bisher mit der Menge und ist ihr Lobredner: aber eines Tages wird er ihr Gegner sein! Denn er folgt ihr im Glauben, daß seine Faulheit dabei ihre Rechnung fände: er hat noch nicht erfahren, daß die Menge nicht faul genug für ihn ist! daß sie immer vorwärts drängt! daß sie niemandem erlaubt, stehn zu bleiben! – Und er bleibt so gerne stehen!

171

Ruhm. – Wenn die Dankbarkeit vieler gegen einen alle Scham wegwirft, so entsteht der Ruhm.

Der Geschmacks-Verderber. — A: »Du bist ein Geschmacks-Verderber! so sagt man überall.« B: »Sicherlich! Ich verderbe jedermann den Geschmack an seiner Partei – das verzeiht mir keine Partei.«

Tief sein und tief scheinen. — Wer sich tief weiß, bemüht sich um Klarheit; wer der Menge tief scheinen möchte, bemüht sich um Dunkelheit. Denn die Menge hält alles für tief, dessen Grund sie nicht sehen kann: sie ist so furchtsam und geht so ungern ins Wasser.

Abseits. — Der Parlamentarismus, das heißt die öffentliche Erlaubnis, zwischen fünf politischen Grundmeinungen wählen zu dürfen, schmeichelt sich bei jenen vielen ein, welche gern selbständig und individuell *scheinen* und für ihre Meinungen kämpfen möchten. Zuletzt aber ist es gleichgültig, ob der Herde eine Meinung befohlen oder fünf Meinungen gestattet sind. — Wer von den fünf öffentlichen Meinungen abweicht und beiseite tritt, hat immer die ganze Herde gegen sich.

Von der Beredsamkeit. — Wer besaß bis jetzt die überzeugendste Beredsamkeit? Der Trommelwirbel: und so lange die Könige diesen in der Gewalt haben, sind sie immer noch die besten Redner und Volksaufwiegler.

Mitleiden. – Die armen regierenden Fürsten! Alle ihre Rechte
verwandeln sich jetzt unversehens in Ansprüche und all diese
Ansprüche klingen bald wie Anmaßungen! Und wenn sie nur
»Wir« sagen oder »mein Volk«, so lächelt schon das alte bos-
hafte Europa. Wahrhaftig, ein Oberzeremonienmeister der
modernen Welt würde wenig Zeremonien mit ihnen machen;
vielleicht würde er dekretieren: »*Les souverains rangent aux
parvenus.*«

177

Zum »Erziehungswesen«. – In Deutschland fehlt dem höhern
Menschen ein großes Erziehungsmittel: das Gelächter höherer Menschen: diese lachen nicht in Deutschland.

178

Zur moralischen Aufklärung. – Man muß den Deutschen ihren
Mephistopheles ausreden: und ihren Faust dazu. Es sind zwei
moralische Vorurteile gegen den Wert der Erkenntnis.

179

Gedanken. – Gedanken sind die Schatten unsrer Empfindungen – immer dunkler, leerer, einfacher als diese.

180

Die gute Zeit der freien Geister. – Die freien Geister nehmen
sich auch vor der Wissenschaft noch ihre Freiheiten – und

einstweilen gibt man sie ihnen auch –, solange die Kirche noch steht! Insofern haben sie jetzt ihre gute Zeit.

181

Folgen und Vorangehen. – A: »Von den beiden wird der eine immer folgen, der andre immer vorangehen, wohin sie auch das Schicksal führt. Und *doch* steht der erstere über dem anderen, nach seiner Tugend und seinem Geiste!« B: »Und doch? Und doch? Das ist für die anderen geredet, nicht für mich, nicht für uns! – *Fit secundum regulam.*«

182

In der Einsamkeit. – Wenn man allein lebt, so spricht man nicht zu laut, man schreibt auch nicht zu laut: denn man fürchtet den hohlen Widerhall – die Kritik der Nymphe Echo. – Und alle Stimmen klingen anders in der Einsamkeit!

183

Die Musik der besten Zukunft. – Der erste Musiker würde mir der sein, welcher nur die Traurigkeit des tiefsten Glücks kennt, und sonst keine Traurigkeit: einen solchen gab es bisher nicht.

184

Justiz. – Lieber sich bestehlen lassen, als Vogelscheuchen um sich haben – das ist mein Geschmack. Und es ist unter allen Umständen eine Sache des Geschmacks – und nicht mehr!

Arm. − Er ist heute arm: aber nicht weil man ihm alles genommen, sondern weil er alles weggeworfen hat − was macht es ihm? Er ist daran gewöhnt, zu finden. − Die Armen sind es, welche seine freiwillige Armut mißverstehen.

186

Schlechtes Gewissen. − Alles, was er jetzt tut, ist brav und ordentlich − und doch hat er ein schlechtes Gewissen dabei. Denn das Außerordentliche ist seine Aufgabe.

187

Das Beleidigende im Vortrage. − Dieser Künstler beleidigt mich durch die Art, wie er seine Einfälle, seine sehr guten Einfälle vorträgt: so breit und nachdrücklich und mit so groben Kunstgriffen der Überredung, als ob er zum Pöbel spräche. Wir sind immer nach einiger Zeit, die wir seiner Kunst schenkten, wie »in schlechter Gesellschaft«.

188

Arbeit. − Wie nah steht jetzt auch dem Müßigsten von uns die Arbeit und der Arbeiter! Die königliche Höflichkeit in dem Worte »wir alle sind Arbeiter!« wäre noch unter Ludwig dem Vierzehnten ein Zynismus und eine Indezenz gewesen.

189

Der Denker. − Er ist ein Denker: das heißt er versteht sich darauf, die Dinge einfacher zu nehmen, als sie sind.

Gegen die Lobenden. – A: »Man wird nur von seinesgleichen gelobt!« B: »Ja! Und wer dich lobt, sagt zu dir: du bist meinesgleichen!«

Gegen manche Verteidigung. – Die perfideste Art einer Sache zu schaden ist, sie absichtlich mit fehlerhaften Gründen verteidigen.

Die Gutmütigen. – Was unterscheidet jene Gutmütigen, denen Wohlwollen aus dem Gesichte strahlt, von den anderen Menschen? Sie fühlen sich in Gegenwart einer neuen Person wohl und sind schnell in sie verliebt; sie wollen ihr dafür wohl, ihr erstes Urteil ist »sie gefällt mir«. Bei ihnen folgt aufeinander: Wunsch der Aneignung (sie machen sich wenig Skrupel über den Wert des anderen), rasche Aneignung, Freude am Besitz und Handeln zugunsten des Besessenen.

Kants Witz. – Kant wollte auf eine »alle Welt« vor den Kopf stoßende Art beweisen, daß »alle Welt« recht habe – das war der heimliche Witz dieser Seele. Er schrieb gegen die Gelehrten zugunsten des Volks-Vorurteils, aber für Gelehrte und nicht für das Volk.

194

Der »Offenherzige«. – Jener Mensch handelt wahrscheinlich immer nach verschwiegenen Gründen: denn er trägt immer mitteilbare Gründe auf der Zunge und beinahe in der offenen Hand.

195

Zum Lachen! – Seht hin! Seht hin! Er läuft von den Menschen weg –: diese aber folgen ihm nach, weil er *vor* ihnen herläuft – so sehr sind sie Herde!

196

Grenze unsres Hörsinns. – Man hört nur die Fragen, auf welche man imstande ist, eine Antwort zu finden.

197

Darum Vorsicht! – Nichts teilen wir so gern an andere mit als das Siegel der Verschwiegenheit – samt dem, was darunter ist.

198

Verdruß des Stolzen. – Der Stolze hat selbst an denen, welche ihn vorwärts bringen, seinen Verdruß: er blickt böse auf die Pferde seines Wagens.

Freigebigkeit. – Freigebigkeit ist bei Reichen oft nur eine Art Schüchternheit.

Lachen. – Lachen heißt: schadenfroh sein, aber mit gutem Gewissen.

Im Beifall. – Im Beifall ist immer eine Art Lärm: selbst in dem Beifall, den wir uns selber zollen.

Ein Verschwender. – Er hat noch nicht jene Armut des Reichen, der seinen ganzen Schatz schon einmal überzählt hat – er verschwendet seinen Geist mit der Unvernunft der Verschwenderin Natur.

Hic niger est. – Er hat für gewöhnlich keinen Gedanken – aber für die Ausnahme kommen ihm schlechte Gedanken.

Die Bettler und die Höflichkeit. – »Man ist nicht unhöflich, wenn man mit einem Steine an die Türe klopft, welcher der

Klingelzug fehlt« – so denken Bettler und Notleidende aller Art; aber niemand gibt ihnen recht.

205

Bedürfnis. – Das Bedürfnis gilt als die Ursache der Entstehung: in Wahrheit ist es oft nur eine Wirkung des Entstandenen.

206

Beim Regen. – Es regnet, und ich gedenke der armen Leute, die sich jetzt zusammendrängen, mit ihrer vielen Sorge und ohne Übung, diese zu verbergen, also jeder bereit und guten Willens, dem andern wehe zu tun und sich auch bei schlechtem Wetter eine erbärmliche Art von Wohlgefühl zu machen. – Das, nur das ist die Armut der Armen!

207

Der Neidbold. – Das ist ein Neidbold – dem muß man keine Kinder wünschen; er würde auf sie neidisch sein, weil er nicht mehr Kind sein kann.

208

Großer Mann! – Daraus, daß einer »ein großer Mann« ist, darf man noch nicht schließen, daß er ein Mann ist; vielleicht ist es nur ein Knabe, oder ein Chamäleon aller Lebensalter, oder ein verhextes Weiblein.

Eine Art nach Gründen zu fragen. – Es gibt eine Art, uns nach unsern Gründen zu fragen, bei der wir nicht nur unsre besten Gründe vergessen, sondern auch einen Trotz und Widerwillen gegen Gründe überhaupt in uns erwachen fühlen – eine sehr verdummende Art zu fragen, und recht ein Kunstgriff tyrannischer Menschen!

210

Maß im Fleiße. – Man muß den Fleiß seines Vaters nicht überbieten wollen – das macht krank.

211

Geheime Feinde. – Einen geheimen Feind sich halten können – das ist ein Luxus, für den die Moralität selbst hochgesinnter Geister nicht reich genug zu sein pflegt.

212

Sich nicht täuschen lassen. – Sein Geist hat schlechte Manieren, er ist hastig und stottert immer vor Ungeduld: so ahnt man kaum, in welcher langatmigen und breitbrüstigen Seele er zu Hause ist.

213

Der Weg zum Glücke. – Ein Weiser fragte einen Narren, welches der Weg zum Glücke sei. Dieser antwortete ohne Verzug, wie einer, der nach dem Wege zur nächsten Stadt ge-

fragt wird: »Bewundere dich selbst und lebe auf der Gasse!«
»Halt«, rief der Weise, »du verlangst zu viel, es genügt schon
sich selber zu bewundern!« Der Narr entgegnete: »Aber wie
kann man beständig bewundern, ohne beständig zu verachten?«

214

Der Glaube macht selig. – Die Tugend gibt nur denen Glück
und eine Art Seligkeit, welche den guten Glauben an ihre
Tugend haben – nicht aber jenen feineren Seelen, deren
Tugend im tiefen Mißtrauen gegen sich und alle Tugend besteht. Zuletzt macht also auch hier »der Glaube selig!« – und
wohlgemerkt, *nicht* die Tugend!

215

Ideal und Stoff. – Du hast da ein vornehmes Ideal vor Augen:
aber bist *du* auch ein so vornehmer Stein, daß aus dir solch ein
Götterbild gebildet werden dürfte? Und ohne dies – ist all
deine Arbeit nicht eine barbarische Bildhauerei? Eine Lästerung deines Ideals?

216

Gefahr in der Stimme. – Mit einer sehr lauten Stimme im Halse,
ist man fast außerstande, feine Sachen zu denken.

217

Ursache und Wirkung. – Vor der Wirkung glaubt man an andere Ursachen als nach der Wirkung.

Meine Antipathie. – Ich liebe die Menschen nicht, welche, um überhaupt Wirkung zu tun, zerplatzen müssen gleich Bomben, und in deren Nähe man immer in Gefahr ist, plötzlich das Gehör – oder noch mehr zu verlieren.

Zweck der Strafe. – Die Strafe hat den Zweck, den zu bessern, *welcher straft*, – das ist die letzte Zuflucht für die Verteidiger der Strafe.

Opfer. – Über Opfer und Aufopferung denken die Opfertiere anders als die Zuschauer: aber man hat sie von jeher nicht zu Worte kommen lassen.

Schonung. – Väter und Söhne schonen sich viel mehr untereinander als Mütter und Töchter.

Dichter und Lügner. – Der Dichter sieht in dem Lügner seinen Milchbruder, dem er die Milch weggetrunken hat; so ist jener elend geblieben und hat es nicht einmal bis zum guten Gewissen gebracht.

Vikariat der Sinne. – »Man hat auch die Augen, um zu hören«, – sagte ein alter Beichtvater, der taub wurde; »und unter den Blinden ist *der* König, wer die längsten Ohren hat.«

Kritik der Tiere. – Ich fürchte, die Tiere betrachten den Menschen als ein Wesen ihresgleichen, das in höchst gefährlicher Weise den gesunden Tierverstand verloren hat, – als das wahnwitzige Tier, als das lachende Tier, als das weinende Tier, als das unglückselige Tier.

Die Natürlichen. – »Das Böse hat immer den großen Effekt für sich gehabt! Und die Natur ist böse! Seien wir also natürlich!« – so schließen im geheimen die großen Effekthascher der Menschheit, welche man gar zu oft unter die großen Menschen gerechnet hat.

Die Mißtrauischen und der Stil. – Wir sagen die stärksten Dinge schlicht, vorausgesetzt daß Menschen um uns sind, die an unsere Stärke glauben: eine solche Umgebung erzieht zur »Einfachheit des Stils«. Die Mißtrauischen reden emphatisch; die Mißtrauischen machen emphatisch.

Fehlschluß, Fehlschuß. – Er kann sich nicht beherrschen: und daraus schließt jene Frau, es werde leicht sein, ihn zu beherrschen, und wirft ihre Fangseile nach ihm aus; – die Arme, die in Kürze seine Sklavin sein wird.

228

Gegen die Vermittelnden. – Wer zwischen zwei entschlossenen Denkern vermitteln will, ist gezeichnet als mittelmäßig: er hat das Auge nicht dafür, das Einmalige zu sehen; die Ähnlichseherei und Gleichmacherei ist das Merkmal schwacher Augen.

229

Trotz und Treue. – Er hält aus Trotz an einer Sache fest, die ihm durchsichtig geworden ist – er nennt es aber »Treue«.

230

Mangel an Schweigsamkeit. – Sein ganzes Wesen *überredet* nicht – das kommt daher, daß er nie eine gute Handlung die er tat, verschwiegen hat.

231

Die »Gründlichen«. – Die Langsamen der Erkenntnis meinen, die Langsamkeit gehöre zur Erkenntnis.

Träumen. – Man träumt gar nicht oder interessant. Man muß lernen, ebenso zu wachen – gar nicht oder interessant.

Gefährlichster Gesichtspunkt. – Was ich jetzt tue oder lasse, ist *für alles Kommende* so wichtig als das größte Ereignis der Vergangenheit: in dieser ungeheuren Perspektive der Wirkung sind alle Handlungen gleich groß und klein.

Trostrede eines Musikanten. – »Dein Leben klingt den Menschen nicht in die Ohren: für sie lebst du ein stummes Leben, und alle Feinheit der Melodie, alle zarte Entschließung im Folgen oder Vorangehen bleibt ihnen verborgen. Es ist wahr: du kommst nicht auf breiter Straße mit Regimentsmusik daher – aber deshalb haben diese Guten doch kein Recht zu sagen, es fehle deinem Lebenswandel an Musik. Wer Ohren hat, der höre.«

Geist und Charakter. – Mancher erreicht seinen Gipfel als Charakter, aber sein Geist ist gerade dieser Höhe nicht angemessen – und mancher umgekehrt.

Um die Menge zu bewegen. – Muß nicht der, welcher die Menge bewegen will, der Schauspieler seiner selber sein? Muß er nicht sich selber erst ins Grotesk-Deutliche übersetzen und seine ganze Person und Sache in dieser Vergröberung und Vereinfachung *vortragen?*

237

Der Höfliche. – »Er ist so höflich!« – Ja, er hat immer einen Kuchen für den Zerberus bei sich und ist so furchtsam, daß er jedermann für den Zerberus hält, auch dich und mich – das ist seine »Höflichkeit«.

238

Neidlos. – Er ist ganz ohne Neid, aber es ist kein Verdienst dabei: denn er will ein Land erobern, das niemand noch besessen und kaum einer auch nur gesehen hat.

239

Der Freudlose. – Ein einziger freudloser Mensch genügt schon, um einem ganzen Hausstande dauernden Mißmut und trüben Himmel zu machen; und nur durch ein Wunder geschieht es, daß dieser eine fehlt! – Das Glück ist lange nicht eine so ansteckende Krankheit – woher kommt das?

240

Am Meere. – Ich würde mir kein Haus bauen (und es gehört selbst zu meinem Glücke, kein Hausbesitzer zu sein!). Müßte ich aber, so würde ich, gleich manchem Römer, es bis ins Meer hineinbauen – ich möchte schon mit diesem schönen Ungeheuer einige Heimlichkeiten gemeinsam haben.

241

Werk und Künstler. – Dieser Künstler ist ehrgeizig und nichts weiter: zuletzt ist sein Werk nur ein Vergrößerungsglas, welches er jedermann anbietet, der nach ihm hinblickt.

242

Suum cuique. – Wie groß auch die Habsucht meiner Erkenntnis ist: ich kann aus den Dingen nichts anderes herausnehmen, als was mir schon gehört – das Besitztum andrer bleibt in den Dingen zurück. Wie ist es möglich, daß ein Mensch Dieb oder Räuber sei!

243

Ursprung von »Gut« und »Schlecht«. – Eine Verbesserung erfindet nur der, welcher zu fühlen weiß: »Dies ist nicht gut«.

244

Gedanken und Worte. – Man kann auch seine Gedanken nicht ganz in Worten wiedergeben.

245

Lob in der Wahl. – Der Künstler wählt seine Stoffe aus: das ist seine Art zu loben.

246

Mathematik. – Wir wollen die Feinheit und Strenge der Mathematik in alle Wissenschaften hineintreiben, so weit dies nur irgend möglich ist; nicht im Glauben, daß wir auf diesem Wege die Dinge erkennen werden, sondern um damit unsere menschliche Relation zu den Dingen *festzustellen.* Die Mathematik ist nur das Mittel der allgemeinen und letzten Menschenkenntnis.

247

Gewohnheit. – Alle Gewohnheit macht unsere Hand witziger und unsern Witz unbehender.

248

Bücher. – Was ist an einem Buche gelegen, das uns nicht einmal über alle Bücher hinwegträgt?

249

Der Seufzer des Erkennenden. – »Oh über meine Habsucht! In dieser Seele wohnt keine Selbstlosigkeit – vielmehr ein alles begehrendes Selbst, welches durch viele Individuen wie durch *seine* Augen sehen und wie mit *seinen* Händen greifen

möchte, – ein auch die ganze Vergangenheit noch zurück-
holendes Selbst, welches nichts verlieren will, was ihm überhaupt gehören könnte! Oh über diese Flamme meiner Habsucht! Oh, daß ich in hundert Wesen wiedergeboren
würde!« – Wer diesen Seufzer nicht aus Erfahrung kennt,
kennt auch die Leidenschaft des Erkennenden nicht.

250

Schuld. – Obschon die scharfsinnigsten Richter der Hexen
und sogar die Hexen selber von der Schuld der Hexerei überzeugt waren, war die Schuld trotzdem nicht vorhanden. So
steht es mit aller Schuld.

251

Verkannte Leidende. – Die großartigen Naturen leiden anders,
als ihre Verehrer sich einbilden: sie leiden am härtesten durch
die unedlen, kleinlichen Wallungen mancher bösen Augenblicke, kurz durch ihren Zweifel an der eigenen Großartig-
keit – nicht aber durch die Opfer und Martyrien, welche ihre
Aufgabe von ihnen verlangt. Solange Prometheus Mitleid mit
den Menschen hat und sich ihnen opfert, ist er glücklich und
groß in sich; aber wenn er neidisch auf Zeus und die Huldi-
gungen wird, welche jenem die Sterblichen bringen – da leidet er!

252

Lieber schuldig. – »Lieber schuldig bleiben, als mit einer Münze
zahlen, die nicht unser Bild trägt!« – so will es unsere Souve-
ränität.

Immer zu Hause. – Eines Tages erreichen wir unser *Ziel* – und weisen nunmehr mit Stolz darauf hin, was für lange Reisen wir dazu gemacht haben. In Wahrheit merkten wir nicht, daß wir reisten. Wir kamen aber dadurch so weit, daß wir an jeder Stelle wähnten, *zu Hause* zu sein.

Gegen die Verlegenheit. – Wer immer tief beschäftigt ist, ist über alle Verlegenheit hinaus.

Nachahmer. – A: »Wie? Du willst keine Nachahmer?« B: »Ich will nicht, daß man mir etwas nachmache; ich will, daß jeder sich etwas vormache: dasselbe, was *ich* tue.« A: »Also –?«

Hautlichkeit. – Alle Menschen der Tiefe haben ihre Glückseligkeit darin, einmal den fliegenden Fischen zu gleichen und auf den äußersten Spitzen der Wellen zu spielen; sie schätzen als das Beste an den Dingen – daß sie eine Oberfläche haben: ihre Hautlichkeit – *sit venia verbo.*

Aus der Erfahrung. – Mancher weiß nicht, wie reich er ist, bis er erfährt, was für reiche Menschen an ihm noch zu Dieben werden.

258

Die Leugner des Zufalls. − Kein Sieger glaubt an den Zufall.

259

Aus dem Paradiese. − »Gut und Böse sind die Vorurteile Gottes« − sagte die Schlange.

260

Einmaleins. − Einer hat immer Unrecht: aber mit zweien beginnt die Wahrheit. − Einer kann sich nicht beweisen: aber zweie kann man bereits nicht widerlegen.

261

Originalität. − Was ist Originalität? Etwas *sehen*, das noch keinen Namen trägt, noch nicht genannt werden kann, ob es gleich vor aller Augen liegt. Wie die Menschen gewöhnlich sind, macht ihnen erst der Name ein Ding überhaupt sichtbar. − Die Originalen sind zumeist auch die Namengeber gewesen.

262

Sub, specie aeterni. − A: »Du entfernst dich immer schneller von den Lebenden: bald werden sie dich aus ihren Listen streichen!« − B: »Es ist das einzige Mittel, um an dem Vorrecht der Toten teilzuhaben.« − A: »An welchem Vorrecht?« − B: »Nicht mehr zu sterben.«

Ohne Eitelkeit. – Wenn wir lieben, so wollen wir, daß unsere Mängel verborgen bleiben – nicht aus Eitelkeit, sondern weil das geliebte Wesen nicht leiden soll. Ja, der Liebende möchte ein Gott scheinen – und auch dies nicht aus Eitelkeit.

Was wir tun. – Was wir tun, wird nie verstanden, sondern immer nur gelobt und getadelt.

Letzte Skepsis. – Was sind denn zuletzt die Wahrheiten des Menschen? – Es sind die *unwiderlegbaren* Irrtümer des Menschen.

Wo Grausamkeit nottut. – Wer Größe hat, ist grausam gegen seine Tugenden und Erwägungen zweiten Ranges.

Mit einem großen Ziele. – Mit einem großen Ziele ist man sogar der Gerechtigkeit überlegen, nicht nur seinen Taten und seinen Richtern.

Was macht heroisch? – Zugleich seinem höchsten Leide und seiner höchsten Hoffnung entgegengehn.

Woran glaubst du? – Daran: daß die Gewichte aller Dinge neu bestimmt werden müssen.

Was sagt dein Gewissen? – »Du sollst der werden, der du bist.«

Wo liegen deine größten Gefahren? – Im Mitleiden.

Was liebst du an anderen? – Meine Hoffnungen.

Wen nennst du schlecht? – Den, der immer beschämen will.

274

Was ist dir das Menschlichste? – Jemandem Scham ersparen.

275

Was ist das Siegel der erreichten Freiheit? – Sich nicht mehr vor sich selber schämen.

VIERTES BUCH

Sanctus Januarius

> Der du mit dem Flammenspeere
> Meiner Seele Eis zerteilt,
> Daß sie brausend nun zum Meere
> Ihrer höchsten Hoffnung eilt:
> Heller stets und stets gesunder,
> Frei im liebevollsten Muß: –
> Also preist sie deine Wunder,
> Schönster Januarius!

Genua, im Januar 1882

276

Zum neuen Jahre. – Noch lebe ich, noch denke ich: ich muß noch leben, denn ich muß noch denken. *Sum, ergo cogito: cogito, ergo sum.* Heute erlaubt sich jedermann, seinen Wunsch und liebsten Gedanken auszusprechen: nun, so will auch ich sagen, was ich mir heute von mir selber wünschte und welcher Gedanke mir dieses Jahr zuerst über das Herz lief – welcher Gedanke mir Grund, Bürgschaft und Süßigkeit alles weiteren Lebens sein soll! Ich will immer mehr lernen, das Notwendige an den Dingen als das Schöne sehen – so werde ich einer von denen sein, welche die Dinge schön machen. *Amor fati*: das sei von nun an meine Liebe! Ich will keinen Krieg gegen das Häßliche führen. Ich will nicht anklagen, ich will nicht einmal die Ankläger anklagen. *Wegsehen* sei meine einzige Verneinung! Und, alles in allem und großen: ich will irgendwann einmal nur noch ein Jasagender sein!

Persönliche Providenz. – Es gibt einen gewissen hohen Punkt des Lebens: haben wir den erreicht, so sind wir mit all unsrer Freiheit, und so sehr wir dem schönen Chaos des Daseins alle fürsorgende Vernunft und Güte abgestritten haben, noch einmal in der größten Gefahr der geistigen Unfreiheit und haben unsere schwerste Probe abzulegen. Jetzt nämlich stellt sich erst der Gedanke an eine persönliche Providenz mit der eindringlichsten Gewalt vor uns hin und hat den besten Fürsprecher, den Augenschein, für sich, jetzt wo wir mit Händen greifen, daß uns alle, alle Dinge, die uns treffen, fortwährend *zum Besten gereichen.* Das Leben jedes Tags und jeder Stunde scheint nichts mehr zu wollen, als immer nur diesen Satz neu beweisen; sei es was es sei, böses wie gutes Wetter, der Verlust eines Freundes, eine Krankheit, eine Verleumdung, das Ausbleiben eines Briefs, die Verstauchung eines Fußes, ein Blick in einen Verkaufsladen, ein Gegenargument, das Aufschlagen eines Buches, ein Traum, ein Betrug: es erweist sich sofort oder sehr bald nachher als ein Ding, das »nicht fehlen durfte« – es ist voll tiefen Sinns und Nutzens gerade *für uns!* Gibt es eine gefährlichere Verführung, den Göttern Epikurs, jenen sorglosen Unbekannten, den Glauben zu kündigen und an irgendeine sorgenvolle und kleinliche Gottheit zu glauben, welche selbst jedes Härchen auf unserm Kopfe persönlich kennt und keinen Ekel in der erbärmlichsten Dienstleistung findet? Nun – ich meine trotzalledem! wir wollen die Götter in Ruhe lassen und die dienstfertigen Genien ebenfalls und uns mit der Annahme begnügen, daß unsere eigene praktische und theoretische Geschicklichkeit im Auslegen und Zurechtlegen der Ereignisse jetzt auf ihren Höhepunkt gelangt sei. Wir wollen auch nicht zu hoch von dieser Fingerfertigkeit unserer Weisheit denken, wenn uns mitunter die wunderbare Harmonie allzusehr überrascht, welche beim Spiel auf unsrem Instrumente entsteht: eine Harmonie, welche zu gut klingt, als daß wir es wagten, sie uns selber zuzurechnen. In der Tat, hier und da spielt einer *mit* uns – der liebe Zufall: er führt uns gelegentlich die Hand, und die allerweiseste Providenz könnte keine schönere Musik erdenken, als dann dieser unserer törichten Hand gelingt.

278

Der Gedanke an den Tod. – Es macht mir ein melancholisches Glück, mitten in diesem Gewirr der Gäßchen, der Bedürfnisse, der Stimmen zu leben: wieviel Genießen, Ungeduld, Begehren, wieviel durstiges Leben und Trunkenheit des Lebens kommt da jeden Augenblick an den Tag! Und doch wird es für alle diese Lärmenden, Lebenden, Lebensdurstigen bald so stille sein! Wie steht hinter jedem sein Schatten, sein dunkler Weggefährte! Es ist immer wie im letzten Augenblick vor der Abfahrt eines Auswandererschiffes: man hat einander mehr zu sagen als je, die Stunde drängt, der Ozean und sein ödes Schweigen wartet ungeduldig hinter alle dem Lärme – so begierig, so sicher seiner Beute! Und alle, alle meinen, das Bisher sei nichts oder wenig, die nahe Zukunft sei alles: und daher diese Hast, dies Geschrei, dieses Sich-Übertäuben und Sich-Übervorteilen! Jeder will der erste in dieser Zukunft sein – und doch ist Tod und Totenstille das einzig Sichere und das allen Gemeinsame dieser Zukunft! Wie seltsam, daß diese einzige Sicherheit und Gemeinsamkeit fast gar nichts über die Menschen vermag und daß sie *am weitesten* davon entfernt sind, sich als die Brüderschaft des Todes zu fühlen! Es macht mich glücklich zu sehen, daß die Menschen den Gedanken an den Tod durchaus nicht denken wollen! Ich möchte gern etwas dazu tun, ihnen den Gedanken an das Leben noch hundertmal *denkenswerter* zu machen.

Sternen-Freundschaft. – Wir waren Freunde und sind uns fremd geworden. Aber das ist recht so, und wir wollen's uns nicht verhehlen und verdunkeln, als ob wir uns dessen zu schämen hätten. Wir sind zwei Schiffe, deren jedes sein Ziel und seine Bahn hat; wir können uns wohl kreuzen und ein Fest miteinander feiern, wie wir es getan haben, – und dann lagen die braven Schiffe so ruhig in *einem* Hafen und in *einer* Sonne, daß es scheinen mochte, sie seien schon am Ziele und hätten *ein* Ziel gehabt. Aber dann trieb uns die allmächtige Gewalt unserer Aufgabe wieder auseinander, in verschiedene Meere und Sonnenstriche, und vielleicht sehen wir uns nie wieder – vielleicht auch sehen wir uns wohl, aber erkennen uns nicht wieder: die verschiedenen Meere und Sonnen haben uns verändert! Daß wir uns fremd werden müssen, ist das Gesetz *über* uns: eben dadurch sollen wir uns auch ehrwürdiger werden! Ebendadurch soll der Gedanke an unsere ehemalige Freundschaft heiliger werden! Es gibt wahrscheinlich eine ungeheure unsichtbare Kurve und Sternenbahn, in der unsere so verschiedenen Straßen und Ziele als kleine Wegstrecken *einbegriffen* sein mögen – erheben wir uns zu diesem Gedanken! Aber unser Leben ist zu kurz und unsre Sehkraft zu gering, als daß wir mehr als Freunde im Sinne jener erhabenen Möglichkeit sein könnten. – Und so wollen wir an unsre Sternen-Freundschaft *glauben*, selbst wenn wir einander Erden-Feinde sein müßten.

Architektur der Erkennenden. – Es bedarf einmal, und wahrscheinlich bald einmal, der Einsicht, was vor allem unseren großen Städten fehlt: stille und weite, weitgedehnte Orte zum Nachdenken, Orte mit hochräumigen, langen Hallengängen für schlechtes oder allzu sonniges Wetter, wohin kein Geräusch der Wagen und der Ausrufer dringt und wo ein feinerer Anstand selbst dem Priester das laute Beten untersagen würde: Bauwerke und Anlagen, welche als Ganzes die Erhabenheit des Sich-Besinnens und Bei-Seite-Gehens ausdrücken. Die Zeit ist vorbei, wo die Kirche das Monopol des Nachdenkens besaß, wo die *vita contemplativa* immer zuerst *vita religiosa* sein mußte: und alles, was die Kirche gebaut hat, drückt diesen Gedanken aus. Ich wüßte nicht, wie wir uns mit ihren Bauwerken, selbst wenn sie ihrer kirchlichen Bestimmung entkleidet würden, genügen lassen könnten; diese Bauwerke reden eine viel zu pathetische und befangene Sprache als Häuser Gottes und Prunkstätten eines überweltlichen Verkehrs, als daß wir Gottlosen hier *unsere Gedanken* denken könnten. Wir wollen *uns* in Stein und Pflanze übersetzt haben, wir wollen *in uns* spazieren gehen, wenn wir in diesen Hallen und Gärten wandeln.

281

Das Ende zu finden wissen. – Die Meister des ersten Ranges geben sich dadurch zu erkennen, daß sie, im großen wie im kleinen, auf eine vollkommene Weise das Ende zu finden wissen, sei es das Ende einer Melodie oder eines Gedankens, sei es der fünfte Akt einer Tragödie oder Staats-Aktion. Die ersten der zweiten Stufe werden immer gegen das Ende hin unruhig und fallen nicht in so stolzem, ruhigem Gleichmaße ins Meer ab, wie zum Beispiel das Gebirge bei Porto fino – dort, wo die Bucht von Genua ihre Melodie zu Ende singt.

282

Der Gang. – Es gibt Manieren des Geistes, an denen auch große Geister verraten, daß sie vom Pöbel oder Halbpöbel herkommen – der Gang und Schritt ihrer Gedanken ist es namentlich, der den Verräter macht; sie können nicht *gehen*. So konnte auch Napoleon zu seinem tiefen Verdrusse nicht fürstenmäßig und »legitim« gehen, bei Gelegenheiten, wo man es eigentlich verstehen muß, wie bei großen Krönungs-Prozessionen und ähnlichem: auch da war er immer nur der Anführer einer Kolonne – stolz und hastig zugleich und sich dessen sehr bewußt. – Man hat etwas zum Lachen, diese Schriftsteller zu sehen, welche die faltigen Gewänder der Periode um sich rauschen machen: sie wollen so ihre *Füße* verdecken.

283

Vorbereitende Menschen. – Ich begrüße alle Anzeichen dafür, daß ein männlicheres, ein kriegerisches Zeitalter anhebt, das vor allem die Tapferkeit wieder zu Ehren bringen wird! Denn es soll einem noch höheren Zeitalter den Weg bahnen und die Kraft einsammeln, welche jenes einmal nötig haben wird – jenes Zeitalter, das den Heroismus in die Erkenntnis trägt und *Kriege führt* um der Gedanken und ihrer Folgen willen. Dazu bedarf es für jetzt vieler vorbereitender tapferer Menschen, welche doch nicht aus dem Nichts entspringen können – und ebensowenig aus dem Sand und Schleim der jetzigen Zivilisation und Großstadt-Bildung: Menschen, welche es verstehen, schweigend, einsam, entschlossen, in unsichtbarer Tätigkeit zufrieden und beständig zu sein: Menschen, die mit innerlichem Hange an allen Dingen nach dem suchen, was an ihnen *zu überwinden* ist: Menschen, denen Heiterkeit, Geduld, Schlichtheit und Verachtung der großen Eitelkeiten ebenso zu eigen ist, als Großmut im Siege und Nachsicht gegen die kleinen Eitelkeiten aller Besiegten: Menschen mit einem scharfen und freien Urteil über alle Sieger und über den Anteil des Zufalls an jedem Siege und Ruhme: Menschen mit eigenen Festen, eigenen Werktagen, eigenen Trauerzeiten, gewohnt und sicher im Befehlen und gleich bereit, wo es gilt, zu gehorchen, im einen wie im andern gleich stolz, gleich ihrer eigenen Sache dienend: gefährdetere Menschen, fruchtbarere Menschen, glücklichere Menschen! Denn, glaubt es mir! – das Geheimnis, um die größte Fruchtbarkeit und den größten Genuß vom Dasein einzuernten, heißt: *gefährlich leben!* Baut eure Städte an den Vesuv! Schickt eure Schiffe in unerforschte Meere! Lebt im Kriege mit euresgleichen und mit euch selber! Seid Räuber und Eroberer, solange ihr nicht Herrscher und Besitzer sein könnt, ihr Erkennenden! Die Zeit geht bald vorbei, wo es euch genug sein durfte, gleich scheuen Hirschen in Wäldern versteckt zu leben! Endlich wird die Erkenntnis die Hand nach dem ausstrecken, was ihr gebührt – sie wird *herrschen* und *besitzen* wollen, und ihr mit ihr!

284

Der Glaube an sich. – Wenige Menschen überhaupt haben den Glauben an sich; – und von diesen wenigen bekommen ihn die einen mit, als eine nützliche Blindheit oder teilweise Verfinsterung ihres Geistes – (was würden sie erblicken, wenn sie sich selber *auf den Grund* sehen könnten!), die andern müssen ihn sich erst erwerben: alles, was sie Gutes, Tüchtiges, Großes tun, ist zunächst ein Argument gegen den Skeptiker, der in ihnen haust: es gilt *diesen* zu überzeugen oder zu überreden, und dazu bedarf es beinahe des Genies. Es sind die großen Selbst-Ungenügsamen.

285

Excelsior! – »Du wirst niemals mehr beten, niemals mehr anbeten, niemals mehr im endlosen Vertrauen ausruhen – du versagst es dir, vor einer letzten Weisheit, letzten Güte, letzten

Macht stehen zu bleiben und deine Gedanken abzuschirren – du hast keinen fortwährenden Wächter und Freund für deine sieben Einsamkeiten – du lebst ohne den Ausblick auf ein Gebirge, das Schnee auf dem Haupte und Gluten in seinem Herzen trägt – es gibt für dich keinen Vergelter, keinen Verbesserer letzter Hand mehr – es gibt keine Vernunft in dem mehr, was geschieht, keine Liebe in dem, was dir geschehen wird – deinem Herzen steht keine Ruhestatt mehr offen, wo es nur zu finden und nicht mehr zu suchen hat, du wehrst dich gegen irgendeinen letzten Frieden, du willst die ewige Wiederkunft von Krieg und Frieden – Mensch der Entsagung, in alledem willst du entsagen? Wer wird dir die Kraft dazu geben? Noch hatte niemand diese Kraft!« – Es gibt einen See, der es sich eines Tages versagte, abzufließen, und einen Damm dort aufwarf, wo er bisher abfloß: seitdem steigt dieser See immer höher. Vielleicht wird gerade jene Entsagung uns auch die Kraft verleihen, mit der die Entsagung selber ertragen werden kann; vielleicht wird der Mensch von da an immer höher steigen, wo er nicht mehr in einen Gott *ausfließt*.

286

Zwischenrede. – Hier sind Hoffnungen; was werdet ihr aber von ihnen sehen und hören, wenn ihr nicht in euren eigenen Seelen Glanz und Glut und Morgenröten erlebt habt? Ich kann nur erinnern – mehr kann ich nicht! Steine bewegen, Tiere zu Menschen machen – wollt ihr das von mir? Ach, wenn ihr noch Steine und Tiere seid, so sucht euch erst euren Orpheus!

287

Lust an der Blindheit. – »Meine Gedanken«, sagte der Wanderer zu seinem Schatten, »sollen mir anzeigen, wo ich stehe:

aber sie sollen mir nicht verraten, *wohin ich gehe*. Ich liebe die Unwissenheit um die Zukunft und will nicht an der Ungeduld und dem Vorwegkosten verheißener Dinge zugrunde gehen.«

288

Hohe Stimmungen. – Mir scheint es, daß die meisten Menschen an hohe Stimmungen überhaupt nicht glauben, es sei denn für Augenblicke, höchstens Viertelstunden, – jene wenigen ausgenommen, welche eine längere Dauer des hohen Gefühls aus Erfahrung kennen. Aber gar der Mensch *eines* hohen Gefühls, die Verkörperung einer einzigen großen Stimmung sein – das ist bisher nur ein Traum und eine entzückende Möglichkeit gewesen: die Geschichte gibt uns noch kein sicheres Beispiel davon. Trotzdem könnte sie einmal auch solche Menschen gebären – dann, wenn eine Menge günstiger Vorbedingungen geschaffen und festgestellt worden sind, die jetzt auch der glücklichste Zufall nicht zusammenzuwürfeln vermag. Vielleicht wäre diesen zukünftigen Seelen eben das der gewöhnliche Zustand, was bisher als die mit Schauder empfundene Ausnahme hier und da einmal in unseren Seelen eintrat: eine fortwährende Bewegung zwischen Hoch und Tief und das Gefühl von Hoch und Tief, ein beständiges Wie-auf-Treppen-steigen und zugleich Wie-auf-Wolken-ruhen.

289

Auf die Schiffe! – Erwägt man, wie auf jeden einzelnen eine philosophische Gesamt-Rechtfertigung seiner Art, zu leben und zu denken, wirkt – nämlich gleich einer wärmenden, sengenden, befruchtenden, eigens ihm leuchtenden Sonne, wie sie unabhängig von Lob und Tadel, selbstgenugsam, reich, freigebig an Glück und Wohlwollen macht, wie sie unaufhörlich das Böse zum Guten umschafft, alle Kräfte zum Blühen und Reifwerden bringt und das kleine und große Unkraut des Grams und der Verdrießlichkeit gar nicht aufkommen läßt – so ruft man zuletzt verlangend aus: Oh daß doch viele solche neue Sonnen noch geschaffen würden! Auch der Böse, auch der Unglückliche, auch der Ausnahme-Mensch soll seine Philosophie, sein gutes Recht, seinen Sonnenschein haben! Nicht Mitleiden mit ihnen tut not! – diesen Einfall des Hochmuts müssen wir verlernen, solange auch bisher die Menschheit gerade an ihm gelernt und geübt hat – keine Beichtiger, Seelenbeschwörer und Sündenvergeber haben wir für sie aufzustellen! Sondern eine neue *Gerechtigkeit* tut not! Und eine neue Losung! Und neue Philosophen! Auch die moralische Erde ist rund! Auch die moralische Erde hat ihre Antipoden! Auch die Antipoden haben ihr Recht des Daseins! Es gibt noch eine andere Welt zu entdecken – und mehr als eine! Auf die Schiffe, ihr Philosophen!

290

Eins ist not. – Seinem Charakter »Stil geben« – eine große und seltne Kunst! Sie übt der, welcher alles übersieht, was seine Natur an Kräften und Schwächen bietet, und es dann einem künstlerischen Plane einfügt, bis ein jedes als Kunst und Vernunft erscheint und auch die Schwäche noch das Auge entzückt. Hier ist eine große Masse zweiter Natur hinzugetragen worden, dort ein Stück erster Natur abgetragen – beide Male mit langer Übung und täglicher Arbeit daran. Hier ist das Häßliche, welches sich nicht abtragen ließ, versteckt, dort ist es ins Erhabne umgedeutet. Vieles Vage, der Formung Widerstrebende ist für Fernsichten aufgespart und ausgenutzt worden – es soll in das Weite und Unermeßliche hinaus winken. Zuletzt, wenn das Werk vollendet ist, offenbart sich, wie es der Zwang desselben Geschmacks war, der im großen und kleinen herrschte und bildete: ob der Geschmack ein guter oder ein schlechter war, bedeutet weniger, als man denkt – genug, daß es *ein* Geschmack ist! – Es werden die starken, herrschsüchtigen Naturen sein, welche in einem solchen Zwange, in einer solchen Gebundenheit und Vollendung unter dem eignen Gesetz ihre feinste Freude genießen; die Leidenschaft ihres gewaltigen Wollens erleichtert sich beim Anblick aller stilisierten Natur, aller besiegten und dienenden Natur; auch wenn sie Paläste zu bauen und Gärten anzulegen haben, widerstrebt es ihnen, die Natur frei zu geben. – Umgekehrt sind es die schwachen, ihrer selber nicht mächtigen Charaktere, welche die Gebundenheit des Stils *hassen*: sie fühlen, daß, wenn ihnen dieser bitterböse Zwang auferlegt würde, sie unter ihm *gemein* werden müßten: sie werden Sklaven, sobald sie dienen, sie hassen das Dienen. Solche Geister – es können Geister ersten Ranges sein – sind immer darauf aus, sich selber und ihre Umgebungen als *freie* Natur – wild, willkürlich, phantastisch, unordentlich, überraschend – zu gestalten oder auszudeuten: und sie tun wohl daran, weil sie nur so sich selber wohltun! Denn eins ist not: daß der Mensch seine Zufriedenheit mit sich *erreiche* – sei es nun durch diese oder jene Dichtung und Kunst: nur dann erst ist der Mensch überhaupt erträglich anzusehen! Wer mit sich unzufrieden ist, ist fortwährend bereit, sich dafür zu rächen: wir anderen werden seine Opfer sein, und sei es auch nur darin, daß wir immer seinen häßlichen Anblick zu ertragen haben. Denn der Anblick des Häßlichen macht schlecht und düster.

291

Genua. – Ich habe mir diese Stadt, ihre Landhäuser und Lustgärten und den weiten Umkreis ihrer bewohnten

Höhen und Hänge eine gute Weile angesehen; endlich muß ich sagen: ich sehe *Gesichter* aus vergangenen Geschlechtern – diese Gegend ist mit den Abbildern kühner und selbstherrlicher Menschen übersäet. Sie haben *gelebt* und haben fortleben wollen – das sagen sie mir mit ihren Häusern, gebaut und geschmückt für Jahrhunderte und nicht für die flüchtige Stunde: sie waren dem Leben gut, so böse sie oft gegen sich gewesen sein mögen. Ich sehe immer den Bauenden, wie er mit seinen Blicken auf allem fern und nah um ihn her Gebauten ruht, und ebenso auf Stadt, Meer und Gebirgslinien, wie er mit diesem Blick Gewalt und Eroberung ausübt: alles dies will er *seinem* Plane einfügen und zuletzt zu seinem *Eigentume* machen, dadurch, daß es ein Stück desselben wird. Diese ganze Gegend ist mit dieser prachtvollen unersättlichen Selbstsucht der Besitz- und Beutelust überwachsen; und wie diese Menschen in der Ferne keine Grenze anerkannten und in ihrem Durste nach Neuem eine neue Welt neben die alte hinstellten, so empörte sich auch in der Heimat immer noch jeder gegen jeden und erfand eine Weise, seine Überlegenheit auszudrücken und zwischen sich und seinen Nachbar seine persönliche Unendlichkeit dazwischen zu legen. Jeder eroberte sich seine Heimat noch einmal für sich, indem er sie mit seinen architektonischen Gedanken überwältigte und gleichsam zur Augenweide seines Hauses umschuf. Im Norden imponiert das Gesetz und die allgemeine Lust an Gesetzlichkeit und Gehorsam, wenn man die Bauweise der Städte ansieht: man errät dabei jenes innerliche Sich-Gleichsetzen, Sich-Einordnen, welches die Seele aller Bauenden beherrscht haben muß. Hier aber findest du, um jede Ecke biegend, einen Menschen für sich, der das Meer, das Abenteuer und den Orient kennt, einen Menschen, welcher dem Gesetze und dem Nachbar wie einer Art von Langerweile abhold ist und der alles schon Begründete, Alte mit neidischen Blicken mißt: er möchte, mit einer wundervollen Verschmitztheit der Phantasie, dies alles mindestens im Gedanken noch einmal neu gründen, seine Hand darauf, seinen Sinn hinein legen – sei es auch nur für den Augenblick eines sonnigen Nachmittags, wo seine unersättliche und melancholische Seele einmal Sattheit fühlt und seinem Auge nur Eigenes und nichts Fremdes mehr sich zeigen darf.

292

An die Moral-Prediger. – Ich will keine Moral machen, aber denen, welche es tun, gebe ich diesen Rat: wollt ihr die besten Dinge und Zustände zuletzt um alle Ehre und Wert bringen, so fahrt fort, sie in den Mund zu nehmen wie bisher! Stellt sie an die Spitze eurer Moral und redet von früh bis abend von dem Glück der Tugend, von der Ruhe der Seele, von der Gerechtigkeit und der immanenten Vergeltung: so wie ihr es treibt, bekommen alle diese guten Dinge dadurch endlich eine Popularität und ein Geschrei der Gasse für sich; aber dann wird auch alles Gold daran abgegriffen sein und mehr noch: alles Gold *darin* wird sich in Blei verwandelt haben. Wahrlich, ihr versteht euch auf die umgekehrte Kunst der Alchimie, auf die Entwertung des Wertvollsten! Greift einmal zum Versuche nach einem anderen Rezepte, um nicht wie bisher das Gegenteil von dem, was ihr sucht, zu erreichen: *leugnet* jene guten Dinge, entzieht ihnen den Pöbel-Beifall und den leichten Umlauf, macht sie wieder zu verborgenen Schamhaftigkeiten einsamer Seelen, sagt, *Moral sei etwas Verbotenes*! Vielleicht gewinnt ihr so die Art von Menschen für diese Dinge, auf welche einzig etwas ankommt, ich meine die *Heroischen*. Aber dann muß etwas zum Fürchten daran sein und nicht, wie bisher, zum Ekeln! Möchte man nicht heute in Hinsicht der Moral sagen, wie Meister Eckardt: »ich bitte Gott, daß er mich quitt mache Gottes!«

Unsere Luft. – Wir wissen es wohl: wer nur wie im Spazierengehen einmal einen Blick nach der Wissenschaft hin tut,
nach Art der Frauen und leider auch vieler Künstler: für den
hat die Strenge ihres Dienstes, diese Unerbittlichkeit im
kleinen wie im großen, diese Schnelligkeit im Wägen, Urteilen, Verurteilen etwas Schwindel- und Furchteinflößen-
des. Namentlich erschreckt ihn, wie hier das Schwerste gefordert, das Beste getan wird, ohne daß dafür Lob und
Auszeichnungen da sind, vielmehr, wie unter Soldaten, fast
nur Tadel und scharfe Verweise *laut werden* – denn das Gut-
machen gilt als die Regel, das Verfehlte als die Ausnahme;
die Regel aber hat hier wie überall einen schweigsamen
Mund. Mit dieser »Strenge der Wissenschaft« steht es nun
wie mit der Form und Höflichkeit der allerbesten Gesellschaft – sie erschreckt den Uneingeweihten. Wer aber an sie
gewöhnt ist, mag gar nicht anderswo leben als in dieser hellen, durchsichtigen, kräftigen, stark elektrischen Luft, in
dieser *männlichen* Luft. Überall sonst ist es ihm nicht reinlich
und luftig genug: er argwöhnt, daß *dort* seine beste Kunst
niemandem recht von Nutzen und ihm selber nicht zur
Freude sein werde, daß unter Mißverständnissen ihm sein
halbes Leben durch die Finger schlüpfe, daß fortwährend
viel Vorsicht, viel Verbergen und Ansichhalten not tue –
lauter große und unnütze Einbußen an Kraft! In *diesem*
strengen und klaren Elemente aber hat er seine Kraft ganz:
hier kann er fliegen! Wozu sollte er wieder hinab in jene
trüben Gewässer, wo man schwimmen und waten muß und
seine Flügel mißfarbig macht! – Nein! Da ist es zu schwer
für uns zu leben: was können wir dafür, daß wir für die Luft,
die reine Luft geboren sind, wir Nebenbuhler des Licht-
strahls, und daß wir am liebsten auf Ätherstäubchen gleich
ihm reiten würden, und nicht von der Sonne weg, sondern
zu der Sonne hin! Das aber können wir nicht – so wollen wir

denn tun, was wir einzig können: der Erde Licht bringen, »das Licht der Erde« sein! Und dazu haben wir unsere Flügel und unsere Schnelligkeit und Strenge, um dessenthalben sind wir männlich und selbst schrecklich, gleich dem Feuer. Mögen die uns fürchten, welche sich nicht an uns zu wärmen und zu erhellen verstehen!

294

Gegen die Verleumder der Natur. – Das sind mir unangenehme Menschen, bei denen jeder natürliche Hang sofort zur Krankheit wird, zu etwas Entstellendem oder gar Schmählichem – *diese* haben uns zu der Meinung verführt, die Hänge und Triebe des Menschen seien böse; *sie* sind die Ursache unserer großen Ungerechtigkeit gegen unsere Natur, gegen alle Natur! Es gibt genug Menschen, die sich ihren Trieben mit Anmut und Sorglosigkeit überlassen *dürfen*: aber sie tun es nicht, aus Angst vor jenem eingebildeten »bösen Wesen« der Natur! *Daher* ist es gekommen, daß so wenig Vornehmheit unter den Menschen zu finden ist: deren Kennzeichen es immer sein wird, vor sich keine Furcht zu haben, von sich nichts Schmähliches zu erwarten, ohne Bedenken zu fliegen, wohin es uns treibt – uns freigeborene Vögel! Wohin wir auch nur kommen, immer wird es frei und sonnenlicht um uns sein.

295

Kurze Gewohnheiten. – Ich liebe die kurzen Gewohnheiten und halte sie für das unschätzbare Mittel, *viele* Sachen und Zustände kennenzulernen, und hinab bis auf den Grund ihrer Süßen und Bitterkeiten; meine Natur ist ganz für kurze Gewohnheiten eingerichtet, selbst in den Bedürfnissen ihrer leiblichen Gesundheit und überhaupt, *soweit* ich nur sehen kann: vom Niedrigen bis zum Höchsten. Immer glaube ich, *dies* werde mich nun dauernd befriedigen – auch die kurze Gewohnheit hat jenen Glauben der Leidenschaft, den Glauben an die Ewigkeit – und ich sei zu beneiden, es gefunden und erkannt zu haben: und nun nährt es mich am Mittage und am Abende und verbreitet eine tiefe Genügsamkeit um sich und in mich hinein, so daß mich nach anderem nicht verlangt, ohne daß ich zu vergleichen oder zu verachten oder zu hassen hätte. Und eines Tages hat es seine Zeit gehabt: die gute Sache scheidet von mir, nicht als etwas, das mir nun Ekel einflößte – sondern friedlich und an mir gesättigt, wie ich an ihm, und wie als ob wir einander dankbar sein müßten und uns *so* die Hände zum Abschied reichten. Und schon wartet das Neue an der Türe, und ebenso mein Glaube – der unverwüstliche Tor und Weise! – dies Neue werde das Rechte, das letzte Rechte sein. So geht es mir mit Speisen, Gedanken, Menschen, Städten, Gedichten, Musiken, Lehren, Tagesordnungen, Lebensweisen. – Dagegen hasse ich die *dauernden* Gewohnheiten und meine, daß ein Tyrann in meine Nähe kommt und daß meine Lebensluft sich *verdickt*, wo die Ereignisse sich so gestalten, daß dauernde Gewohnheiten daraus mit Notwendigkeit zu wachsen scheinen: zum Beispiel durch ein Amt, durch ein beständiges Zusammensein mit denselben Menschen, durch einen festen Wohnsitz, durch eine einmalige Art Gesundheit. Ja, ich bin allem meinem Elend und Kranksein, und was nur immer unvollkommen an mir ist – im untersten Grunde meiner Seele erkenntlich gesinnt, weil dergleichen mir hundert Hintertüren läßt, durch die ich den dauernden Gewohnheiten entrinnen kann. – Das Unerträglichste freilich, das eigentlich Fürchterliche, wäre mir ein Leben ganz ohne Gewohnheiten, ein Leben, das fortwährend die Improvisation verlangt – dies wäre meine Verbannung und mein Sibirien.

Der feste Ruf. – Der feste Ruf war ehedem eine Sache der äußersten Nützlichkeit; und wo nur immer die Gesellschaft noch vom Herden-Instinkte beherrscht wird, ist es auch jetzt noch für jeden einzelnen am zweckmäßigsten, seinen Charakter und seine Beschäftigung als unveränderlich *zu geben* – selbst wenn sie es im Grunde nicht sind. »Man kann sich auf ihn verlassen, er bleibt sich gleich« – das ist in allen gefährlichen Lagen der Gesellschaft das Lob, welches am meisten zu bedeuten hat. Die Gesellschaft fühlt mit Genugtuung, ein zuverlässiges, jederzeit bereites *Werkzeug* in der Tugend dieses, in dem Ehrgeize jenes, in dem Nachdenken und der Leidenschaft des dritten zu haben – sie ehrt diese *Werkzeug-Natur,* dies Sich-Treubleiben, diese Unwandelbarkeit in Ansichten, Bestrebungen und selbst in Untugenden, mit ihren höchsten Ehren. Eine solche Schätzung, welche überall zugleich mit der Sittlichkeit der Sitte blüht und geblüht hat, erzieht »Charaktere« und bringt alles Wechseln, Umlernen, Sich-Verwandeln *in Verruf.* Dies ist nun jedenfalls, mag sonst der Vorteil dieser Denkweise noch so groß sein, für *die Erkenntnis* die allerschädlichste Art des allgemeinen Urteils: denn gerade der gute Wille des Erkennenden, unverzagt sich jederzeit *gegen* seine bisherige Meinung zu erklären und überhaupt in bezug auf alles, was in uns *fest* werden will, mißtrauisch zu sein – ist hier verurteilt und in Verruf gebracht. Die Gesinnung des Erkennenden als im Widerspruch mit dem »festen Rufe« gilt als *unehrenhaft,* während die Versteinerung der Ansichten alle Ehre für sich hat – unter dem Banne solcher Geltung müssen wir heute noch leben! Wie schwer lebt es sich, wenn man das Urteil vieler Jahrtausende gegen sich und um sich fühlt! Es ist wahrscheinlich, daß viele Jahrtausende die Erkenntnis mit dem schlechten Gewissen behaftet war, und daß viel Selbstverachtung und geheimes Elend in der Geschichte der größten Geister gewesen sein muß.

Widersprechen können. – Jeder weiß jetzt, daß Widerspruch-vertragen-können ein hohes Zeichen von Kultur ist. Einige wissen sogar, daß der höhere Mensch den Widerspruch gegen sich wünscht und hervorruft, um einen Fingerzeig über seine ihm bisher unbekannte Ungerechtigkeit zu bekommen. Aber das Widersprechen-*Können*, das erlangte *gute* Gewissen bei der Feindseligkeit gegen das Gewohnte, Überlieferte, Gehei-ligte – das ist mehr als jenes Beides und das eigentlich Große, Neue, Erstaunliche unserer Kultur, der Schritt aller Schritte des befreiten Geistes: wer weiß das?

298

Seufzer. – Ich erhaschte diese Einsicht unterwegs und nahm rasch die nächsten schlechten Worte, sie festzumachen, damit sie mir nicht wieder davonfliege. Und nun ist sie mir an die-sen dürren Worten gestorben und hängt und schlottert in ihnen – und ich weiß kaum mehr, wenn ich sie ansehe, wie ich ein solches Glück haben konnte, als ich diesen Vogel fing.

299

Was man den Künstlern ablernen soll. – Welche Mittel haben wir, uns die Dinge schön, anziehend, begehrenswert zu machen, wenn sie es nicht sind? – und ich meine, sie sind es an sich niemals! Hier haben wir von den Ärzten etwas zu lernen, wenn sie zum Beispiel das Bittere verdünnen oder Wein und Zucker in den Mischkrug tun; aber noch mehr von den Künstlern, welche eigentlich fortwährend darauf aus sind, solche Erfindungen und Kunststücke zu machen. Sich von den Dingen entfernen, bis man vieles von ihnen nicht mehr sieht und vieles hinzusehn muß, *um sie noch zu sehen* – oder die Dinge um die Ecke und wie in einem Ausschnitte sehen – oder sie so stellen, daß sie sich teilweise verstellen und nur perspektivische Durchblicke gestatten – oder sie durch gefärbtes Glas oder im Lichte der Abendröte anschauen – oder ihnen eine Oberfläche und Haut geben, welche keine volle Transparenz hat: das alles sollen wir den Künstlern ablernen und im übrigen weiser sein als sie. Denn bei ihnen hört gewöhnlich diese ihre feine Kraft auf, wo die Kunst aufhört und das Leben beginnt; *wir* aber wollen die Dichter unseres Lebens sein, und im Kleinsten und Alltäglichsten zuerst.

300

Vorspiele der Wissenschaft. – Glaubt ihr denn, daß die Wissenschaften entstanden und groß geworden wären, wenn ihnen nicht die Zauberer, Alchimisten, Astrologen und Hexen vorangelaufen wären als die, welche mit ihren Verheißungen und Vorspiegelungen erst Durst, Hunger und Wohlgeschmack an *verborgenen und verbotenen* Mächten schaffen mußten? Ja, daß unendlich mehr hat *verheißen* werden müssen, als je erfüllt werden kann, damit überhaupt etwas im Reiche der Erkenntnis sich erfülle? – Vielleicht erscheint in gleicher Weise, wie uns sich hier Vorspiele und Vorübungen der Wissenschaft darstellen, die durchaus *nicht* als solche geübt und empfunden wurden, auch irgendeinem fernen Zeitalter die gesamte *Religion* als Übung und Vorspiel: vielleicht könnte sie das seltsame Mittel dazu gewesen sein, daß einmal einzelne Menschen die ganze Selbstgenügsamkeit eines Gottes und alle seine Kraft der Selbsterlösung genießen können. Ja! – darf man fragen – würde denn der Mensch überhaupt ohne jene religiöse Schule und Vorgeschichte es gelernt haben, nach *sich* Hunger und Durst zu spüren und aus *sich* Sattheit und Fülle zu nehmen? Mußte Prometheus erst *wähnen*, das Licht *gestohlen* zu haben und dafür büßen – um endlich zu entdecken, daß er das Licht geschaffen habe, *indem er nach dem Lichte begehrte,* und daß nicht nur der Mensch, sondern auch der *Gott* das Werk *seiner* Hände und Ton in seinen Händen gewesen sei? Alles nur Bilder des Bildners? – ebenso wie der Wahn, der Diebstahl, der Kaukasus, der Geier und die ganze tragische Prometheia aller Erkennenden?

301

Wahn der Kontemplativen. – Die hohen Menschen unterscheiden sich von den niederen dadurch, daß sie unsäglich mehr sehen und hören und denkend sehen und hören – und eben dies unterscheidet den Menschen vom Tiere und die oberen Tiere von den unteren. Die Welt wird für den immer voller, welcher in die Höhe der Menschlichkeit hinaufwächst; es werden immer mehr Angelhaken des Interesses nach ihm ausgeworfen; die Menge seiner Reize ist beständig im Wachsen und ebenso die Menge seiner Arten von Lust und Unlust – der höhere Mensch wird immer zugleich glücklicher und unglücklicher. Dabei aber bleibt ein *Wahn* sein beständiger Begleiter: er meint, als *Zuschauer* und *Zuhörer* vor das große Schau- und Tonspiel gestellt zu sein, welches das Leben ist: er nennt seine Natur eine *kontemplative* und übersieht dabei, daß er selber auch der eigentliche Dichter und Fortdichter des Lebens ist – daß er sich freilich vom *Schauspieler* dieses Dramas, dem sogenannten handelnden Menschen, sehr unterscheidet, aber noch mehr von einem bloßen Betrachter und Festgaste *vor* der Bühne. Ihm, als dem Dichter, ist gewiß *vis contemplativa* und der Rückblick auf sein Werk zu eigen, aber zugleich und vorerst die *vis creativa*, welche dem handelnden Menschen *fehlt*, was auch der Augenschein und der Allerweltsglaube sagen mag. Wir, die Denkend-Empfindenden, sind es, die wirklich und immerfort etwas *machen*, das noch nicht da ist: die ganze ewig wachsende Welt von Schätzungen, Farben, Akzenten, Perspektiven, Stu-

fenleitern, Bejahungen und Verneinungen. Diese von uns er-
fundene Dichtung wird fortwährend von den sogenannten
praktischen Menschen (unseren Schauspielern wie gesagt) ein-
gelernt, eingeübt, in Fleisch und Wirklichkeit, ja Alltäglichkeit
übersetzt. Was nur *Wert* hat in der jetzigen Welt, das hat ihn
nicht an sich, seiner Natur nach — die Natur ist immer wertlos —: sondern dem hat man einen Wert einmal gegeben, geschenkt, und *wir* waren diese Gebenden und Schenkenden!
Wir erst haben die Welt, *die den Menschen etwas angeht,* geschaffen! — Gerade dieses Wissen aber fehlt uns, und wenn wir es
einen Augenblick einmal erhaschen, so haben wir es im nächsten wieder vergessen: wir verkennen unsre beste Kraft und
schätzen uns, die Kontemplativen, um einen Grad zu gering —
wir sind *weder so stolz noch so glücklich*, als wir sein könnten.

302

Gefahr des Glücklichsten. — Feine Sinne und einen feinen Geschmack haben; an das Ausgesuchte und Allerbeste des Geistes
wie an die rechte und nächste Kost gewöhnt sein; einer starken, kühnen, verwegenen Seele genießen; mit ruhigem Auge
und festem Schritte durch das Leben gehen, immer zum Äußersten bereit wie zu einem Feste, und voll des Verlangens
nach unentdeckten Welten und Meeren, Menschen und Göttern; auf jede heitere Musik hinhorchen, als ob dort wohl tap-
fere Männer, Soldaten, Seefahrer sich eine kurze Rast und Lust
machen, und im tiefsten Genusse des Augenblicks überwältigt
werden von Tränen und von der ganzen purpurnen Schwermut des Glücklichen: wer möchte nicht, daß das alles gerade
sein Besitz, sein Zustand wäre! Es war das *Glück Homers!* Der
Zustand dessen, der den Griechen ihre Götter — nein, sich selber *seine* Götter erfunden hat! Aber man verberge es sich nicht:
mit diesem Glück Homers in der Seele ist man auch das lei-
densfähigste Geschöpf unter der Sonne! Und nur um diesen

Preis kauft man die kostbarste Muschel, welche die Wellen des Daseins bisher ans Ufer gespült haben! Man wird als ihr Besitzer immer feiner im Schmerz, und zuletzt zu fein: ein kleiner Mißmut und Ekel genügte am Ende, um Homer das Leben zu verleiden. Er hatte ein törichtes Rätselchen, das ihm junge Fischer aufgaben, nicht zu raten vermocht! Ja, die kleinen Rätsel sind die Gefahr der Glücklichsten!

303

Zwei Glückliche. – Wahrlich, dieser Mensch, trotz seiner Jugend, versteht sich auf die *Improvisation des Lebens* und setzt auch den feinsten Beobachter in Erstaunen – es scheint nämlich, daß er keinen Fehlgriff tut, ob er schon fortwährend das gewagteste Spiel spielt. Man wird an jene improvisierenden Meister der Tonkunst erinnert, denen auch der Zuhörer eine göttliche *Unfehlbarkeit* der Hand zuschreiben möchte, trotzdem, daß sie sich hier und da vergreifen, wie jeder Sterbliche sich vergreift. Aber sie sind geübt und erfinderisch, und im Augenblick immer bereit, den zufälligsten Ton, wohin ein Wurf des Fingers, eine Laune sie treibt, sofort in das thematische Gefüge einzuordnen und dem Zufalle einen schönen Sinn und eine Seele einzuhauchen. – Hier ist ein ganz anderer Mensch: dem mißrät im Grunde alles, was er will und plant. Das, woran er gelegentlich sein Herz gehängt hat, brachte ihn schon einige Male an den Abgrund und in die nächste Nähe des Unterganges; und wenn er dem noch entwischte, so doch gewiß nicht nur »mit einem blauen Auge«. Glaubt ihr, daß er darüber unglücklich ist? Er hat längst bei sich beschlossen, eigene Wünsche und Pläne nicht so wichtig zu nehmen. »Gelingt mir dies nicht«, so redet er sich zu, »dann gelingt mir vielleicht jenes; und im ganzen weiß ich nicht, ob ich nicht meinem Mißlingen mehr zu Danke verpflichtet bin als irgendwelchem Gelingen. Bin ich dazu gemacht, eigensinnig zu sein und die Hörner des Stieres zu tragen? Das, was *mir* Wert und Ergebnis des Lebens ausmacht, liegt woanders; mein Stolz und ebenso mein Elend liegt woanders. Ich weiß mehr vom Leben, weil ich so oft daran war, es zu verlieren: und eben darum *habe* ich mehr vom Leben als ihr alle!«

304

Indem wir tun, lassen wir. – Im Grunde sind mir alle jene Moralen zuwider, welche sagen: »Tue dies nicht! Entsage! Überwinde dich!« – ich bin dagegen jenen Moralen gut, welche mich antreiben, etwas zu tun und wieder zu tun und von früh bis abend und nachts davon zu träumen, und an gar nichts zu denken als: dies *gut* zu tun, so gut als es eben *mir* allein möglich ist! Wer so lebt, von dem fällt fortwährend eins um das andre ab, was nicht zu einem solchen Leben gehört: ohne Haß und Widerwillen sieht er heute dies und morgen jenes von sich Abschied nehmen, den vergilbten Blättern gleich, welche jedes bewegtere Lüftchen dem Baume entführt: oder er sieht gar nicht, daß es Abschied nimmt, so streng blickt sein Auge nach seinem Ziele und überhaupt vorwärts, nicht seitwärts, rückwärts, abwärts. Unser Tun soll bestimmen, was wir lassen: indem wir tun, lassen wir – so gefällt es mir, so lautet *mein placitum.* Aber ich will nicht mit offnen Augen meine Verarmung anstreben, ich mag alle negativen Tugenden nicht – Tugenden, deren Wesen das Verneinen und Sichversagen selber ist.

305

Selbstbeherrschung. – Jene Morallehrer, welche zuerst und zuoberst dem Menschen anbefehlen, sich in seine Gewalt zu bekommen, bringen damit eine eigentümliche Krankheit über ihn: nämlich eine beständige Reizbarkeit bei allen natürlichen

Regungen und Neigungen und gleichsam eine Art Juckens. Was auch fürderhin ihn stoßen, ziehen, anlocken, antreiben mag, von innen oder von außen her – immer scheint es diesem Reizbaren, als ob jetzt seine Selbstbeherrschung in Gefahr gerate: er darf sich keinem Instinkte, keinem freien Flügelschlage mehr anvertrauen, sondern steht beständig mit abwehrender Gebärde da, bewaffnet gegen sich selber, scharfen und mißtrauischen Auges, der ewige Wächter seiner Burg, zu der er sich gemacht hat. Ja, er kann *groß* damit sein! Aber wie unausstehlich ist er nun für andere geworden, wie schwer für sich selber, wie verarmt und abgeschnitten von den schönsten Zufälligkeiten der Seele! Ja auch von aller weiteren *Belehrung*! Denn man muß sich auf Zeiten verlieren können, wenn man den Dingen, die wir nicht selber sind, etwas ablernen will.

306

Stoiker und Epikureer. – Der Epikureer sucht sich die Lage, die Personen und selbst die Ereignisse aus, welche zu seiner äußerst reizbaren intellektuellen Beschaffenheit passen, er verzichtet auf das übrige – das heißt das allermeiste –, weil es eine zu starke und schwere Kost für ihn sein würde. Der Stoiker dagegen übt sich, Steine und Gewürm, Glassplitter und Skorpionen zu verschlucken und ohne Ekel zu sein; sein Magen soll endlich gleichgültig gegen alles werden, was der Zufall des Daseins in ihn schüttet – er erinnert an jene arabische Sekte der Assaua, die man in Algier kennenlernt; und gleich diesen Unempfindlichen hat er auch gerne ein eingeladenes Publikum bei der Schaustellung seiner Unempfindlichkeit, dessen gerade der Epikureer gerne enträt – der hat ja seinen »Garten«! Für Menschen, mit denen das Schicksal improvisiert, für solche, die in gewaltsamen Zeiten und abhängig von plötzlichen und veränderlichen Menschen leben, mag der

Stoizismus sehr ratsam sein. Wer aber einigermaßen *absieht*, daß das Schicksal ihm *einen langen Faden* zu spinnen erlaubt, tut wohl, sich epikureisch einzurichten; alle Menschen der geistigen Arbeit haben es bisher getan! Ihnen wäre es nämlich der Verlust der Verluste, die feine Reizbarkeit einzubüßen und die stoische harte Haut mit Igelstacheln dagegen geschenkt zu bekommen.

307

Zugunsten der Kritik. – Jetzt erscheint dir etwas als Irrtum, das du ehedem als eine Wahrheit oder Wahrscheinlichkeit geliebt hast: du stößt es von dir ab und wähnst, daß deine Vernunft darin einen Sieg erfochten habe. Aber vielleicht war jener Irrtum damals, als du noch ein andrer warst – du bist immer ein andrer –, dir ebenso notwendig wie alle deine jetzigen »Wahrheiten«, gleichsam als eine Haut, die dir vieles verhehlte und verhüllte, was du noch nicht sehen durftest. Dein neues Leben hat jene Meinung für dich getötet, nicht deine Vernunft: *du brauchst sie nicht mehr,* und nun bricht sie in sich selbst zusammen, und die Unvernunft kriecht wie ein Gewürm aus ihr ans Licht. Wenn wir Kritik üben, so ist es nichts Willkürliches und Unpersönliches – es ist, wenigstens sehr oft, ein Beweis davon, daß lebendige treibende Kräfte in uns da sind, welche eine Rinde abstoßen. Wir verneinen und müssen verneinen, weil etwas in uns leben und sich bejahen *will*, etwas das wir vielleicht noch nicht kennen, noch nicht sehen! – Dies zugunsten der Kritik.

308

Die Geschichte jedes Tages. – Was macht bei dir die Geschichte jedes Tages? Siehe deine Gewohnheiten an, aus denen sie besteht: sind sie das Erzeugnis zahlloser kleiner Feigheiten und Faulheiten oder das deiner Tapferkeit und erfinderischen Vernunft? So verschieden beide Fälle sind, es wäre möglich, daß die Menschen dir das gleiche Lob spendeten und daß du ihnen auch wirklich so wie so den gleichen Nutzen brächtest. Aber Lob und Nutzen und Respektabilität mögen genug für den sein, der nur ein gutes Gewissen haben will – nicht aber für dich Nierenprüfer, der du ein *Wissen um das Gewissen* hast!

309

Aus der siebenten Einsamkeit. – Eines Tages warf der Wanderer eine Tür hinter sich zu, blieb stehen und weinte. Dann sagte er: »Dieser Hang und Drang zum Wahren, Wirklichen, Unscheinbaren, Gewissen! Wie bin ich ihm böse! Warum folgt *mir* gerade dieser düstre und leidenschaftliche Treiber! Ich möchte ausruhen, aber er läßt es nicht zu. Wie vieles verführt mich nicht, zu verweilen! Es gibt überall Gärten Armidens für mich: und daher immer neue Losreißungen und neue Bitternisse des Herzens! Ich muß den Fuß weiter heben, diesen müden, verwundeten Fuß: und weil ich muß, so habe ich oft für das Schönste, das mich nicht halten konnte, einen grimmigen Rückblick – *weil* es mich nicht halten konnte!«

310

Wille und Welle. – Wie gierig kommt diese Welle heran, als ob es etwas zu erreichen gälte! Wie kriecht sie mit furchterregender Hast in die innersten Winkel des felsigen Geklüftes hinein! Es scheint, sie will jemandem zuvorkommen; es scheint, daß dort etwas versteckt ist, das Wert, hohen Wert hat. – Und nun kommt sie zurück, etwas langsamer, immer noch ganz weiß vor Erregung – ist sie enttäuscht? Hat sie gefunden, was sie suchte? Stellt sie sich enttäuscht? – Aber schon naht eine andere Welle, gieriger und wilder noch als die erste, und auch ihre Seele scheint voll von Geheimnissen und dem Gelüste der Schatzgräberei zu sein. So leben die Wellen – so leben wir, die Wollenden! – mehr sage ich nicht. – So? Ihr mißtraut mir? Ihr zürnt auf mich, ihr schönen Untiere? Fürchtet ihr, daß ich euer Geheimnis ganz verrate? Nun! Zürnt mir nur, hebt eure grünen gefährlichen Leiber so hoch ihr könnt, macht eine Mauer zwischen mir und der Sonne – so wie jetzt! Wahrlich, schon ist nichts mehr von der Welt übrig als grüne Dämmerung und grüne Blitze. Treibt es wie ihr wollt, ihr Übermütigen, brüllt vor Lust und Bosheit – oder taucht wieder hinunter, schüttet eure Smaragden hinab in die tiefste Tiefe, werft euer unendliches weißes Gezottel von Schaum und Gischt darüber weg – es ist mir alles recht, denn alles steht euch so gut, und ich bin euch für alles so gut: wie werde ich *euch* verraten! Denn – hört es wohl! – ich kenne euch und euer Geheimnis, ich kenne euer Geschlecht! Ihr und ich, wir sind ja aus *einem* Geschlecht! – Ihr und ich, wir haben ja *ein* Geheimnis!

311

Gebrochnes Licht. – Man ist nicht immer tapfer, und wenn man müde wird, dann jammert unsereiner auch wohl einmal in dieser Weise. »Es ist so schwer, den Menschen wehe zu tun – oh, daß es nötig ist! Was nützt es uns, verborgen zu leben, wenn wir nicht das für uns behalten wollen, was Ärgernis gibt? Wäre es nicht rätlicher, im Gewühl zu leben und an den einzelnen gutzumachen, was an allen gesündigt werden soll und muß? Töricht mit dem Toren, eitel mit dem Eitlen, schwärmerisch mit dem Schwärmer zu sein? Wäre es nicht billig, bei einem solchen übermütigen Grade der Abweichung im ganzen? Wenn ich von den Bosheiten anderer gegen mich höre – ist nicht mein erstes Gefühl das einer Genugtuung? So ist es recht! – scheine ich mir zu ihnen zu sagen – ich stimme so wenig zu euch und habe so viel Wahrheit auf meiner Seite: macht euch immerhin einen guten Tag auf meine Kosten, so oft ihr könnt! Hier sind meine Mängel und Fehlgriffe, hier ist mein Wahn, mein Ungeschmack, meine Verwirrung, meine Tränen, meine Eitelkeit, meine Eulen-Verborgenheit, meine Widersprüche! Hier habt ihr zu lachen! So lacht denn auch und freut euch! Ich bin nicht böse auf Gesetz und Natur der Dinge, welche wollen, daß Mängel und Fehlgriffe Freude machen! – Freilich, es gab einmal ›schönere‹ Zeiten, wo man sich noch mit jedem einigermaßen neuen Gedanken so *unentbehrlich* fühlen konnte, um mit ihm auf die Straße zu treten und jedermann zuzurufen: ›Siehe! Das Himmelreich ist nahe herbeigekommen!‹ – Ich würde mich nicht vermissen, wenn ich fehlte. Entbehrlich sind wir alle!« – Aber, wie gesagt, so denken wir nicht, wenn wir tapfer sind: wir denken nicht *daran*.

312

Mein Hund. – Ich habe meinem Schmerz einen Namen gegeben und rufe ihn »Hund« – er ist ebenso treu, ebenso zudringlich und schamlos, ebenso unterhaltend, ebenso klug wie jeder andre Hund – und ich kann ihn anherrschen und meine bösen Launen an ihm auslassen: wie es andere mit ihren Hunden, Dienern und Frauen machen.

313

Kein Marterbild. – Ich will es machen wie Raffael und kein Marterbild mehr malen. Es gibt der erhabnen Dinge genug, als daß man die Erhabenheit dort aufzusuchen hätte, wo sie mit der Grausamkeit in Schwesterschaft lebt; und mein Ehrgeiz würde zudem kein Genügen daran finden, wenn ich mich zum sublimen Folterknecht machen wollte.

314

Neue Haustiere. – Ich will meinen Löwen und meinen Adler um mich haben, damit ich allezeit Winke und Vorbedeutungen habe, zu wissen, wie groß oder wie gering meine Stärke ist. Muß ich heute zu ihnen hinabblicken und mich vor ihnen fürchten? Und wird die Stunde wiederkommen, wo sie zu mir hinauf blicken, und in Furcht?

315

Vom letzten Stündlein. – Stürme sind meine Gefahr: werde ich meinen Sturm haben, an dem ich zugrunde gehe, wie Oliver Cromwell an seinem Sturme zugrunde ging? Oder werde ich verlöschen wie ein Licht, das nicht erst der Wind ausbläst, sondern das seiner selber müde und satt wurde – ein ausgebranntes Licht? Oder endlich: werde ich mich ausblasen, um nicht auszubrennen?

316

Prophetische Menschen. – Ihr habt kein Gefühl dafür, daß prophetische Menschen sehr leidende Menschen sind: ihr meint nur, es sei ihnen eine schöne »Gabe« gegeben, und möchtet diese wohl gerne selber haben – doch ich will mich durch ein Gleichnis ausdrücken. Wie viel mögen die Tiere durch die Luft- und Wolken-Elektrizität leiden! Wir sehen, daß einige Arten von ihnen ein prophetisches Vermögen hinsichtlich des

Wetters haben, zum Beispiel die Affen (wie man selbst noch in Europa gut beobachten kann, und nicht nur in Menagerien, nämlich auf Gibraltar). Aber wir denken nicht daran, daß ihre *Schmerzen* – für sie die Propheten sind! Wenn eine starke positive Elektrizität plötzlich unter dem Einflusse einer heranziehenden, noch lange nicht sichtbaren Wolke in negative Elektrizität umschlägt und eine Veränderung des Wetters sich vorbereitet, da benehmen sich diese Tiere so, als ob ein Feind herannahe, und richten sich zur Abwehr oder zur Flucht ein; meistens verkriechen sie sich – sie verstehen das schlechte Wetter nicht als Wetter, sondern als Feind, dessen Hand sie schon *fühlen*!

317

Rückblick. – Wir werden uns des eigentlichen Pathos jeder Lebensperiode selten als eines solchen bewußt, so lange wir in ihr stehen, sondern meinen immer, es sei der einzig uns nunmehr mögliche und vernünftige Zustand und durchaus *Ethos*, nicht Pathos – mit den Griechen zu reden und zu trennen. Ein paar Töne von Musik riefen mir heute einen Winter und ein Haus und ein höchst einsiedlerisches Leben ins Gedächtnis zurück und zugleich das Gefühl, in dem ich damals lebte; – ich meinte ewig so fortleben zu können. Aber jetzt begreife ich, daß es ganz und gar Pathos und Leidenschaft war, ein Ding, vergleichbar dieser schmerzhaft-mutigen und trostsicheren Musik – dergleichen darf man nicht auf Jahre oder gar auf Ewigkeiten haben: man würde für diesen Planeten damit zu »überirdisch«.

Weisheit im Schmerz. – Im Schmerz ist so viel Weisheit wie in der Lust: er gehört gleich dieser zu den arterhaltenden Kräften ersten Ranges. Wäre er dies nicht, so würde er längst zugrunde gegangen sein; daß er weh tut, ist kein Argument gegen ihn, es ist sein Wesen. Ich höre im Schmerz den Kommandoruf des Schiffskapitäns: »zieht die Segel ein!« Auf tausend Arten die Segel zu stellen, muß der kühne Schiffahrer »Mensch« sich eingeübt haben, sonst wäre es gar zu schnell mit ihm vorbei, und der Ozean schlürfte ihn zu bald hinunter. Wir müssen auch mit verminderter Energie zu leben wissen: sobald der Schmerz sein Sicherheitssignal gibt, ist es an der Zeit, sie zu vermindern – irgendeine große Gefahr, ein Sturm ist im Anzuge, und wir tun gut, uns so wenig als möglich »aufzubauschen«. – Es ist wahr, daß es Menschen gibt, welche beim Herannahen des großen Schmerzes gerade den entgegengesetzten Kommandoruf hören und welche nie stolzer, kriegerischer und glücklicher dreinschauen, als wenn der Sturm heraufzieht; ja der Schmerz selber gibt ihnen ihre größten Augenblicke! Das sind die heroischen Menschen, die großen *Schmerzbringer* der Menschheit: jene wenigen oder seltenen, die eben dieselbe Apologie nötig haben wie der Schmerz überhaupt – und wahrlich! man soll sie ihnen nicht versagen! Es sind arterhaltende, artfördernde Kräfte ersten Ranges: und wäre es auch nur dadurch, daß sie der Behaglichkeit widerstreben und vor dieser Art Glück ihren Ekel nicht verbergen.

Als Interpreten unserer Erlebnisse. – Eine Art von Redlichkeit ist allen Religionsstiftern und ihresgleichen fremd gewesen – sie haben nie sich aus ihren Erlebnissen eine Gewissenssache der Erkenntnis gemacht. »Was habe ich eigentlich erlebt? Was ging damals in mir und um mich vor? War meine Vernunft hell genug? War mein Wille gegen alle Betrügereien der Sinne gewendet und tapfer in seiner Abwehr des Phantastischen?« – so hat keiner von ihnen gefragt, so fragen alle die lieben Religiösen auch jetzt noch nicht: sie haben vielmehr einen Durst nach Dingen, welche *wider die Vernunft* sind, und wollen es sich nicht zu schwer machen, ihn zu befriedigen – so erleben sie denn »Wunder« und »Wiedergeburten« und hören die Stimmen der Englein! Aber wir, wir anderen, Vernunft-Durstigen, wollen unsern Erlebnissen so streng ins Auge sehen, wie einem wissenschaftlichen Versuche, Stunde für Stunde, Tag um Tag! Wir selber wollen unsre Experimente und Versuchs-Tiere sein!

320

Beim Wiedersehen. – A: Verstehe ich dich noch ganz? Du suchst? Wo ist inmitten der jetzt wirklichen Welt *dein* Winkel und Stern! Wo kannst *du* dich in die Sonne legen, so daß auch dir ein Überschuß von Wohl kommt und dein Dasein sich rechtfertigt? Möge das jeder für sich selber tun – scheinst du mir zu sagen – und das Reden ins Allgemeine, das Sorgen für den anderen und die Gesellschaft sich aus dem Sinne schlagen! – B: Ich will mehr, ich bin kein Suchender. Ich will für mich eine eigene Sonne schaffen.

321

Neue Vorsicht. – Laßt uns nicht mehr so viel an Strafen, Tadeln und Bessern denken! Einen einzelnen werden wir selten verändern; und wenn es uns gelingen sollte, so ist vielleicht unbesehens auch etwas mitgelungen: *wir* sind durch ihn verändert worden! Sehen wir viel mehr zu, daß unser eigener

Einfluß *auf alles Kommende* seinen Einfluß aufwiegt und über-
wiegt! Ringen wir nicht im direkten Kampfe! – und das ist
auch alles Tadeln, Strafen und Bessernwollen. Sondern erheben wir uns selber um so höher! Geben wir unserem Vorbilde
immer leuchtendere Farben! Verdunkeln wir den andern
durch unser Licht! Nein! Wir wollen nicht um seinetwillen
selber *dunkler* werden, gleich allen Strafenden und Unzufriedenen! Gehen wir lieber beiseite! Sehen wir weg!

322

Gleichnis. – Jene Denker, in denen alle Sterne sich in ky-
klischen Bahnen bewegen, sind nicht die tiefsten; wer in sich
wie in einen ungeheuren Weltraum hineinsieht und Milchstraßen in sich trägt, der weiß auch, wie unregelmäßig alle
Milchstraßen sind; sie führen bis ins Chaos und Labyrinth des
Daseins hinein.

323

Glück im Schicksal. – Die größte Auszeichnung erweist uns das
Schicksal, wenn es uns eine Zeitlang auf der Seite unserer
Gegner hat kämpfen lassen. Damit sind wir *vorherbestimmt* zu
einem großen Siege.

324

In media vita! – Nein! Das Leben hat mich nicht enttäuscht!
Von Jahr zu Jahr finde ich es vielmehr wahrer, begehrenswer-
ter und geheimnisvoller – von jenem Tage an, wo der große
Befreier über mich kam, jener Gedanke, daß das Leben ein
Experiment des Erkennenden sein dürfe – und nicht eine

Pflicht, nicht ein Verhängnis, nicht eine Betrügerei! – Und die Erkenntnis selber: mag sie für andere etwas anderes sein, zum Beispiel ein Ruhebett oder der Weg zu einem Ruhebett, oder eine Unterhaltung, oder ein Müßiggang – für mich ist sie eine Welt der Gefahren und Siege, in der auch die heroischen Gefühle ihre Tanz- und Tummelplätze haben. *»Das Leben ein Mittel der Erkenntnis«* – mit diesem Grundsatze im Herzen kann man nicht nur tapfer, sondern sogar fröhlich leben und fröhlich lachen! Und wer verstünde überhaupt gut zu lachen und zu leben, der sich nicht vorerst auf Krieg und Sieg gut verstünde?

325

Was zur Größe gehört. – Wer wird etwas Großes erreichen, wenn er nicht die Kraft und den Willen in sich fühlt, große Schmerzen *zuzufügen*? Das Leidenkönnen ist das wenigste: darin bringen es schwache Frauen und selbst Sklaven oft zur Meisterschaft. Aber nicht an innerer Not und Unsicherheit zugrunde gehn, wenn man großes Leid zufügt und den Schrei dieses Leides hört – das ist groß, das gehört zur Größe.

326

Die Seelen-Ärzte und der Schmerz. – Alle Moralprediger, wie auch alle Theologen, haben eine gemeinsame Unart: alle suchen den Menschen aufzureden, sie befänden sich sehr schlecht und es tue eine harte letzte radikale Kur not. Und weil die Menschen insgesamt jenen Lehren ihr Ohr zu eifrig und ganze Jahrhunderte lang hingehalten haben, ist zuletzt wirklich etwas von jenem Aberglauben, daß es ihnen sehr schlecht gehe, auf sie übergegangen: so daß sie jetzt gar zu gerne einmal bereit sind, zu seufzen und nichts mehr am

Leben zu finden und miteinander betrübte Mienen zu machen, wie als ob es doch gar schwer *auszuhalten* sei. In Wahrheit sind sie unbändig ihres Lebens sicher und in dasselbe verliebt und voller unsäglicher Listen und Feinheiten, um das Unangenehme zu brechen und dem Schmerze und Unglücke seinen Dorn auszuziehen. Es will mir scheinen, daß vom Schmerze und Unglücke immer *übertrieben* geredet werde, wie als ob es eine Sache der guten Lebensart sei, hier zu übertreiben: man schweigt dagegen geflissentlich davon, daß es gegen den Schmerz eine Unzahl Linderungsmittel gibt, wie Betäubungen, oder die fieberhafte Hast der Gedanken, oder eine ruhige Lage, oder gute und schlimme Erinnerungen, Absichten, Hoffnungen, und viele Arten von Stolz und Mitgefühl, die beinahe die Wirkung von *Anaestheticis* haben: während bei den höchsten Graden des Schmerzes schon von selber Ohnmachten eintreten. Wir verstehen uns ganz gut darauf, Süßigkeiten auf unsere Bitternisse zu träufeln, namentlich auf die Bitternisse der Seele; wir haben Hilfsmittel in unserer Tapferkeit und Erhabenheit, sowie in den edleren Delirien der Unterwerfung und der Resignation. Ein Verlust ist kaum eine Stunde ein Verlust: irgendwie ist uns damit auch ein Geschenk vom Himmel gefallen – eine neue Kraft zum Beispiel: und sei es auch nur eine neue Gelegenheit zur Kraft! Was haben die Moralprediger vom inneren »Elend« der bösen Menschen phantasiert! Was haben sie gar vom Unglücke der leidenschaftlichen Menschen uns *vorgelogen*! – ja, lügen ist hier das rechte Wort: sie haben um das überreiche Glück dieser Art von Menschen recht wohl gewußt, aber es totgeschwiegen, weil es eine Widerlegung ihrer Theorie war, nach der alles Glück erst mit der Vernichtung der Leidenschaft und dem Schweigen des Willens entsteht! Und was zuletzt das Rezept aller dieser Seelen-Ärzte betrifft und ihre Anpreisung einer harten radikalen Kur, so ist es erlaubt zu fragen: ist dieses unser Leben wirklich schmerzhaft und lästig genug, um mit Vorteil eine stoische Lebensweise und Versteinerung dagegen einzutauschen? Wir befinden uns *nicht schlecht genug,* um uns auf stoische Art schlecht befinden zu müssen!

327

Ernst nehmen. – Der Intellekt ist bei den allermeisten eine schwerfällige, finstere und knarrende Maschine, welche übel in Gang zu bringen ist: sie nennen es »die Sache *ernst nehmen*«, wenn sie mit dieser Maschine arbeiten und gut denken wollen – oh wie lästig muß ihnen das Gut-Denken sein! Die liebliche Bestie Mensch verliert jedesmal, wie es scheint, die gute Laune, wenn sie gut denkt: sie wird »ernst«! Und »wo Lachen und Fröhlichkeit ist, da taugt das Denken nichts« – so lautet das Vorurteil dieser ernsten Bestie gegen alle »fröhliche Wissenschaft«. – Wohlan! Zeigen wir, daß es ein Vorurteil ist!

328

Der Dummheit Schaden tun. – Gewiß hat der so hartnäckig und überzeugt gepredigte Glaube von der Verwerflichkeit des Egoismus im ganzen dem Egoismus Schaden getan (*zugunsten,* wie ich hundertmal wiederholen werde, *der Herden-Instinkte!*) namentlich dadurch, daß er ihm das gute Gewissen nahm und in ihm die eigentliche *Quelle alles Unglücks* suchen hieß. »Deine Selbstsucht ist das Unheil deines Lebens« – so klang die Predigt jahrtausendelang: es tat, wie gesagt, der Selbstsucht Schaden und nahm ihr viel Geist, viel Heiterkeit, viel Erfindsamkeit, viel Schönheit; es verdummte und verhäßlichte und vergiftete die Selbstsucht! – Das philosophische Altertum lehrte dagegen eine andere Hauptquelle des Unheils: von Sokrates an wurden die Denker nicht müde zu predigen: »eure Gedankenlosigkeit und Dummheit, euer Dahinleben nach der Regel, eure Unterordnung unter die Meinung des Nachbars ist der Grund, weshalb ihr es so selten zum Glücke bringt – wir Denker sind als Denker die Glücklichsten.« Entscheiden wir hier nicht, ob diese Predigt gegen die Dummheit bessere Gründe für sich hatte als jene Predigt gegen die Selbstsucht; gewiß aber ist dies, daß sie der Dummheit das gute Gewissen nahm – diese Philosophen haben der Dummheit *Schaden getan!*

329

Muße und Müßiggang. – Es ist eine indianerhafte, dem Indianer-Blute eigentümliche Wildheit in der Art, wie die Amerikaner nach Gold trachten: und ihre atemlose Hast der Arbeit – das eigentliche Laster der neuen Welt – beginnt bereits durch Ansteckung das alte Europa wild zu machen und eine ganz wunderliche Geistlosigkeit darüber zu breiten. Man schämt sich jetzt schon der Ruhe; das lange Nachsinnen macht beinahe Gewissensbisse. Man denkt mit der Uhr in der Hand, wie man zu Mittag ißt, das Auge auf das Börsenblatt gerichtet, – man lebt wie einer, der fortwährend etwas »versäumen könnte«. »Lieber irgend etwas tun als nichts« – auch dieser Grundsatz ist eine Schnur, um aller Bildung und allem höheren Geschmack den Garaus zu machen. Und so wie sichtlich alle Formen an dieser Hast der Arbeitenden zugrundegehn: so geht auch das Gefühl für die Form selber, das Ohr und Auge für die Melodie der Bewegungen zugrunde. Der Beweis dafür liegt in der jetzt überall geforderten *plumpen Deutlichkeit,* in allen den Lagen, wo der Mensch einmal redlich mit Menschen sein will, im Verkehre mit Freunden, Frauen, Verwandten, Kindern, Lehrern, Schülern, Führern und Fürsten – man hat keine Zeit und keine Kraft mehr für die Zeremonien, für die Verbindlichkeit mit Umwegen, für allen Esprit der Unterhaltung und überhaupt für alles *Otium.* Denn das Leben auf der

Jagd nach Gewinn zwingt fortwährend dazu, seinen Geist bis zur Erschöpfung auszugeben, im beständigen Sich-Verstellen oder Überlisten oder Zuvorkommen: die eigentliche Tugend ist jetzt, etwas in weniger Zeit zu tun als ein anderer. Und so gibt es nur selten Stunden der *erlaubten* Redlichkeit: in diesen aber ist man müde und möchte sich nicht nur »gehen lassen«, sondern lang und breit und plump sich *hinstrecken*. Gemäß diesem Hange schreibt man jetzt seine *Briefe*: deren Stil und Geist das eigentliche »Zeichen der Zeit« sein werden. Gibt es noch ein Vergnügen an Gesellschaft und an Künsten, so ist es ein Vergnügen, wie es müde gearbeitete Sklaven sich zurecht machen. Oh über diese Genügsamkeit der »Freude« bei unsern Gebildeten und Ungebildeten! Oh über diese zunehmende Verdächtigung aller Freude! Die *Arbeit* bekommt immer mehr alles gute Gewissen auf ihre Seite: der Hang zur Freude nennt sich bereits »Bedürfnis der Erholung« und fängt an sich vor sich selber zu schämen. »Man ist es seiner Gesundheit schuldig« – so redet man, wenn man auf einer Landpartie ertappt wird. Ja es könnte bald so weit kommen, daß man einem Hange zur *vita contemplativa* (das heißt zum spazierengehen mit Gedanken und Freunden) nicht ohne Selbstverachtung und schlechtes Gewissen nachgäbe. – Nun! Ehedem war es umgekehrt: die Arbeit hatte das schlechte Gewissen auf sich. Ein Mensch von guter Abkunft *verbarg* seine Arbeit, wenn die Not ihn zum Arbeiten zwang. Der Sklave arbeitete unter dem Druck des Gefühls, daß er etwas Verächtliches tue – das »Tun« selber war etwas Verächtliches. »Die Vornehmheit und die Ehre sind allein bei *otium* und *bellum*«: so klang die Stimme des antiken Vorurteils!

330

Beifall. – Der Denker bedarf des Beifalls und des Händeklatschens nicht, vorausgesetzt daß er seines eignen Händeklatschens sicher ist: dies aber kann er nicht entbehren. Gibt es

Menschen, welche auch dessen und überhaupt jeder Gattung von Beifall entraten könnten? Ich zweifle; und selbst in betreff der Weisesten sagt Tacitus, der kein Verleumder der Weisen ist: *quando etiam sapientibus gloriae cupido novissima exuitur* – das heißt bei ihm: niemals.

331

Lieber taub, als betäubt. – Ehemals wollte man sich einen *Ruf* machen: das genügt jetzt nicht mehr, da der Markt zu groß geworden ist – es muß ein *Geschrei* sein. Die Folge ist, daß auch gute Kehlen sich überschreien, und die besten Waren von heiseren Stimmen ausgeboten werden; ohne Marktschreierei und Heiserkeit gibt es jetzt kein Genie mehr. – Das ist nun freilich ein böses Zeitalter für den Denker: er muß lernen, zwischen zwei Lärmen noch seine Stille zu finden, und sich so lange taub stellen, bis er es ist. Solange er dies noch nicht gelernt hat, ist er freilich in Gefahr, vor Ungeduld und Kopfschmerzen zugrundezugehen.

332

Die böse Stunde. – Es hat wohl für jeden Philosophen eine böse Stunde gegeben, wo er dachte: was liegt an mir, wenn man mir nicht auch meine schlechten Argumente glaubt! – Und dann flog irgendein schadenfrohes Vögelchen an ihm vorüber und zwitscherte: »Was liegt an dir! Was liegt an dir!«

· 333

Was heißt erkennen? – Non ridere, non lugere, neque detestari, sed intelligere! sagt Spinoza, so schlicht und erhaben, wie es seine

Art ist. Indessen: was ist dies *intelligere* im letzten Grunde anderes als die Form, in der uns eben jene drei auf einmal fühlbar werden? Ein Resultat aus den verschiedenen und sich widerstrebenden Trieben des Verlachen-, Beklagen-, Verwünschen-wollens? Bevor ein Erkennen möglich ist, muß jeder dieser Triebe erst seine einseitige Ansicht über das Ding oder Vorkommnis vorgebracht haben; hinterher entstand der Kampf dieser Einseitigkeiten und aus ihm bisweilen eine Mitte, eine Beruhigung, ein Rechtgeben nach allen drei Seiten, eine Art Gerechtigkeit und Vertrag: denn vermöge der Gerechtigkeit und des Vertrags können alle diese Triebe sich im Dasein behaupten und miteinander recht behalten. Wir, denen nur die letzten Versöhnungsszenen und Schloß-Abrechnungen dieses langen Prozesses zum Bewußtsein kommen, meinen demnach, *intelligere* sei etwas Versöhnliches, Gerechtes, Gutes, etwas wesentlich den Trieben Entgegengesetztes; während es nur ein *gewisses Verhalten der Triebe zueinander ist.* Die längsten Zeiten hindurch hat man bewußtes Denken als das Denken überhaupt betrachtet: jetzt erst dämmert uns die Wahrheit auf, daß der allergrößte Teil unseres geistigen Wirkens uns unbewußt, ungefühlt verläuft: ich meine aber, diese Triebe, die hier miteinander kämpfen, werden recht wohl verstehen, sich *einander* dabei fühlbar zu machen und wehe zu tun –: jene gewaltige plötzliche Erschöpfung, von der alle Denker heimgesucht werden, mag da ihren Ursprung haben (es ist die Erschöpfung auf dem Schlachtfelde). Ja vielleicht gibt es in unserm kämpfenden Innern manches verborgene *Heroentum*, aber gewiß nichts Göttliches, Ewig-in sich-Ruhendes, wie Spinoza meinte. Das *bewußte* Denken, und namentlich das des Philosophen, ist die unkräftigste und deshalb auch die verhältnismäßig mildeste und ruhigste Art des Denkens: und so kann gerade der Philosoph am leichtesten über die Natur des Erkennens irre geführt werden.

Man muß lieben lernen. – So geht es uns in der Musik: erst muß man eine Figur und Weise überhaupt *hören lernen*, heraushören, unterscheiden, als ein Leben für sich isolieren und abgrenzen; dann braucht es Mühe und guten Willen, sie zu *ertragen*, trotz ihrer Fremdheit, Geduld gegen ihren Blick und Ausdruck, Mildherzigkeit gegen das Wunderliche an ihr zu üben –: endlich kommt ein Augenblick, wo wir ihrer *gewohnt* sind, wo wir sie erwarten, wo wir ahnen, daß sie uns fehlen würde, wenn sie fehlte; und nun wirkt sie ihren Zwang und Zauber fort und fort und endet nicht eher, als bis wir ihre demütigen und entzückten Liebhaber geworden sind, die nichts Besseres von der Welt mehr wollen als sie und wieder sie. – So geht es uns aber nicht nur mit der Musik: gerade so haben wir alle Dinge, die wir jetzt lieben, *lieben gelernt.* Wir werden schließlich immer für unsern guten Willen, unsere Geduld, Billigkeit, Sanftmütigkeit gegen das Fremde belohnt, indem das Fremde langsam seinen Schleier abwirft und sich als neue unsägliche Schönheit darstellt –: es ist sein *Dank* für unsre Gastfreundschaft. Auch wer sich selber liebt, wird es auf diesem Wege gelernt haben: es gibt keinen anderen Weg. Auch die Liebe muß man lernen.

Hoch die Physik! – Wie viel Menschen verstehen denn zu beobachten! Und unter den wenigen, die es verstehen – wie viele beobachten sich selber! »Jeder ist sich selber der Fernste« – das wissen alle Nierenprüfer, zu ihrem Unbehagen; und der Spruch »erkenne dich selbst!« ist, im Munde eines Gottes und zu Menschen geredet, beinahe eine Bosheit. Daß es aber so verzweifelt mit der Selbstbeobachtung steht, dafür zeugt nichts mehr als die Art, wie über das Wesen einer moralischen

Handlung *fast von jedermann* gesprochen wird, diese schnelle, bereitwillige, überzeugte, redselige Art, mit ihrem Blick, ihrem Lächeln, ihrem gefälligen Eifer! Man scheint dir sagen zu wollen: »Aber mein Lieber, das gerade ist *meine* Sache! Du wendest dich mit deiner Frage an den, der antworten *darf*: ich bin zufällig in nichts so weise wie hierin. Also: wenn der Mensch urteilt ›*so ist es recht*‹, wenn er darauf schließt ›*darum muß es geschehen!*‹ und nun *tut*, was er dergestalt als recht erkannt und als notwendig bezeichnet hat – so ist das Wesen seiner Handlung *moralisch*!« Aber, mein Freund, du sprichst mir da von drei Handlungen statt von einer: auch dein Urteilen, zum Beispiel »so ist es recht«, ist eine Handlung – könnte nicht schon auf eine moralische und auf eine unmoralische Weise geurteilt werden? *Warum* hältst du dies und gerade dies für recht? – »Weil mein Gewissen es mir sagt; das Gewissen redet nie unmoralisch, es bestimmt ja erst, was moralisch sein soll!« – Aber warum *hörst* du auf die Sprache deines Gewissens? Und inwiefern hast du ein Recht, ein solches Urteil als wahr und untrüglich anzusehen? Für diesen *Glauben* – gibt es da kein Gewissen mehr? Weißt du nichts von einem intellektuellen Gewissen? Einem Gewissen hinter deinem »Gewissen«? Dein Urteil »so ist es recht« hat eine Vorgeschichte in deinen Trieben, Neigungen, Abneigungen, Erfahrungen und Nicht-Erfahrungen; »*wie* ist es da entstanden?« mußt du fragen, und hinterher noch: »*was* treibt mich eigentlich, ihm Gehör zu schenken?« Du kannst seinem Befehle Gehör schenken wie ein braver Soldat, der den Befehl seines Offiziers vernimmt. Oder wie ein Weib, das den liebt, der befiehlt. Oder wie ein Schmeichler und Feigling, der sich vor dem Befehlenden fürchtet. Oder wie ein Dummkopf, welcher folgt, weil er nichts dagegen zu sagen hat. Kurz, auf hundert Arten kannst du deinem Gewissen Gehör geben. *Daß* du aber dies und jenes Urteil als Sprache des Gewissens hörst – also, *daß* du etwas als recht empfindest, kann seine Ursache darin haben, daß du nie über dich nachgedacht hast und blindlings annahmst, was dir als *recht* von Kindheit an bezeichnet worden ist: oder darin, daß dir Brot und Ehren bisher mit dem zuteil wurde, was du deine Pflicht nennst, – es gilt dir als »recht«, weil es dir *deine* »Existenz-Bedingung« scheint (daß du aber ein *Recht* auf Existenz habest, dünkt dich unwiderleglich!). Die *Festigkeit* deines moralischen Urteils könnte immer noch ein Beweis gerade von persönlicher Erbärmlichkeit, von Unpersönlichkeit sein, deine »moralische Kraft« könnte ihre Quelle in deinem Eigensinn haben – oder in deiner Unfähigkeit, neue Ideale zu schauen! Und, kurz gesagt: wenn du feiner gedacht, besser beobachtet und mehr gelernt hättest, würdest du diese deine »Pflicht« und dies dein »Gewissen« unter allen Umständen nicht mehr Pflicht und Gewissen benennen: die Einsicht darüber, *wie überhaupt jemals moralische Urteile entstanden sind,* würde dir diese pathetischen Worte verleiden – so wie dir schon andre pathetische Worte, zum Beispiel »Sünde«, »Seelenheil«, »Erlösung« verleidet sind. – Und nun rede mir nicht vom kategorischen Imperativ, mein Freund! – dies Wort kitzelt mein Ohr und ich muß lachen, trotz deiner so ernsthaften Gegenwart: ich gedenke dabei des alten Kant, der, zur Strafe dafür, daß er »das Ding an sich« – auch eine sehr lächerliche Sache! – sich *erschlichen* hatte, vom »kategorischen Imperativ« beschlichen wurde und mit ihm im Herzen sich wieder zu »Gott«, »Seele«, »Freiheit« und »Unsterblichkeit« *zurückverirrte,* einem Fuchse gleich, der sich in seinen Käfig zurückverirrt – und *seine* Kraft und Klugheit war es gewesen, welche diesen Käfig *erbrochen* hatte! – Wie? Du bewunderst den kategorischen Imperativ in dir? Diese »Festigkeit« deines sogenannten moralischen Urteils? Diese »Unbedingtheit« des Gefühls »so wie ich, müssen hierin alle urteilen«? Bewundere vielmehr deine *Selbstsucht* darin! Und die Blindheit, Kleinlichkeit und Anspruchslosigkeit deiner Selbstsucht! Selbstsucht nämlich ist es, *sein* Urteil als Allgemeingesetz zu empfinden; und eine blinde, kleinliche und anspruchslose Selbstsucht hinwiederum, weil sie verrät, daß du dich selber noch nicht entdeckt, dir selber noch kein eigenes, eigenstes Ideal geschaffen hast – dies nämlich könnte niemals das eines anderen sein, geschweige denn aller, aller! – – Wer noch urteilt »so müßte in diesem Falle jeder handeln«, ist noch nicht fünf Schritt weit in der Selbsterkenntnis gegangen: sonst würde er wissen, daß es weder gleiche Handlungen gibt, noch geben kann – daß jede Handlung, die getan worden ist, auf eine ganz einzige und unwiderbringliche Art getan wurde, und daß es ebenso mit jeder zukünftigen Handlung stehen wird, daß alle Vorschriften des Handelns sich nur auf die gröbliche Außenseite beziehen (und selbst die innerlichsten und feinsten Vorschriften aller bisherigen Moralen) – daß mit ihnen wohl ein Schein der Gleichheit, *aber eben nur ein Schein* erreicht werden kann – daß *jede* Handlung, beim Hinblick oder Rückblick auf sie, eine undurchdringliche Sache ist und bleibt – daß unsere Meinungen von »gut«, »edel«, »groß« durch unsere Handlungen nie *bewiesen* werden können, weil jede Handlung unerkennbar ist – daß sicherlich unsere Meinungen, Wertschätzungen und Gütertafeln zu den mächtigsten Hebeln im Räderwerk unserer Handlungen gehören, daß aber für jeden einzelnen Fall das Gesetz ihrer Mechanik unnachweisbar ist. *Beschränken* wir uns also auf die Reinigung unserer Meinungen und Wertschätzungen und auf die *Schöpfung neuer eigener Gütertafeln* – über den »moralischen Wert unserer Handlungen« aber wollen wir nicht mehr grübeln! Ja, meine Freunde! In Hinsicht auf das ganze moralische Geschwätz der einen über die andern ist der Ekel an der Zeit! Moralisch zu Gericht sitzen, soll uns wider den Geschmack gehen! Überlassen wir dies Geschwätz und diesen üblen Geschmack denen, welche nicht mehr zu tun haben, als die Vergangenheit um ein kleines Stück weiter durch die Zeit zu schleppen, und welche selber niemals Gegenwart sind – den vielen also, den allermeisten! Wir aber *wollen die werden, die wir sind* – die Neuen, die Einmaligen, die Unvergleichbaren, die Sich-selber-Gesetzgebenden, die Sich-selber-Schaffenden!

Und dazu müssen wir die besten Lerner und Entdecker alles Gesetzlichen und Notwendigen in der Welt werden: wir müssen *Physiker* sein, um in jenem Sinne *Schöpfer* sein zu können – während bisher alle Wertschätzungen und Ideale auf Unkenntnis der Physik oder im *Widerspruche* mit ihr aufgebaut waren. Und darum: Hoch die Physik! Und höher noch das, was uns zu ihr *zwingt* – unsere Redlichkeit!

336

Geiz der Natur. – Warum ist die Natur so kärglich gegen den Menschen gewesen, daß sie ihn nicht leuchten ließ, diesen mehr, jenen weniger, je nach seiner innern Lichtfülle? Warum haben große Menschen nicht eine so schöne Sichtbarkeit in ihrem Aufgange und Niedergange wie die Sonne? Wie viel unzweideutiger wäre alles Leben unter Menschen!

337

Die zukünftige »Menschlichkeit«. – Wenn ich mit den Augen eines fernen Zeitalters nach diesem hinsehe, so weiß ich an dem gegenwärtigen Menschen nichts Merkwürdigeres zu finden als seine eigentümliche Tugend und Krankheit, genannt »der historische Sinn«. Es ist ein Ansatz zu etwas ganz Neuem und Fremdem in der Geschichte: gebe man diesem Keime einige Jahrhunderte und mehr, so könnte daraus am Ende ein wundervolles Gewächs mit einem eben so wundervollen Geruche werden, um dessentwillen unsere alte Erde angenehmer zu bewohnen wäre als bisher. Wir Gegenwärtigen fangen eben an, die Kette eines zukünftigen sehr mächtigen Gefühls zu bilden, Glied um Glied – wir wissen kaum, was wir tun. Fast scheint es uns, als ob es sich nicht um ein neues Gefühl, sondern um die Abnahme aller alten Gefühle handele – der historische Sinn ist noch etwas so Armes und Kaltes, und viele werden von ihm wie von einem Froste befallen und durch ihn noch ärmer und kälter gemacht. Anderen erscheint er als das Anzeichen des heranschleichenden Alters, und unser Planet gilt ihnen als ein schwermütiger Kranker, der, um seine Gegenwart zu vergessen, sich seine Jugendgeschichte aufschreibt. In der Tat, dies ist *eine* Farbe dieses neuen Gefühls: wer die Geschichte der Menschen insgesamt als *eigne Geschichte* zu fühlen weiß, der empfindet in einer ungeheuren Verallgemeinerung allen jenen Gram des Kranken, der an die Gesundheit, des Greises, der an den Jugendtraum denkt, des Liebenden, der der Geliebten beraubt wird, des Märtyrers, dem sein Ideal zugrundegeht, des Helden am Abend der Schlacht, welche nichts entschieden hat und doch ihm Wunden und den Verlust des Freundes brachte –; aber diese ungeheure Summe von Gram aller Art tragen, tragen können und nun doch noch der Held sein, der beim Anbruch eines zweiten Schlachttages die Morgenröte und sein Glück begrüßt, als der Mensch eines Horizontes von Jahrtausenden vor sich und hinter sich, als der Erbe aller Vornehmheit alles vergangnen Geistes und der verpflichtete Erbe, als der Adeligste aller alten Edlen und zugleich der Erstling eines neuen Adels, dessengleichen noch keine Zeit sah und träumte: dies alles auf seine Seele nehmen, Ältestes, Neuestes, Verluste, Hoffnungen, Eroberungen, Siege der Menschheit; dies alles endlich in *einer* Seele haben und in *ein* Gefühl zusammendrängen – dies müßte doch ein Glück ergeben, das bisher der Mensch noch nicht kannte – eines Gottes Glück voller Macht und Liebe, voller Tränen und voll Lachens, ein Glück, welches, wie die Sonne am Abend, fortwährend aus seinem unerschöpflichen Reichtume wegschenkt und ins Meer schüttet und, wie sie, sich erst dann am reichsten fühlt, wenn auch der ärmste Fischer noch mit goldnem Ruder rudert! Dieses göttliche Gefühl hieße dann – Menschlichkeit!

Der Wille zum Leiden und die Mitleidigen. – Ist es euch selber zuträglich, vor allem mitleidige Menschen zu sein? Und ist es den Leidenden zuträglich, wenn ihr es seid? Doch lassen wir die erste Frage für einen Augenblick ohne Antwort. – Das, woran wir am tiefsten und persönlichsten leiden, ist fast allen anderen unverständlich und unzugänglich: darin sind wir dem Nächsten verborgen, und wenn er mit uns aus einem Topfe ißt. Überall aber, wo wir als Leidende bemerkt werden, wird unser Leiden flach ausgelegt; es gehört zum Wesen der mitleidigen Affektion, daß sie das fremde Leid des eigentlich Persönlichen *entkleidet* – unsre »Wohltäter« sind mehr als unsre Feinde die Verkleinerer unsres Wertes und Willens. Bei den meisten Wohltaten, die Unglücklichen erwiesen werden, liegt etwas Empörendes in der intellektuellen Leichtfertigkeit, mit der da der Mitleidige das Schicksal spielt: er weiß nichts von der ganzen inneren Folge und Verflechtung, welche Unglück für *mich* oder für *dich* heißt! Die gesamte Ökonomie meiner Seele und deren Ausgleichung durch das »Unglück«, das Aufbrechen neuer Quellen und Bedürfnisse, das Zuwachsen alter Wunden, das Abstoßen ganzer Vergangenheiten – das alles, was mit dem Unglück verbunden sein kann, kümmert den lieben Mitleidigen nicht: er will *helfen* und denkt nicht daran, daß es eine persönliche Notwendigkeit des Unglücks gibt, daß mir und dir Schrecken, Entbehrungen, Verarmungen, Mitternächte, Abenteuer, Wagnisse, Fehlgriffe so nötig sind wie ihr Gegenteil, ja daß, um mich mystisch auszudrücken, der Pfad zum eigenen Himmel immer durch die Wollust der eigenen Hölle geht. Nein, davon weiß er nichts: die »Religion des Mitleidens« (oder »das Herz«) gebietet zu helfen, und man glaubt am besten geholfen zu haben, wenn man am schnellsten geholfen hat! Wenn ihr Anhänger dieser Religion dieselbe Gesinnung, die ihr gegen die Mitmenschen habt, auch wirklich gegen euch selber habt, wenn ihr euer eigenes Leiden nicht eine Stunde auf euch liegen lassen wollt und immerfort allem möglichen Unglücke von ferne her schon vorbeugt, wenn ihr Leid und Unlust überhaupt als böse, hassenswert, vernichtungswürdig, als Makel am Dasein empfindet: nun, dann habt ihr, außer eurer Religion des Mitleidens, auch noch eine andere Religion im Herzen, und diese ist vielleicht die Mutter von jener – die *Religion der Behaglichkeit*. Ach, wie wenig wißt ihr vom *Glücke* des Menschen, ihr Behaglichen und Gutmütigen! denn das Glück und das Unglück sind zwei Geschwister und Zwillinge, die miteinander großwachsen oder, wie bei euch, miteinander – *klein bleiben!* Aber nun zur ersten Frage zurück. – Wie ist es nur möglich, auf *seinem* Wege zu bleiben! Fortwährend ruft uns irgendein Geschrei seitwärts; unser Auge sieht da selten etwas, wobei es nicht nötig wird, augenblicklich unsre eigne Sache zu lassen und zuzuspringen. Ich weiß es: es gibt hundert anständige und rühmliche Arten, um mich *von meinem Wege* zu verlieren, und wahrlich höchst »moralische« Arten! Ja, die Ansicht der jetzigen Mitleid-Moralprediger geht sogar dahin, daß eben dies und nur dies allein moralisch sei – sich dergestalt von *seinem* Wege zu verlieren und dem Nächsten beizuspringen. Ich weiß es ebenso gewiß: ich brauche mich nur dem Anblicke einer wirklichen Not auszuliefern, so *bin* ich auch verloren! Und wenn ein leidender Freund zu mir sagte: »Siehe, ich werde bald sterben; versprich mir doch, mit mir zu sterben« – ich verspräche es, ebenso wie mich der Anblick jenes für seine Freiheit kämpfenden Bergvölkchens dazu bringen würde, ihm meine Hand und mein Leben anzubieten – um einmal aus guten Gründen schlechte Beispiele zu wählen. Ja, es gibt eine heimliche Verführung sogar in alle diesem Mitleid-Erweckenden und Hilfe-Rufenden: eben unser »eigener Weg« ist eine zu harte und anspruchsvolle Sache und zu ferne von der Liebe und Dankbarkeit der anderen – wir entlaufen ihm gar nicht ungern, ihm und unserm eigensten Gewissen, und flüchten uns unter das Gewissen der anderen und

hinein in den lieblichen Tempel der »Religion des Mitleidens«. Sobald jetzt irgend ein Krieg ausbricht, so bricht damit
immer auch gerade in den Edelsten eines Volkes eine freilich
geheim gehaltene Lust aus: sie werfen sich mit Entzücken der
neuen Gefahr des *Todes* entgegen, weil sie in der Aufopferung
für das Vaterland endlich jene lange gesuchte Erlaubnis zu
haben glauben – die Erlaubnis, *ihrem Ziele auszuweichen* – der
Krieg ist für sie ein Umweg zum Selbstmord, aber ein
Umweg mit gutem Gewissen. Und, um hier einiges zu verschweigen: so will ich doch meine Moral nicht verschweigen,
welche zu mir sagt: Lebe im Verborgenen, damit du dir leben
kannst! Lebe *unwissend* über das, was deinem Zeitalter das
Wichtigste dünkt! Lege zwischen dich und heute wenigstens
die Haut von drei Jahrhunderten! Und das Geschrei von
heute, der Lärm der Kriege und Revolutionen soll dir ein
Gemurmel sein! Du wirst auch helfen wollen: aber nur
denen, deren Not du ganz *verstehst*, weil sie mit dir *ein* Leid
und *eine* Hoffnung haben – deinen *Freunden*: und nur auf die
Weise, wie du dir selber hilfst – ich will sie mutiger, aushal-
tender, einfacher, fröhlicher machen! Ich will sie das lehren,
was jetzt so wenige verstehen und jene Prediger des Mitleidens am wenigsten – *die Mitfreude!*

339

Vita femina. – Die letzten Schönheiten eines Werkes zu
sehen – dazu reicht alles Wissen und aller guter Wille nicht
aus; es bedarf der seltensten glücklichen Zufälle, damit einmal
der Wolkenschleier von diesen Gipfeln für uns weiche und
die Sonne auf ihnen glühe. Nicht nur müssen wir gerade an
der rechten Stelle stehen, dies zu sehen: es muß gerade unsere
Seele selber den Schleier von ihren Höhen weggezogen
haben und eines äußern Ausdruckes und Gleichnisses bedürf-
tig sein, wie um einen Halt zu haben und ihrer selber mäch-

tig zu bleiben. Dies alles aber kommt so selten gleichzeitig zusammen, daß ich glauben möchte, die höchsten Höhen alles Guten, sei es Werk, Tat, Mensch, Natur, seien bisher für die meisten und selbst für die Besten etwas Verborgenes und Verhülltes gewesen – was sich aber uns enthüllt, *das enthüllt sich uns einmal!* – Die Griechen beteten wohl: »zwei- und dreimal alles Schöne!« Ach, sie hatten da einen guten Grund, Götter anzurufen, denn die ungöttliche Wirklichkeit gibt uns das Schöne gar nicht oder einmal! Ich will sagen, daß die Welt übervoll von schönen Dingen ist, aber trotzdem arm, sehr arm an schönen Augenblicken und Enthüllungen dieser Dinge. Aber vielleicht ist dies der stärkste Zauber des Lebens: es liegt ein golddurchwirkter Schleier von schönen Möglichkeiten über ihm, verheißend, widerstrebend, schamhaft, spöttisch, mitleidig, verführerisch. Ja, das Leben ist ein Weib!

340

Der sterbende Sokrates. – Ich bewundere die Tapferkeit und Weisheit des Sokrates in allem, was er tat, sagte – und nicht sagte. Dieser spöttische und verliebte Unhold und Rattenfänger Athens, der die übermütigsten Jünglinge zittern und schluchzen machte, war nicht nur der weiseste Schwätzer, den es gegeben hat: er war ebenso groß im Schweigen. Ich wollte, er wäre auch im letzten Augenblicke des Lebens schweigsam gewesen – vielleicht gehörte er dann in eine noch höhere Ordnung der Geister. War es nun der Tod oder das Gift oder die Frömmigkeit oder die Bosheit – irgend etwas löste ihm in jenem Augenblicke die Zunge und er sagte: »O Kriton, ich bin dem Asklepios einen Hahn schuldig.« Dieses lächerliche und furchtbare »letzte Wort« heißt für den, der Ohren hat: »O Kriton, *das Leben ist eine Krankheit!*« Ist es möglich! Ein Mann wie er, der heiter und vor aller Augen wie ein Soldat gelebt hat – war Pessimist! Er hatte eben nur eine gute Miene zum Leben gemacht und zeitlebens sein letztes Urteil, sein innerstes Gefühl versteckt! Sokrates, Sokrates hat *am Leben gelitten!* Und er hat noch seine Rache dafür genommen – mit jenem verhüllten, schauerlichen, frommen und blasphemischen Worte! Mußte ein Sokrates sich auch noch rächen? War ein Gran Großmut zu wenig in seiner überreichen Tugend? – Ach Freunde! Wir müssen auch die Griechen überwinden!

341

Das größte Schwergewicht. – Wie, wenn dir eines Tages oder Nachts ein Dämon in deine einsamste Einsamkeit nachschliche und dir sagte: »Dieses Leben, wie du es jetzt lebst und gelebt hast, wirst du noch einmal und noch unzählige Male leben müssen; und es wird nichts Neues daran sein, sondern jeder Schmerz und jede Lust und jeder Gedanke und Seufzer und alles unsäglich Kleine und Große deines Lebens muß dir wiederkommen, und alles in derselben Reihe und Folge – und ebenso diese Spinne und dieses Mondlicht zwischen den Bäumen, und ebenso dieser Augenblick und ich selber. Die ewige Sanduhr des Daseins wird immer wieder umgedreht – und du mit ihr, Stäubchen vom Staube!« – Würdest du dich nicht niederwerfen und mit den Zähnen knirschen und den Dämon verfluchen, der so redete? Oder hast du einmal einen ungeheuren Augenblick erlebt, wo du ihm antworten würdest: »du bist ein Gott und nie hörte ich Göttlicheres!« Wenn jener Gedanke über dich Gewalt bekäme, er würde dich, wie du bist, verwandeln und vielleicht zermalmen; die Frage bei allem und jedem: »willst du dies noch einmal und noch unzählige Male?« würde als das größte Schwergewicht auf deinem Handeln liegen! Oder wie müßtest du dir selber und dem Leben gut werden, um nach nichts *mehr zu verlangen* als nach dieser letzten ewigen Bestätigung und Besiegelung? –

Incipit tragoedia. – Als Zarathustra dreißig Jahre alt war, verließ er seine Heimat und den See Urmi und ging in das Gebirge. Hier genoß er seines Geistes und seiner Einsamkeit und wurde dessen zehn Jahre nicht müde. Endlich aber verwandelte sich sein Herz – und eines Morgens stand er mit der Morgenröte auf, trat vor die Sonne hin und sprach zu ihr also: »Du großes Gestirn! Was wäre dein Glück, wenn du nicht die hättest, welchen du leuchtest! Zehn Jahre kamst du hier herauf zu meiner Höhle: du würdest deines Lichtes und dieses Weges satt geworden sein, ohne mich, meinen Adler und meine Schlange; aber wir warteten deiner an jedem Morgen, nahmen dir deinen Überfluß ab und segneten dich dafür. Siehe! Ich bin meiner Weisheit überdrüssig, wie die Biene, die des Honigs zuviel gesammelt hat, ich bedarf der Hände, die sich ausstrecken, ich möchte verschenken und austeilen, bis die Weisen unter den Menschen wieder einmal ihrer Torheit und die Armen wieder einmal ihres Reichtums froh geworden sind. Dazu muß ich in die Tiefe steigen: wie du des Abends tust, wenn du hinter das Meer gehst und noch der Unterwelt Licht bringst, du überreiches Gestirn! – ich muß, gleich dir, *untergehen*, wie die Menschen es nennen, zu denen ich hinab will. So segne mich denn, du ruhiges Auge, das ohne Neid auch ein allzugroßes Glück sehen kann! Segne den Becher, welcher überfließen will, daß das Wasser golden aus ihm fließe und überallhin den Abglanz deiner Wonne trage! Siehe! Dieser Becher will wieder leer werden, und Zarathustra will wieder Mensch werden.« – Also begann Zarathustras Untergang.

FÜNFTES BUCH

Wir Furchtlosen

> Carcasse, tu trembles? Tu
> tremblerais bien davantage, si tu
> savais où je te mène.
>
> *Turenne*

343

Was es mit unsrer Heiterkeit auf sich hat. – Das größte neuere Ereignis – daß »Gott tot ist«, daß der Glaube an den christlichen Gott unglaubwürdig geworden ist – beginnt bereits seine ersten Schatten über Europa zu werfen. Für die wenigen wenigstens, deren Augen, deren *Argwohn* in den Augen stark und fein genug für dies Schauspiel ist, scheint eben irgendeine Sonne untergegangen, irgendein altes tiefes Vertrauen in Zweifel umgedreht: ihnen muß unsre alte Welt täglich abendlicher, mißtrauischer, fremder, »älter« scheinen. In der Hauptsache aber darf man sagen; das Ereignis selbst ist viel zu groß, zu fern, zu abseits vom Fassungsvermögen vieler, als daß auch nur seine Kunde schon *angelangt* heißen dürfte; geschweige denn, daß viele bereits wüßten, *was* eigentlich sich damit begeben hat – und was alles, nachdem dieser Glaube untergraben ist, nunmehr einfallen muß, weil es auf ihm gebaut, an ihn gelehnt, in ihn hineingewachsen war: zum Beispiel unsre ganze europäische Moral. Diese lange Fülle und Folge von Abbruch, Zerstörung, Untergang, Umsturz, die nun bevorsteht: wer erriete heute schon genug davon, um den Lehrer und Vorausverkünder dieser ungeheuren Logik von Schrecken abgeben zu müssen, den Propheten einer Verdüsterung und Sonnenfinsternis, derengleichen es wahrscheinlich noch nicht auf Erden gegeben hat? ... Selbst wir geborenen Rätselrater, die wir gleichsam auf den Bergen warten, zwischen Heute und Morgen hingestellt und in den Widerspruch zwischen Heute und Morgen hineingespannt, wir Erstlinge und Frühgeburten des kommenden Jahrhunderts, denen eigentlich die Schatten welche Europa alsbald einwickeln müssen, jetzt schon zu Gesicht gekommen sein *sollten*: woran liegt es doch, daß selbst wir ohne rechte Teilnahme für diese Verdüsterung, vor allem ohne Sorge und Furcht für *uns* ihrem Heraufkommen entgegensehn? Stehen wir vielleicht zu sehr noch unter den *nächsten Folgen* dieses Ereignisses – und diese nächsten Folgen, seine Folgen für *uns* sind, umgekehrt als man vielleicht erwarten könnte, durchaus nicht traurig und verdüsternd, vielmehr wie eine neue schwer zu beschreibende Art von Licht, Glück, Erleichterung, Erheiterung, Ermutigung, Morgenröte ... In der Tat, wir Philosophen und »freien Geister« fühlen uns bei der Nachricht, daß der »alte Gott tot« ist, wie von einer neuen Morgenröte angestrahlt; unser Herz strömt dabei über von Dankbarkeit, Erstaunen, Ahnung, Erwartung – endlich erscheint uns der Horizont wieder frei, gesetzt selbst, daß er nicht hell ist, endlich dürfen unsre Schiffe wieder auslaufen, auf jede Gefahr hin auslaufen, jedes Wagnis des Erkennenden ist wieder erlaubt, das Meer, *unser* Meer liegt wieder offen da, vielleicht gab es noch niemals ein so »offnes Meer«.

344

Inwiefern auch wir noch fromm sind. – In der Wissenschaft haben die Überzeugungen kein Bürgerrecht, so sagt man mit gutem Grunde: erst wenn sie sich entschließen, zur Bescheidenheit einer Hypothese, eines vorläufigen Versuchs-Standpunktes, einer regulativen Fiktion herabzusteigen, darf ihnen der Zutritt und sogar ein gewisser Wert innerhalb des Reichs der Erkenntnis zugestanden werden – immerhin mit der Beschränkung, unter polizeiliche Aufsicht gestellt zu bleiben, unter die Polizei des Mißtrauens. – Heißt das aber nicht, genauer besehen: erst wenn die Überzeugung *aufhört*, Überzeugung zu sein, darf sie Eintritt in die Wissenschaft erlangen? Finge nicht die Zucht des wissenschaftlichen Geistes damit an, sich keine Überzeugungen mehr zu gestatten? ... So steht es wahrscheinlich: nur bleibt übrig zu fragen, ob nicht, *damit diese Zucht anfangen könne,* schon eine Überzeugung da sein müsse, und zwar eine so gebieterische und bedingungslose, daß sie alle andern Überzeugungen sich zum Opfer bringt. Man sieht, auch die Wissenschaft ruht auf einem Glauben, es gibt gar keine »voraussetzungslose« Wissenschaft. Die Frage, ob *Wahrheit* not tue, muß nicht nur schon vorher bejaht, sondern in dem Grade bejaht sein, daß der Satz, der Glaube, die Überzeugung darin zum Ausdruck kommt, »es tut *nichts mehr* not als Wahrheit, und im Verhältnis zu ihr hat alles Übrige nur einen Wert zweiten Rangs«. – Dieser unbedingte Wille zur Wahrheit: was ist er? Ist es der Wille, *sich nicht täuschen zu lassen?* Ist es der Wille, *nicht zu täuschen?* Nämlich auch auf diese letzte Weise könnte der Wille zur Wahrheit interpretiert werden: vorausgesetzt, daß man unter der Verallgemeinerung »ich will nicht täuschen« auch den einzelnen Fall »ich will *mich* nicht täuschen« einbegreift. Aber warum nicht täuschen? Aber warum nicht sich täuschen lassen? – Man bemerke, daß die Gründe für das erstere auf einem ganz andern Bereiche liegen als die für das zweite: man will sich nicht täuschen lassen, unter der Annahme, daß es schädlich, gefährlich, verhängnisvoll ist, getäuscht zu werden – in diesem Sinne wäre Wissenschaft eine lange Klugheit, eine Vorsicht, eine Nützlichkeit, gegen die aber billigerweise einwenden dürfte: wie? ist wirklich das Sich-nicht-täuschen-lassen-wollen weniger schädlich, weniger gefährlich, weniger verhängnisvoll? Was wißt ihr von vornherein vom Charakter des Daseins, um entscheiden zu können, ob der größere Vorteil auf Seiten des Unbedingt-Mißtrauischen oder des Unbedingt-Zutraulichen ist? Falls aber beides nötig sein sollte, viel Zutrauen *und* viel Mißtrauen: woher dürfte dann die Wissenschaft ihren unbedingten Glauben, ihre Überzeugung nehmen, auf dem sie ruht, daß Wahrheit wichtiger sei als irgendein andres Ding, auch als jede andre Überzeugung? Eben diese Überzeugung könnte nicht entstanden sein, wenn Wahrheit *und* Unwahrheit sich beide fortwährend als nützlich bezeigten, wie es der Fall ist. Also – kann der Glaube an die Wissenschaft, der nun einmal unbestreitbar da ist, nicht aus einem solchen Nützlichkeits-Kalkül seinen Ursprung genommen haben, sondern vielmehr *trotzdem*, daß ihm die Unnützlichkeit und Gefährlichkeit des »Willens zur Wahrheit«, der »Wahrheit um jeden Preis« fortwährend bewiesen wird. »Um jeden Preis«: oh wir verstehen das gut genug, wenn wir erst einen Glauben nach dem andern auf diesem Altare dargebracht und abgeschlachtet haben! – Folglich bedeutet »Wille zur Wahrheit« *nicht* »ich will mich nicht täuschen lassen«, sondern – es bleibt keine Wahl – »ich will nicht täuschen, auch mich selbst nicht«; – *und hiermit sind wir auf dem Boden der Moral.* Denn man frage sich nur gründlich: »warum willst du nicht täuschen?« namentlich wenn es den Anschein haben sollte – und es hat den Anschein! – als wenn das Leben auf Anschein, ich meine auf Irrtum, Betrug, Verstellung, Blendung, Selbstverblendung angelegt wäre, und wenn andrerseits tatsächlich die große Form des Lebens sich immer auf der Seite der unbedenklichsten *polytropoi* gezeigt hat. Es könnte ein solcher Vorsatz vielleicht, mild ausgelegt, eine Don-Quixoterie, ein kleiner schwärmerischer Aberwitz sein; er könnte aber auch noch etwas Schlimmeres sein, nämlich ein lebensfeindliches zerstörerisches Prinzip ... »Wille zur Wahrheit« – das könnte ein versteckter Wille zum Tode sein. – Dergestalt führt die Frage: warum Wissenschaft? zurück auf das moralische Problem: *wozu überhaupt Moral,* wenn Leben, Natur, Geschichte »unmoralisch« sind? Es ist kein Zweifel, der Wahrhaftige, in jenem verwegenen und letzten Sinne, wie ihn der Glaube an die Wissenschaft voraussetzt, *bejaht damit eine andre Welt* als die des Lebens, der Natur und der Geschichte; und insofern er diese »andre Welt« bejaht, wie? muß er nicht ebendamit ihr Gegenstück, diese Welt, *unsre* Welt – verneinen? ... Doch man wird es begriffen haben, worauf ich hinaus will, nämlich daß es immer noch ein *metaphysischer Glaube* ist, auf dem unser Glaube an die Wissenschaft ruht – daß auch wir Erkennenden von heute, wir Gottlosen und Antimetaphysiker, auch *unser* Feuer noch von dem Brande nehmen, den ein jahrtausendealter Glaube entzündet hat, jener Christen-Glaube, der auch der Glaube Platos war, daß Gott die Wahrheit ist, daß die Wahrheit göttlich ist ... Aber wie, wenn dies gerade immer mehr unglaubwürdig wird, wenn nichts sich mehr als göttlich erweist, es sei denn der Irrtum, die Blindheit, die Lüge – wenn Gott selbst sich als unsre längste Lüge erweist?

345

Moral als Problem. – Der Mangel an Person rächt sich überall; eine geschwächte, dünne, ausgelöschte, sich selbst leugnende und verleugnende Persönlichkeit taugt zu keinem guten Dinge mehr – sie taugt am wenigsten zur Philosophie. Die »Selbstlosigkeit« hat keinen Wert im Himmel und auf Erden; die großen Probleme verlangen alle die *große Liebe,* und dieser sind nur die starken, runden, sicheren Geister fähig, die fest auf sich selber sitzen. Es macht den erheblichsten Unterschied, ob ein Denker zu seinen Problemen persönlich steht, so daß er in ihnen sein Schicksal, seine Not und auch sein bestes Glück hat, oder aber »unpersönlich«: nämlich sie nur mit den Fühlhörnern des kalten, neugierigen Gedankens anzutasten und zu fassen versteht. Im letzteren Falle kommt nichts dabei heraus, so viel läßt sich versprechen: denn die großen Probleme, gesetzt selbst, daß sie sich fassen lassen, lassen sich von Fröschen und Schwächlingen nicht *halten*, das ist ihr Geschmack seit Ewigkeit – ein Geschmack übrigens, den sie mit allen wackeren Weiblein teilen. – Wie kommt es nun, daß ich noch niemandem begegnet bin, auch in Büchern nicht, der zur Moral in dieser Stellung als Person stünde, der die Moral als Problem und dies Problem als *seine* persönliche Not, Qual, Wollust, Leidenschaft kennte? Ersichtlich war bisher die Moral gar kein Problem; vielmehr das gerade, worin man, nach allem Mißtrauen, Zwiespalt, Widerspruch, miteinander überein kam, der geheiligte Ort des Friedens, wo die Denker auch von sich selbst ausruhten, aufatmeten, auflebten. Ich sehe niemanden, der eine *Kritik* der moralischen Werturteile gewagt hätte; ich vermisse hierfür selbst die Versuche der wissenschaftlichen Neugierde, der verwöhnten versucherischen Psychologen- und Historiker-Einbildungskraft, welche leicht ein Problem vorwegnimmt und im Fluge erhascht, ohne recht zu wissen, was da erhascht ist. Kaum daß ich einige spärliche Ansätze ausfindig gemacht habe, es zu einer *Entstehungsgeschichte* dieser Gefühle und Wertschätzungen zu bringen (was etwas anderes ist als eine Kritik derselben und noch einmal etwas anderes als die Geschichte der ethischen Systeme): in einem einzelnen Falle habe ich alles getan, um eine Neigung und Begabung für diese Art Historie zu ermutigen – umsonst, wie mir heute scheinen will. Mit diesen Moral-Historikern (namentlich Engländern) hat es wenig auf sich: sie stehen gewöhnlich selbst noch arglos unter dem Kommando einer bestimmten Moral und geben, ohne es zu wissen, deren Schildträger und Gefolge ab; etwa mit jenem noch immer so treuherzig nachgeredeten Volks-Aberglauben des christlichen Europa, daß das Charakteristikum der moralischen Handlung im Selbstlosen, Selbstverleugnenden, Sich-Selbst-Opfernden, oder im Mitgefühle, im Mitleiden gelegen sei. Ihr gewöhnlicher Fehler in der Voraussetzung ist, daß sie irgendeinen *consensus* der Völker, mindestens der zahmen

Völker über gewisse Sätze der Moral behaupten und daraus deren unbedingte Verbindlichkeit, auch für dich und mich, schließen; oder daß sie umgekehrt, nachdem ihnen die Wahrheit aufgegangen ist, daß bei verschiedenen Völkern die moralischen Schätzungen *notwendig* verschieden sind, einen Schluß auf Unverbindlichkeit *aller* Moral machen: was beides gleich große Kindereien sind. Der Fehler der Feineren unter ihnen ist, daß sie die vielleicht törichten Meinungen eines Volks über seine Moral oder der Menschen über alle menschliche Moral aufdecken und kritisieren, also über deren Herkunft, religiöse Sanktion, den Aberglauben des freien Willens und dergleichen, und ebendamit vermeinen, diese Moral selbst kritisiert zu haben. Aber der Wert einer Vorschrift »du sollst« ist noch gründlich verschieden und unabhängig von solcherlei Meinungen über dieselbe und von dem Unkraut des Irrtums, mit dem sie vielleicht überwachsen ist: so gewiß der Wert eines Medikaments für den Kranken noch vollkommen unabhängig davon ist, ob der Kranke wissenschaftlich oder wie ein altes Weib über Medizin denkt. Eine Moral könnte selbst *aus* einem Irrtume gewachsen sein: auch mit dieser Einsicht wäre das Problem ihres Wertes noch nicht einmal berührt. – Niemand also hat bisher den *Wert* jener berühmtesten aller Medizinen, genannt Moral, geprüft: wozu zuallererst gehört, daß man ihn einmal – *in Frage stellt*. Wohlan! Dies eben ist unser Werk. –

346

Unser Fragezeichen. – Aber ihr versteht das nicht? In der Tat, man wird Mühe haben, uns zu verstehn. Wir suchen nach Worten, wir suchen vielleicht auch nach Ohren. Wer sind wir doch? Wollten wir uns einfach mit einem älteren Ausdruck Gottlose oder Ungläubige oder auch Immoralisten nennen, wir würden uns damit noch lange nicht bezeichnet glauben: wir sind alles dreies in einem zu späten Stadium, als daß man begriffe, als daß *ihr* begreifen könntet, meine Herren Neugierigen, wie es einem dabei zumute ist. Nein! nicht mehr mit der Bitterkeit und Leidenschaft des Losgerissenen, der sich aus seinem Unglauben noch einen Glauben, einen Zweck, ein Martyrium selbst zurechtmachen muß! Wir sind abgesotten in der Einsicht und in ihr kalt und hart geworden, daß es in der Welt durchaus nicht göttlich zugeht, ja noch nicht einmal nach menschlichem Maße vernünftig, barmherzig oder gerecht: wir wissen es, die Welt, in der wir leben, ist ungöttlich, unmoralisch, »unmenschlich« – wir haben sie uns allzulange falsch und lügnerisch, aber nach Wunsch und Willen unsrer Verehrung, das heißt nach einem *Bedürfnisse* ausgelegt. Denn der Mensch ist ein verehrendes Tier! Aber er ist auch ein mißtrauisches: und daß die Welt *nicht* das wert ist, was wir geglaubt haben, das ist ungefähr das sicherste, dessen unser Mißtrauen endlich habhaft geworden ist. So viel Mißtrauen, so viel Philosophie. Wir hüten uns wohl zu sagen, daß sie *weniger* wert ist: es erscheint uns heute selbst zum Lachen, wenn der Mensch in Anspruch nehmen wollte, Werte zu erfinden, welche den Wert der wirklichen Welt *überragen* sollten – gerade davon sind wir zurückgekommen als von einer ausschweifenden Verirrung der menschlichen Eitelkeit und Unvernunft, die lange nicht als solche erkannt worden ist. Sie hat ihren letzten Ausdruck im modernen Pessimismus gehabt, einen älteren, stärkeren in der Lehre des Buddha; aber auch das Christentum enthält sie, zweifelhafter freilich und zweideutiger, aber darum nicht weniger verführerisch. Die ganze Attitüde »Mensch *gegen* Welt«, der Mensch als »Welt-verneinendes« Prinzip, der Mensch als Wertmaß der Dinge, als Welten-Richter, der zuletzt das Dasein selbst auf seine Waagschalen legt und zu leicht befindet – die ungeheuerliche Abgeschmacktheit dieser Attitüde ist uns als solche zum Bewußtsein gekommen und verleidet – wir lachen schon, wenn wir »Mensch *und* Welt« nebeneinandergestellt finden, getrennt durch die sublime Anmaßung des Wörtchens »und«! Wie aber? Haben wir nicht eben damit, als Lachende, nur einen Schritt weiter in der Verachtung des Menschen gemacht? Und also auch im Pessimismus, in der Verachtung des *uns* erkennbaren Daseins? Sind wir nicht eben damit dem Argwohne eines Gegensatzes verfallen, eines Gegensatzes der Welt, in der wir bisher mit unsren Verehrungen zu Hause waren – um deren willen wir vielleicht zu leben *aushielten* –, und einer andren Welt, *die wir selber sind*: einem unerbittlichen, gründlichen, untersten Argwohn über uns selbst, der uns Europäer immer mehr, immer schlimmer in Gewalt bekommt und leicht die kommenden Geschlechter vor das furchtbare Entweder-Oder stellen könnte: »entweder schafft eure Verehrungen ab oder – *euch selbst!*« Das letztere wäre der Nihilismus; aber wäre nicht auch das erstere – der Nihilismus? – Dies ist *unser* Fragezeichen.

347

Die Gläubigen und ihr Bedürfnis nach Glauben. – Wieviel einer *Glauben* nötig hat, um zu gedeihen, wieviel »Festes«, an dem er nicht gerüttelt haben will, weil er sich daran *hält* – ist ein Gradmesser seiner Kraft (oder deutlicher geredet, seiner Schwäche). Christentum haben, wie mir scheint, im alten Europa auch heute noch die meisten nötig: deshalb findet es auch immer noch Glauben. Denn so ist der Mensch: ein Glaubenssatz könnte ihm tausendfach widerlegt sein – gesetzt, er hätte ihn nötig, so würde er ihn auch immer wieder für »wahr« halten, – gemäß jenem berühmten »Beweise der Kraft«, von dem die Bibel redet. Metaphysik haben einige noch nötig; aber auch jenes ungestüme *Verlangen nach Gewißheit,* welches sich heute in breiten Massen wissenschaftlich-positivistisch entladet, das Verlangen, durchaus etwas fest haben zu *wollen* (während man es wegen der Hitze dieses Ver-

langens mir der Begründung der Sicherheit leichter und läß-
licher nimmt): auch das ist noch das Verlangen nach Halt,
Stütze, kurz jener *Instinkt der Schwäche,* welcher Religionen,
Metaphysiken, Überzeugungen aller Art zwar nicht schafft,
aber – konserviert. In der Tat dampft um alle diese positi-
vistischen Systeme der Qualm einer gewissen pessimistischen
Verdüsterung, etwas von Müdigkeit, Fatalismus, Enttäuschung,
Furcht vor neuer Enttäuschung – oder aber zur Schau getrage-
ner Ingrimm, schlechte Laune, Entrüstungs-Anarchismus und
was es alles für Symptome oder Maskeraden des Schwäche-
gefühls gibt. Selbst die Heftigkeit, mit der sich unsre geschei-
testen Zeitgenossen in ärmliche Ecken und Engen verlieren,
zum Beispiel in die Vaterländerei (so heiße ich das, was man
in Frankreich *chauvinisme*, in Deutschland »deutsch« nennt)
oder in ästhetische Winkel-Bekenntnisse nach Art des Pariser
naturalisme (der von der Natur nur den Teil hervorzieht und
entblößt, welcher Ekel zugleich und Erstaunen macht – man
heißt diesen Teil heute gern *la vérité vraie* –) oder in Nihilismus nach Petersburger Muster (das heißt in den *Glauben an
den Unglauben,* bis zum Martyrium dafür), zeigt immer vorerst
das Bedürfnis nach Glauben, Halt, Rückgrat, Rückhalt ...
Der Glaube ist immer dort am meisten begehrt, am dringlich-
sten nötig, wo es an Willen fehlt: denn der Wille ist, als
Affekt des Befehls, das entscheidende Abzeichen der Selbstherrlichkeit und Kraft. Das heißt, je weniger einer zu befehlen weiß, um so dringlicher begehrt er nach einem, der befiehlt, streng befiehlt, nach einem Gott, Fürsten, Stand, Arzt,
Beichtvater, Dogma, Partei-Gewissen. Woraus vielleicht
abzunehmen wäre, daß die beiden Weltreligionen, der
Buddhismus und das Christentum, ihren Entstehungsgrund,
ihr plötzliches Um-sich-greifen zumal, in einer ungeheuren
Erkrankung des Willens gehabt haben möchten. Und so ist es
in Wahrheit gewesen: beide Religionen fanden ein durch
Willens-Erkrankung ins Unsinnige aufgetürmtes, bis zur Verzweiflung gehendes Verlangen nach einem »du sollst« vor,

beide Religionen waren Lehrerinnen des Fanatismus in Zeiten der Willens-Erschlaffung und boten damit Unzähligen einen Halt, eine neue Möglichkeit zu wollen, einen Genuß am Wollen. Der Fanatismus ist nämlich die einzige »Willensstärke«, zu der auch die Schwachen und Unsichern gebracht werden können, als eine Art Hypnotisierung des ganzen sinnlich-intellektuellen Systems zugunsten der überreichlichen Ernährung (Hypertrophie) eines einzelnen Gesichts- und Gefühlspunktes, der nunmehr dominiert – der Christ heißt ihn seinen *Glauben.* Wo ein Mensch zu der Grundüberzeugung kommt, daß ihm befohlen werden *muß,* wird er »gläubig«; umgekehrt wäre eine Lust und Kraft der Selbstbestimmung eine *Freiheit* des Willens denkbar, bei der ein Geist jedem Glauben jedem Wunsch nach Gewißheit den Abschied gibt, geübt, wie er ist, auf leichten Seilen und Möglichkeiten sich halten zu können und selbst an Abgründen noch zu tanzen. Ein solcher Geist wäre der *freie Geist par excellence.*

348

Vor der Herkunft der Gelehrten. – Der Gelehrte wächst in Europa aus aller Art Stand und gesellschaftlicher Bedingung heraus, als eine Pflanze, die keines spezifischen Erdreichs bedarf; darum gehört er, wesentlich und unfreiwillig, zu den Trägern des demokratischen Gedankens. Aber diese Herkunft verrät sich. Hat man seinen Blick etwas dafür eingeschult, an einem gelehrten Buche, einer wissenschaftlichen Abhandlung die intellektuelle *Idiosynkrasie* des Gelehrten – jeder Gelehrte hat eine solche – herauszuerkennen und auf der Tat zu ertappen, so wird man fast immer hinter ihr die »Vorgeschichte« des Gelehrten, seine Familie, in Sonderheit deren Berufsarten und Handwerke zu Gesicht bekommen. Wo das Gefühl zum Ausdruck kommt »das ist nunmehr bewiesen, hiermit bin ich fertig«, da ist es gemeinhin der Vorfahr im Blute und Instinkte des Gelehrten, welcher von seinem Gesichtswinkel aus die »gemachte Arbeit« gutheißt – der Glaube an den Beweis ist nur ein Symptom davon, was in einem arbeitsamen Geschlechte von alters her als »gute Arbeit« angesehn worden ist. Ein Beispiel: die Söhne von Registratoren und Büroschreibern jeder Art, deren Hauptaufgabe immer war, ein vielfältiges Material zu ordnen, in Schubfächer zu verteilen, überhaupt zu schematisieren, zeigen, falls sie Gelehrte werden, eine Vorneigung dafür, ein Problem beinahe damit für gelöst zu halten, daß sie es schematisiert haben. Es gibt Philosophen, welche im Grunde nur schematische Köpfe sind – ihnen ist das Formale des väterlichen Handwerks zum Inhalte geworden. Das Talent zu Klassifikationen, zu Kategorientafeln verrät etwas; man ist nicht ungestraft das Kind seiner Eltern. Der Sohn eines Advokaten wird auch als Forscher ein Advokat sein müssen: er will mit seiner Sache in erster Rücksicht recht behalten, in zweiter, vielleicht, recht haben. Die Söhne von protestantischen Geistlichen und Schullehrern erkennt man an der naiven Sicherheit, mit der sie als Gelehrte ihre Sache schon als bewiesen nehmen, wenn sie von ihnen eben erst nur herzhaft und mit Wärme vorgebracht worden ist: sie sind eben gründlich daran gewöhnt, daß man ihnen *glaubt* – das gehörte bei ihren Vätern zum »Handwerk«! Ein Jude umgekehrt ist, gemäß dem Geschäftskreis und der Vergangenheit seines Volks, gerade daran – daß man ihm glaubt – am wenigsten gewöhnt: man sehe sich darauf die jüdischen Gelehrten an – sie alle halten große Stücke auf die Logik, das heißt auf das *Erzwingen* der Zustimmung durch Gründe; sie wissen, daß sie mit ihr siegen müssen, selbst wo Rassen- und Klassen-Widerwille gegen sie vorhanden ist, wo man ihnen ungern glaubt. Nichts nämlich ist demokratischer als die Logik: sie kennt kein Ansehn der Person und nimmt auch die krummen Nasen für gerade. (Nebenbei bemerkt: Europa ist gerade in Hinsicht auf Logisierung, auf reinlichere Kopf-Gewohnheiten den Juden nicht wenig Dank schuldig; voran die Deut-

schen, als eine beklagenswert deraisonnable Rasse, der man
auch heute immer noch zuerst »den Kopf zu waschen« hat.
Überall, wo Juden zu Einfluß gekommen sind, haben sie feiner zu scheiden, schärfer zu folgern, heller und sauberer zu
schreiben gelehrt: ihre Aufgabe war es immer, ein Volk »zur
Raison« zu bringen.)

349

Noch einmal die Herkunft der Gelehrten. – Sich selbst erhalten
wollen ist der Ausdruck einer Notlage, einer Einschränkung
des eigentlichen Lebens-Grundtriebes, der auf *Machterweite-
rung* hinausgeht und in diesem Willen oft genug die Selbster-
haltung in Frage stellt und opfert. Man nehme es als sympto-
matisch, wenn einzelne Philosophen, wie zum Beispiel der
schwindsüchtige Spinoza, gerade im sogenannten Selbsterhal-
tungs-Trieb das Entscheidende sahen, sehen mußten – es
waren eben Menschen in Notlagen. Daß unsre modernen
Naturwissenschaften sich dermaßen mit dem Spinozistischen
Dogma verwickelt haben (zuletzt noch und am gröbsten im
Darwinismus mit seiner unbegreiflich einseitigen Lehre vom
»Kampf ums Dasein« –), das liegt wahrscheinlich an der Herkunft der meisten Naturforscher: sie gehören in dieser Hinsicht zum »Volk«, ihre Vorfahren waren arme und geringe
Leute, welche die Schwierigkeit, sich durchzubringen, allzusehr aus der Nähe kannten. Um den ganzen englischen Darwinismus herum haucht etwas wie englische Übervölkerungs-
Stickluft, wie Kleiner-Leute-Geruch von Not und Enge. Aber
man sollte, als Naturforscher, aus seinem menschlichen Winkel herauskommen: und in der Natur *herrscht* nicht die Notlage, sondern der Überfluß, die Verschwendung, sogar bis ins
Unsinnige. Der Kampf ums Dasein ist nur eine *Ausnahme*,
eine zeitweilige Restriktion des Lebenswillens; der große und
kleine Kampf dreht sich allenthalben ums Übergewicht, um

Wachstum und Ausbreitung, um Macht, gemäß dem Willen zur Macht, der eben der Wille des Lebens ist.

350

Zu Ehren der homines religiosi. – Der Kampf gegen die Kirche ist ganz gewiß unter anderem – denn er bedeutet vielerlei – auch der Kampf der gemeineren, vergnügteren, vertraulicheren, oberflächlicheren Naturen gegen die Herrschaft der schwereren, tieferen, beschaulicheren, das heißt böseren und argwöhnischen Menschen, welche mit einem langen Verdachte über den Wert des Daseins, auch über den eigenen Wert brüteten – der gemeine Instinkt des Volkes, seine Sinnen-Lustigkeit, sein »gutes Herz« empörte sich gegen sie. Die ganze römische Kirche ruht auf einem südländischen Argwohne über die Natur des Menschen, der vom Norden aus immer falsch verstanden wird: in welchem Argwohne der europäische Süden die Erbschaft des tiefen Orients, des uralten, geheimnisreichen Asien und seiner Kontemplation gemacht hat. Schon der Protestantismus ist ein Volksaufstand zugunsten der Biederen, Treuherzigen, Oberflächlichen (der Norden war immer gutmütiger und flacher als der Süden); aber erst die französische Revolution hat dem »guten Menschen« das Szepter vollends und feierlich in die Hand gegeben (dem Schaf, dem Esel, der Gans und allem, was unheilbar flach und Schreihals und reif für das Narrenhaus der »modernen Ideen« ist).

351

Zu Ehren der priesterlichen Naturen. – Ich denke, von dem, was das Volk unter Weisheit versteht (und wer ist heute nicht »Volk«? –), von jener klugen kuhmäßigen Gemütsstille,

Frömmigkeit und Landpfarrer-Sanftmut, welche auf der Wiese liegt und dem Leben ernst und wiederkäuend *zuschaut* – davon haben gerade die Philosophen sich immer am fernsten gefühlt, wahrscheinlich weil sie dazu nicht »Volk« genug, nicht Landpfarrer genug waren. Auch werden wohl sie gerade am spätesten daran glauben lernen, daß das Volk etwas von dem verstehen *dürfte*, was ihm am fernsten liegt, von der großen *Leidenschaft* des Erkennenden, der beständig in der Gewitterwolke der höchsten Probleme und der schwersten Verantwortlichkeiten lebt, leben muß (also ganz und gar nicht zuschauend, außerhalb, gleichgültig, sicher, objektiv …). Das Volk verehrt eine ganz andere Art Mensch, wenn es seinerseits sich ein Ideal des »Weisen« macht, und hat tausendfach Recht dazu, gerade dieser Art Mensch mit den besten Worten und Ehren zu huldigen: das sind die milden, ernst-einfältigen und keuschen Priester-Naturen und was ihnen verwandt ist – denen gilt das Lob in jener Volks-Ehrfurcht vor der Weisheit. Und wem hätte das Volk auch Grund, dankbarer sich zu erweisen als diesen Männern, die zu ihm gehören und aus ihm kommen, aber wie Geweihte, Ausgelesene, seinem Wohl *Geopferte* – sie selber glauben sich Gott geopfert –, vor denen es ungestraft sein Herz ausschütten, an die es seine Heimlichkeiten, seine Sorgen und Schlimmeres *loswerden* kann (– denn der Mensch, der »sich mitteilt«, wird sich selber los; und wer »bekannt« hat, vergißt). Hier gebietet eine große Notdurft: es bedarf nämlich auch für den seelischen Unrat der Abzugsgräben und der reinlichen, reinigenden Gewässer drin, es bedarf rascher Ströme der Liebe und starker, demütiger, reiner Herzen, die zu einem solchen Dienste der nicht-öffentlichen Gesundheitspflege sich bereitmachen und opfern – denn es *ist* eine Opferung, ein Priester ist und bleibt ein Menschenopfer … Das Volk empfindet solche geopferte, stillgewordne, ernste Menschen des »Glaubens« als *weise*, das heißt als Wissend-Gewordene, als »Sichere« im Verhältnis zur eignen Unsicherheit: wer würde ihm das Wort und diese Ehrfurcht nehmen mögen? – Aber, wie es umgekehrt billig ist, unter Philosophen gilt auch ein Priester immer noch als »Volk« und *nicht* als Wissender, vor allem, weil sie selbst nicht an »Wissende « glauben und eben in diesem Glauben und Aberglauben schon »Volk« riechen. Die *Bescheidenheit* war es, welche in Griechenland das Wort »Philosoph« erfunden hat und den prachtvollen Übermut, sich weise zu nennen, den Schauspielern des Geistes überließ – die Bescheidenheit solcher Ungetüme von Stolz und Selbstherrlichkeit, wie Pythagoras, wie Plato –.

352

Inwiefern Moral kaum entbehrlich ist. – Der nackte Mensch ist im allgemeinen ein schändlicher Anblick – ich rede von uns Europäern (und nicht einmal von den Europäerinnen!). Angenommen, die froheste Tischgesellschaft sähe sich plötzlich durch die Tücke eines Zauberers enthüllt und ausgekleidet, ich glaube, daß nicht nur der Frohsinn dahin und der stärkste Appetit entmutigt wäre, – es scheint, wir Europäer können jener Maskerade durchaus nicht entbehren, die Kleidung heißt. Sollte aber die Verkleidung der »moralischen Menschen«, ihre Verhüllung unter moralische Formeln und Anstandsbegriffe, das ganze wohlwollende Verstecken unsrer Handlungen unter die Begriffe Pflicht, Tugend, Gemeinsinn, Ehrenhaftigkeit, Selbstverleugnung nicht seine ebenso guten Gründe haben? Nicht daß ich vermeinte, hierbei sollte etwa die menschliche Bosheit und Niederträchtigkeit, kurz das schlimme wilde Tier in uns vermummt werden; mein Gedanke ist umgekehrt, daß wir gerade als *zahme Tiere* ein schändlicher Anblick sind und die Moral-Verkleidung brauchen – daß der »inwendige Mensch« in Europa eben lange nicht schlimm genug ist, um sich damit »sehen lassen« zu können (um damit *schön* zu sein –). Der Europäer verkleidet sich *in die Moral,* weil er ein krankes, kränkliches, krüppelhaftes Tier geworden ist, das gute Gründe hat, »zahm« zu sein, weil er beinahe eine Mißgeburt, etwas Halbes, schwaches, Linkisches ist ... Nicht die Furchtbarkeit des Raubtiers findet eine moralische Verkleidung nötig, sondern das Herdentier mit seiner tiefen Mittelmäßigkeit, Angst und Langeweile an sich selbst. *Moral putzt den Europäer auf* – gestehen wir es ein! – ins Vornehmere, Bedeutendere, Ansehnlichere, ins »Göttliche« –

353

Vom Ursprung der Religionen. – Die eigentliche Erfindung der Religionsstifter ist einmal: eine bestimmte Art Leben und Alltag der Sitte anzusetzen, welche als *disciplina voluntatis* wirkt und zugleich die Langeweile wegschafft; sodann: gerade diesem Leben eine *Interpretation* zu geben, vermöge deren es vom höchsten Werte umleuchtet scheint, so daß es nunmehr zu einem Gute wird, für das man kämpft und, unter Umständen, sein Leben läßt. In Wahrheit ist von diesen zwei Erfindungen die zweite die wesentlichere: die erste, die Lebensart, war gewöhnlich schon da, aber neben andren Lebensarten und ohne Bewußtsein davon, was für ein Wert ihr innewohne. Die Bedeutung, die Originalität des Religionsstifters kommt gewöhnlich darin zutage, daß er sie *sieht*, daß er sie *auswählt*, daß er zum ersten Male *errät*, wozu sie gebraucht, wie sie interpretiert werden kann. Jesus (oder Paulus) zum Beispiel fand das Leben der kleinen Leute in der römischen Provinz vor, ein bescheidnes, tugendhaftes, gedrücktes Leben: er legte es aus, er legte den höchsten Sinn und Wert hinein – und damit den Mut, jede andre Art Leben zu verachten, den stillen Herrenhuter-Fanatismus, das heimliche unterirdische Selbstvertrauen, welches wächst und wächst und endlich bereit ist, »die Welt zu überwinden« (das heißt Rom und die höheren Stände im ganzen Reiche). Buddha insgleichen fand jene Art Menschen vor, und zwar zerstreut unter alle Stände und gesellschaftliche Stufen seines Volks, welche aus Trägheit gut und gütig (vor allem inoffensiv) sind, die, ebenfalls aus Trägheit, abstinent, beinahe bedürfnislos leben: er verstand, wie eine solche Art Menschen mit Unvermeidlichkeit, mit der ganzen *vis inertiae,* in einen Glauben hineinrollen müsse, der die Wiederkehr der irdischen Mühsal (das heißt der Arbeit, des Handelns überhaupt) zu *verhüten* verspricht – dies »Verstehen« war sein Genie. Zum Religionsstifter gehört psychologische Unfehlbarkeit im Wissen um eine bestimmte Durchschnittsart von Seelen, die sich noch nicht als zusammengehörig *erkannt* haben. Er ist es, der sie zusammenbringt; die Gründung einer Religion wird insofern immer zu einem langen Erkennungs-Feste.

354

Vom »Genius der Gattung«. – Das Problem des Bewußtseins (richtiger: des Sich-Bewußt-Werdens) tritt erst dann vor uns hin, wenn wir zu begreifen anfangen, inwiefern wir seiner entraten könnten: und an diesen Anfang des Begreifens stellt uns jetzt Physiologie und Tiergeschichte (welche also zwei Jahrhunderte nötig gehabt haben, um den vorausfliegenden Argwohn *Leibniz'* einzuholen). Wir könnten nämlich denken, fühlen, wollen, uns erinnern, wir könnten ebenfalls »handeln« in jedem Sinne des Wortes: und trotzdem brauchte das alles nicht uns »ins Bewußtsein zu treten« (wie man im Bilde sagt). Das ganze Leben wäre möglich, ohne daß es sich gleichsam im Spiegel sähe: wie ja tatsächlich auch jetzt noch bei uns der bei weitem überwiegende Teil dieses Lebens sich ohne diese Spiegelung abspielt – und zwar auch unsres denkenden, fühlenden, wollenden Lebens, so beleidigend dies einem älteren Philosophen klingen mag. *Wozu* überhaupt Bewußtsein, wenn es in der Hauptsache *überflüssig* ist? – Nun scheint mir, wenn man meiner Antwort auf diese Frage und ihrer vielleicht ausschweifenden Vermutung Gehör geben will, die Feinheit und Stärke des Bewußtseins immer im Verhältnis zur *Mitteilungs-Fähigkeit* eines Menschen (oder Tiers) zu stehn, die Mitteilungs-Fähigkeit wiederum im Verhältnis zur *Mitteilungs-Bedürftigkeit*: letzteres nicht so verstanden, als ob gerade der einzelne Mensch selbst, welcher gerade Meister in der Mitteilung und Verständlichmachung seiner Bedürfnisse ist, zugleich auch mit seinen Bedürfnissen am meisten auf die andern angewiesen sein müßte. Wohl aber scheint es mir so in bezug auf ganze Rassen und Geschlechter-Ketten zu stehn: wo das Bedürfnis, die Not die Menschen lange gezwungen hat, sich mitzuteilen, sich gegenseitig rasch und fein zu verstehen, da ist endlich ein Überschuß dieser Kraft und Kunst der Mitteilung da, gleichsam ein Vermögen, das sich allmählich aufgehäuft hat und nun eines Erben wartet, der es verschwenderisch ausgibt (– die sogenannten Künstler sind diese Erben, insgleichen die Redner, Prediger, Schriftsteller, alles Menschen, welche immer am Ende einer langen Kette kommen, »Spätgeborne« jedesmal, im besten Verstande des Wortes, und, wie gesagt, ihrem Wesen nach *Verschwender*). Gesetzt, diese Beobachtung ist richtig, so darf ich zu der Vermutung weitergehn, daß *Bewußtsein überhaupt sich nur unter dem Drucke des Mitteilungs-Bedürfnisses entwickelt hat* – daß es von vornherein nur zwischen Mensch und Mensch (zwischen Befehlenden und Gehorchenden insonderheit) nötig war, nützlich war, und auch nur im Verhältnis zum Grade dieser Nützlichkeit sich entwickelt hat. Bewußtsein ist eigentlich nur ein Verbindungsnetz zwischen Mensch und Mensch – nur als solches hat es sich entwickeln müssen: der einsiedlerische und raubtierhafte Mensch hätte seiner nicht bedurft. Daß uns unsre Handlungen, Gedanken, Gefühle, Bewegungen selbst ins Bewußtsein kommen – wenigstens ein Teil derselben –, das ist die Folge eines furchtbaren langen über dem Menschen waltenden »Muß«: er *brauchte*, als das gefährdetste Tier, Hilfe, Schutz, er brauchte seinesgleichen, er mußte seine

Not auszudrücken, sich verständlich zu machen wissen – und zu dem allen hatte er zuerst »Bewußtsein« nötig, also selbst zu »wissen«, was ihm fehlt, zu »wissen«, wie es ihm zumute ist, zu »wissen«, was er denkt. Denn nochmals gesagt: der Mensch, wie jedes lebende Geschöpf, denkt immerfort, aber weiß es nicht; das *bewußt* werdende Denken ist nur der kleinste Teil davon, sagen wir: der oberflächlichste, der schlechteste Teil – denn allein dieses bewußte Denken *geschieht in Worten, das heißt in Mitteilungszeichen,* womit sich die Herkunft des Bewußtseins selber aufdeckt. Kurz gesagt, die Entwicklung der Sprache und die Entwicklung des Bewußtseins (*nicht der Vernunft, sondern allein des Sich-bewußt-werdens der Vernunft*) gehen Hand in Hand. Man nehme hinzu, daß nicht nur die Sprache zur Brücke zwischen Mensch und Mensch dient, sondern auch der Blick, der Druck, die Gebärde; das Bewußtwerden unsrer Sinneseindrücke bei uns selbst, die Kraft, sie fixieren zu können und gleichsam außer uns zu stellen, hat in dem Maße zugenommen, als die Nötigung wuchs, sie *andern* durch Zeichen zu übermitteln. Der Zeichenerfindende Mensch ist zugleich der immer schärfer seiner selbst bewußte Mensch; erst als soziales Tier lernte der Mensch seiner selbst bewußt werden – er tut es noch, er tut es immer mehr. – Mein Gedanke ist, wie man sieht: daß das Bewußtsein nicht eigentlich zur Individual-Existenz des Menschen gehört, vielmehr zu dem, was an ihm Gemeinschafts- und Herden-Natur ist; daß es, wie daraus folgt, auch nur in bezug auf Gemeinschafts- und Herden-Nützlichkeit fein entwickelt ist, und daß folglich jeder von uns, beim besten Willen, sich selbst so individuell wie möglich zu *verstehen,* »sich selbst zu kennen«, doch immer nur gerade das Nicht-Individuelle an sich zum Bewußtsein bringen wird, sein »Durchschnittliches«, – daß unser Gedanke selbst fortwährend durch den Charakter des Bewußtseins – durch den in ihm gebietenden »Genius der Gattung« – gleichsam *majorisiert* und in die Herden-Perspektive zurück-übersetzt wird. Unsre Handlungen sind im Grunde allesamt auf eine unvergleichliche Weise persönlich, einzig, unbegrenzt-individuell, es ist kein Zweifel; aber sobald wir sie ins Bewußtsein übersetzen, *scheinen sie es nicht mehr* ... Dies ist der eigentliche Phänomenalismus und Perspektivismus, wie *ich* ihn verstehe: die Natur des *tierischen Bewußtseins* bringt es mit sich, daß die Welt, deren wir bewußt werden können, nur eine Oberflächen- und Zeichenwelt ist, eine verallgemeinerte, eine vergemeinerte Welt – daß alles, was bewußt wird, eben damit flach, dünn, relativ-dumm, generell, Zeichen, Herden-Merkzeichen *wird*, daß mit allem Bewußtwerden eine große gründliche Verderbnis, Fälschung, Veroberflächlichung und Generalisation verbunden ist. Zuletzt ist das wachsende Bewußtsein eine Gefahr; und wer unter den bewußtesten Europäern lebt, weiß sogar, daß es eine Krankheit ist. Es ist, wie man errät, nicht der Gegensatz von Subjekt und Objekt, der mich hier angeht: diese Unterscheidung überlasse ich den Erkenntnistheoretikern, welche in den Schlingen der Grammatik (der Volks-Metaphysik) hängengeblieben sind. Es ist erst recht nicht der Gegensatz von »Ding an sich« und Erscheinung: denn wir »erkennen« bei weitem nicht genug, um auch nur so *scheiden* zu dürfen. Wir haben eben gar kein Organ für das Erkennen, für die »Wahrheit«: wir »wissen« (oder glauben oder bilden uns ein) gerade so viel, als es im Interesse der Menschen-Herde, der Gattung, *nützlich* sein mag: und selbst, was hier »Nützlichkeit« genannt wird, ist zuletzt auch nur ein Glaube, eine Einbildung und vielleicht gerade jene verhängnisvollste Dummheit, an der wir einst zugrunde gehn.

355

Der Ursprung unsres Begriffs »Erkenntnis«. – Ich nehme diese Erklärung von der Gasse; ich hörte jemanden aus dem Volke sagen »er hat mich erkannt« –: dabei fragte ich mich: was versteht eigentlich das Volk unter Erkenntnis? was will es, wenn es »Erkenntnis« will? Nichts weiter als dies: etwas Fremdes soll auf etwas *Bekanntes* zurückgeführt werden. Und wir Philosophen – haben wir unter Erkenntnis eigentlich *mehr* verstanden? Das Bekannte, das heißt: das woran wir gewöhnt sind, so daß wir uns nicht mehr darüber wundern, unser Alltag, irgendeine Regel, in der wir stecken, alles und jedes, in dem wir uns zu Hause wissen – wie? ist unser Bedürfnis nach Erkennen nicht eben dies Bedürfnis nach Bekanntem, der Wille, unter allem Fremden, Ungewöhnlichen, Fragwürdigen etwas aufzudecken, das uns nicht mehr beunruhigt? Sollte es nicht der *Instinkt der Furcht* sein, der uns erkennen heißt? Sollte das Frohlocken des Erkennenden nicht eben das Frohlocken des wiedererlangten Sicherheitsgefühls sein? ... Dieser Philosoph wähnte die Welt »erkannt«, als er sie auf die »Idee« zurückgeführt hatte: ach, war es nicht deshalb, weil ihm die »Idee« so bekannt, so gewohnt war? weil er sich so wenig mehr vor der »Idee« fürchtete? – Oh über diese Genügsamkeit der Erkennenden! man sehe sich doch ihre Prinzipien und Welträtsel-Lösungen darauf an! Wenn sie etwas an den Dingen, unter den Dingen, hinter den Dingen wiederfinden, das uns leider sehr bekannt ist, zum Beispiel unser Einmaleins oder unsre Logik oder unser Wollen und Begehren, wie glücklich sind sie sofort! Denn »was bekannt ist, ist erkannt«: darin stimmen sie überein. Auch die Vorsichtigsten unter ihnen meinen, zum mindesten sei das Bekannte *leichter erkennbar* als das Fremde; es sei zum Beispiel methodisch geboten, von der »inneren Welt«, von den »Tatsachen des Bewußtseins« auszugehen, weil sie die *uns bekanntere* Welt sei! Irrtum der Irrtümer! Das Bekannte ist das Gewohnte; und das Gewohnte ist am schwersten zu »erkennen«, das heißt als Problem zu sehen, das heißt als fremd, als fern, als »außer uns« zu sehn ... Die große Sicherheit der natürlichen Wissenschaften im Verhältnis zur Psychologie und Kritik der Bewußtseins-Elemente – *unnatürlichen* Wissenschaften, wie man beinahe sagen dürfte – ruht gerade darauf, daß sie das *Fremde* als Objekt nehmen: während es fast etwas Widerspruchsvolles und Widersinniges ist, das Nicht-Fremde überhaupt als Objekt nehmen zu *wollen* …

356

Inwiefern es in Europa immer »künstlerischer« zugehn wird. – Die Lebens-Fürsorge zwingt auch heute noch – in unsrer Übergangszeit, wo so vieles aufhört zu zwingen – fast allen männlichen Europäern eine bestimmte *Rolle* auf, ihren sogenannten Beruf; einigen bleibt dabei die Freiheit, eine anscheinende Freiheit, diese Rolle selbst zu wählen, den meisten wird sie gewählt. Das Ergebnis ist seltsam genug: fast alle Europäer verwechseln sich in einem vorgerückteren Alter mit ihrer Rolle, sie selbst sind die Opfer ihres »guten Spiels«, sie selbst haben vergessen, wie sehr Zufall, Laune, Willkür damals über sie verfügt haben, als sich ihr »Beruf« entschied – und wie viele andre Rollen sie vielleicht hätten spielen *können*: denn es ist nunmehr zu spät! Tiefer angesehn, ist aus der Rolle wirklich Charakter *geworden*, aus der Kunst Natur. Es gab Zeitalter, in denen man mit steifer Zuversichtlichkeit, ja mit Frömmigkeit an seine Vorherbestimmung für gerade dies Geschäft, gerade diesen Broterwerb glaubte und den Zufall darin, die Rolle, das Willkürliche schlechterdings nicht anerkennen wollte: Stände, Zünfte, erbliche Gewerbs-Vorrechte haben mit Hilfe dieses Glaubens es zustande gebracht, jene Ungeheuer von breiten Gesellschafts-Türmen aufzurichten, welche das Mittelalter auszeichnen und denen jedenfalls eins nachzurühmen bleibt: Dauerfähigkeit (– und Dauer ist auf Erden ein Wert ersten Ranges!). Aber es gibt umgekehrte Zeitalter, die eigentlich demokratischen, wo man diesen Glauben mehr und mehr verlernt und ein gewisser kecker Glaube und Gesichtspunkt des Gegenteils in den Vordergrund tritt, jener

Athener-Glaube, der in der Epoche des Perikles zuerst bemerkt wird, jener Amerikaner-Glaube von heute, der immer
mehr auch Europäer-Glaube werden will: wo der einzelne
überzeugt ist, ungefähr alles zu können, ungefähr *jeder Rolle
gewachsen* zu sein, wo jeder mit sich versucht, improvisiert,
neu versucht, mit Lust versucht, wo alle Natur aufhört und
Kunst wird … Die Griechen, erst in diesen *Rollen-Glauben* –
einen Artisten-Glauben, wenn man will – eingetreten, machten, wie bekannt, Schritt für Schritt eine wunderliche und
nicht in jedem Betracht nachahmenswerte Verwandlung
durch: *sie wurden wirklich Schauspieler;* als solche bezauberten
sie, überwanden sie alle Welt und zuletzt selbst die »Welt-
überwinderin« (denn der *Graeculus histrio* hat Rom besiegt,
und *nicht*, wie die Unschuldigen zu sagen pflegen, die griechische Kultur …). Aber was ich fürchte, was man heute schon
mit Händen greift, falls man Lust hätte, danach zu greifen, wir
modernen Menschen sind ganz schon auf dem gleichen
Wege; und jedesmal, wenn der Mensch anfängt zu entdek-
ken, inwiefern er eine Rolle spielt und inwieweit er Schauspieler sein *kann, wird* er Schauspieler … Damit kommt dann
eine neue Flora und Fauna von Menschen herauf, die in
festeren, beschränkteren Zeitaltern nicht wachsen können –
oder »unten« gelassen werden, unter dem Banne und Verdachte der Ehrlosigkeit –, es kommen damit jedesmal die in-
teressantesten und tollsten Zeitalter der Geschichte herauf, in
denen die »Schauspieler«, *alle* Arten Schauspieler, die eigentlichen Herren sind. Eben dadurch wird eine andre Gattung
Mensch immer tiefer benachteiligt, endlich unmöglich gemacht, vor allem die großen »Baumeister«; jetzt erlahmt die
bauende Kraft; der Mut, auf lange Fernen hin Pläne zu
machen, wird entmutigt; die organisatorischen Genies fangen
an zu fehlen – wer wagt es nunmehr noch, Werke zu unternehmen, zu deren Vollendung man auf Jahrtausende *rechnen*
müßte? Es stirbt eben jener Grundglaube aus, auf welchen hin
einer dergestalt rechnen, versprechen, die Zukunft im Plane

vorwegnehmen, seinem Plane zum Opfer bringen kann, daß nämlich der Mensch nur insofern Wert hat, Sinn hat, als er *ein Stein in einem großen Baue* ist: wozu er zuallererst *fest* sein muß, »Stein« sein muß ... Vor allem nicht – Schauspieler! Kurz gesagt – ach, es wird lang genug noch verschwiegen werden! – was von nun an nicht mehr gebaut wird, nicht mehr gebaut werden kann, das ist – eine Gesellschaft im alten Versrande des Wortes; um diesen Bau zu bauen, fehlt alles, voran das Material. *Wir alle sind kein Material mehr für eine Gesellschaft*: das ist eine Wahrheit, die an der Zeit ist! Es dünkt mich gleichgültig, daß einstweilen noch die kurzsichtigste, vielleicht ehrlichste, jedenfalls lärmendste Art Mensch, die es heute gibt, unsre Herrn Sozialisten, ungefähr das Gegenteil glaubt, hofft, träumt, vor allem schreit und schreibt; man liest ja ihr Zukunftswort »freie Gesellschaft« bereits auf allen Tischen und Wänden. Freie Gesellschaft? Ja! Ja! Aber ihr wißt doch, ihr Herren, woraus man die baut? Aus hölzernem Eisen! Aus dem berühmten hölzernen Eisen! Und noch nicht einmal aus hölzernem ...

357

Zum alten Probleme: »was ist deutsch?« – Man rechne bei sich die eigentlichen Errungenschaften des philosophischen Gedankens nach, welche deutschen Köpfen verdankt werden: sind sie in irgendeinem erlaubten Sinne auch noch der ganzen Rasse zugute zu rechnen? Dürfen wir sagen: sie sind zugleich das Werk der »deutschen Seele«, mindestens deren Symptom, in dem Sinne, in welchem wir etwa Platos Ideomanie, seinen fast religiösen Formen-Wahnsinn zugleich als ein Ereignis und Zeugnis der »griechischen Seele« zu nehmen gewohnt sind? Oder wäre das Umgekehrte wahr? wären sie gerade so individuell, so sehr *Ausnahme* vom Geiste der Rasse, wie es zum Beispiel Goethes Heidentum mit gutem Gewissen war? Oder wie es Bismarcks Macchiavellismus mit gutem Gewissen, seine sogenannte »Realpolitik«, unter Deutschen ist? Widersprächen unsre Philosophen vielleicht sogar dem *Bedürfnisse* der »deutschen Seele«? Kurz, waren die deutschen Philosophen wirklich – philosophische *Deutsche*? – Ich erinnere an drei Fälle. Zuerst an *Leibniz'* unvergleichliche Einsicht, mit der er nicht nur gegen Descartes, sondern gegen alles, was bis zu ihm philosophiert hatte, Recht bekam – daß die Bewußtheit nur ein *accidens* der Vorstellung ist, *nicht* deren notwendiges und wesentliches Attribut, daß also das, was wir Bewußtsein nennen, nur einen Zustand unsrer geistigen und seelischen Welt ausmacht (vielleicht einen krankhaften Zustand) und *bei weitem nicht sie selbst* – ist an diesem Gedanken, dessen Tiefe auch heute noch nicht ausgeschöpft ist, etwas Deutsches? Gibt es einen Grund zu mutmaßen, daß nicht leicht ein Lateiner auf diese Umdrehung des Augenscheins verfallen sein würde? – denn es ist eine Umdrehung. Erinnern wir uns zweitens an *Kants* ungeheures Fragezeichen, welches er an den Begriff »Kausalität« schrieb – nicht daß er wie Hume dessen Recht überhaupt bezweifelt hätte: er begann vielmehr vorsichtig das Reich abzugrenzen, innerhalb dessen dieser Begriff überhaupt Sinn hat (man ist auch jetzt noch nicht mit dieser Grenzabsteckung fertig geworden). Nehmen wir drittens den erstaunlichen Griff *Hegels*, der damit durch alle logischen Gewohnheiten und Verwöhnungen durchgriff, als er zu lehren wagte, daß die Artbegriffe sich *auseinander* entwickeln: mit welchem Satze die Geister in Europa zur letzten großen wissenschaftlichen Bewegung präformiert wurden, zum Darwinismus – denn ohne Hegel kein Darwin. Ist an dieser Hegelschen Neuerung, die erst den entscheidenden Begriff »Entwicklung« in die Wissenschaft gebracht hat, etwas Deutsches? – Ja, ohne allen Zweifel: in allen drei Fällen fühlen wir etwas von uns selbst »aufgedeckt« und erraten und sind dankbar dafür und überrascht zugleich, jeder dieser drei Sätze ist ein nachdenkliches Stück deutscher Selbsterkenntnis,

Selbsterfahrung, Selbsterfassung. »Unsre innre Welt ist viel reicher, umfänglicher, verborgener«, so empfinden wir mit Leibniz; als Deutsche zweifeln wir mit Kant an der Letztgültigkeit naturwissenschaftlicher Erkenntnisse und überhaupt an allem, was sich *causaliter* erkennen *läßt*: das Erkenn*bare* scheint uns als solches schon *geringeren* Wertes. Wir Deutsche sind Hegelianer, auch wenn es nie einen Hegel gegeben hätte, insofern wir (im Gegensatz zu allen Lateinern) dem Werden, der Entwicklung instinktiv einen tieferen Sinn und reicheren Wert zumessen als dem, was »ist« – wir glauben kaum an die Berechtigung des Begriffs »Sein« –; ebenfalls insofern wir unsrer menschlichen Logik nicht geneigt sind einzuräumen, daß sie die Logik an sich, die einzige Art Logik sei (wir möchten vielmehr uns überreden, daß sie nur ein Spezialfall sei, und vielleicht einer der wunderlichsten und dümmsten –). Eine vierte Frage wäre, ob auch *Schopenhauer* mit seinem Pessimismus, das heißt dem Problem vom *Wert des Daseins,* gerade ein Deutscher gewesen sein müßte. Ich glaube nicht. Das Ereignis, *nach* welchem dies Problem mit Sicherheit zu erwarten stand, so daß ein Astronom der Seele Tag und Stunde dafür hätte ausrechnen können, der Niedergang des Glaubens an den christlichen Gott, der Sieg des wissenschaftlichen Atheismus, ist ein gesamteuropäisches Ereignis, an dem alle Rassen ihren Anteil von Verdienst und Ehre haben sollen. Umgekehrt wäre gerade den Deutschen zuzurechnen – jenen Deutschen, mit welchen Schopenhauer gleichzeitig lebte –, diesen Sieg des Atheismus am längsten und gefährlichsten *verzögert* zu haben; Hegel namentlich war sein Verzögerer *par excellence,* gemäß dem grandiosen Versuche, den er machte, uns zur Göttlichkeit des Daseins zu allerletzt noch mit Hilfe unsres sechsten Sinnes, des »historischen Sinnes«, zu überreden. Schopenhauer war als Philosoph der *erste* eingeständliche und unbeugsame Atheist, den wir Deutschen gehabt haben: seine Feindschaft gegen Hegel hatte hier ihren Hintergrund. Die Ungöttlichkeit des Daseins galt ihm als etwas Gegebenes,

Greifliches, Undiskutierbares; er verlor jedesmal seine Philosophen-Besonnenheit und geriet in Entrüstung, wenn er jemanden hier zögern und Umschweife machen sah. An dieser Stelle liegt seine ganze Rechtschaffenheit: der unbedingte redliche Atheismus ist eben die *Voraussetzung* seiner Problemstellung, als ein endlich und schwer errungener Sieg des europäischen Gewissens, als der folgenreichste Akt einer zweitausendjährigen Zucht zur Wahrheit, welche am Schlusse sich die *Lüge* im Glauben an Gott verbietet ... Man sieht, *was* eigentlich über den christlichen Gott gesiegt hat: die christliche Moralität selbst, der immer strenger genommene Begriff der Wahrhaftigkeit, die Beichtväter-Feinheit des christlichen Gewissens, übersetzt und sublimiert zum wissenschaftlichen Gewissen, zur intellektuellen Sauberkeit um jeden Preis. Die Natur ansehn, als ob sie ein Beweis für die Güte und Obhut eines Gottes sei; die Geschichte interpretieren zu Ehren einer göttlichen Vernunft, als beständiges Zeugnis einer sittlichen Weltordnung und sittlicher Schlußabsichten; die eignen Erlebnisse auslegen, wie sie fromme Menschen lange genug ausgelegt haben, wie als ob alles Fügung, alles Wink, alles dem Heil der Seele zuliebe ausgedacht und geschickt sei: das ist nunmehr *vorbei*, das hat das Gewissen *gegen* sich, das gilt allen feineren Gewissen als unanständig, unehrlich, als Lügnerei, Feminismus, Schwachheit, Feigheit – mit dieser Strenge, wenn irgendwomit, sind wir eben *gute* Europäer und Erben von Europas längster und tapferster Selbstüberwindung. Indem wir die christliche Interpretation dergestalt von uns stoßen und ihren »Sinn« wie eine Falschmünzerei verurteilen, kommt nun sofort auf eine furchtbare Weise die *Schopenhauersche* Frage zu uns: *hat denn das Dasein überhaupt einen Sinn?* – jene Frage, die ein paar Jahrhunderte brauchen wird, um auch nur vollständig und in alle ihre Tiefe hinein gehört zu werden. Was Schopenhauer selbst auf diese Frage geantwortet hat, war – man vergebe es mir – etwas Voreiliges, Jugendliches, nur eine Abfindung, ein Stehen- und Steckenbleiben in eben den christlich-asketischen Moral-Perspektiven, welchen mit dem Glauben an Gott *der Glaube gekündigt war* ... Aber er hat die Frage *gestellt* – als ein guter Europäer, wie gesagt, und *nicht* als Deutscher. – Oder hätten etwa die Deutschen wenigstens mit der Art, in welcher sie sich der Schopenhauerschen Frage bemächtigten, ihre innere Zugehörigkeit und Verwandtschaft, ihre Vorbereitung, ihr *Bedürfnis* nach seinem Problem bewiesen? Daß nach Schopenhauer auch in Deutschland – übrigens spät genug! – über das von ihm aufgestellte Problem gedacht und gedruckt worden ist, reicht gewiß nicht aus, zugunsten dieser engeren Zugehörigkeit zu entscheiden; man könnte selbst die eigentümliche *Ungeschicktheit* dieses Nach-Schopenhauerschen Pessimismus dagegen geltend machen – die Deutschen benahmen sich ersichtlich nicht dabei wie in ihrem Elemente. Hiermit spiele ich ganz und gar nicht auf Eduard von Hartmann an; im Gegenteil, mein alter Verdacht ist auch heute noch nicht gehoben, daß er für uns *zu geschickt* ist, ich will sagen, daß er als arger Schalk von Anbeginn sich vielleicht nicht nur über den deutschen Pessimismus lustig gemacht hat – daß er am Ende etwa gar es den Deutschen testamentarisch »vermachen« könnte, wie weit man sie selbst, im Zeitalter der Gründungen, hat zum Narren haben können. Aber ich frage: soll man vielleicht den alten Brummkreisel Bahnsen den Deutschen zu Ehren rechnen, der sich mit Wollust sein Leben lang um sein realdialektisches Elend und »persönliches Pech« gedreht hat – wäre etwa das gerade deutsch? (ich empfehle anbei seine Schriften, wozu ich sie selbst gebraucht habe, als antipessimistische Kost, namentlich um seiner *elegantiae psychologicae* willen, mit denen, wie mich dünkt, auch dem verstopftesten Leibe und Gemüte beizukommen ist). Oder dürfte man solche Dilettanten und alte Jungfern, wie den süßlichen Virginitäts-Apostel Mainländer unter die rechten Deutschen zählen? Zuletzt wird es ein Jude gewesen sein (– alle Juden werden süßlich, wenn sie moralisieren). Weder Bahnsen, noch Mainländer, noch gar Eduard von Hartmann geben eine sichere Handhabe für die Frage ab, ob der Pessimismus Schopenhauers, sein entsetzter Blick in eine entgöttlichte, dumm, blind, verrückt und fragwürdig gewordene Welt, sein *ehrliches* Entsetzen ... nicht nur ein Ausnahme-Fall unter Deutschen, sondern ein *deutsches* Ereignis gewesen ist: während alles, was sonst im Vordergrunde steht, unsre tapfre Politik, unsre fröhliche Vaterländerei, welche entschlossen genug alle Dinge auf ein wenig philosophisches Prinzip hin (»Deutschland, Deutschland über alles«) betrachtet, also *sub specie speciei,* nämlich der deutschen *species,* mit großer Deutlichkeit das Gegenteil bezeugt. Nein! die Deutschen von heute sind *keine* Pessimisten! Und Schopenhauer war Pessimist, nochmals gesagt, als guter Europäer und *nicht* als Deutscher.

358

Der Bauernaufstand des Geistes. – Wir Europäer befinden uns im Anblick einer ungeheuren Trümmerwelt, wo einiges noch hoch ragt, wo vieles morsch und unheimlich dasteht, das meiste aber schon am Boden liegt, malerisch genug – wo gab es je schönere Ruinen? – und überwachsen mit großem und kleinem Unkraute. Die Kirche ist diese Stadt des Untergangs: wir sehen die religiöse Gesellschaft des Christentums bis in die untersten Fundamente erschüttert – der Glaube an Gott ist umgestürzt, der Glaube an das christlich-asketische Ideal kämpft eben noch seinen letzten Kampf. Ein solches lang und gründlich gebautes Werk wie das Christentum – es war der letzte Römerbau! – konnte freilich nicht mit einem Male zerstört werden; alle Art Erdbeben hat da rütteln, alle Art Geist, die anbohrt, gräbt, nagt, feuchtet, hat da helfen müssen. Aber was das Wunderlichste ist: die, welche sich am meisten darum bemüht haben, das Christentum zu halten, zu erhalten, sind gerade seine besten Zerstörer geworden – die Deutschen. Es scheint, die Deutschen verstehen das Wesen einer Kirche nicht. Sind sie dazu nicht geistig genug? nicht mißtrauisch genug? Der Bau der Kirche ruht jedenfalls auf einer *südländischen* Freiheit und Freisinnigkeit des Geistes und ebenso auf einem südländischen Verdachte gegen Natur, Mensch und Geist – er ruht auf einer ganz andren Kenntnis des Menschen, Erfahrung vom Menschen, als der Norden gehabt hat. Die Luthersche Reformation war in ihrer ganzen Breite die Entrüstung der Einfalt gegen etwas »Vielfältiges«, um vorsichtig zu reden, ein grobes, biederes Mißverständnis, an dem viel zu verzeihen ist – man begriff den Ausdruck einer *siegreichen* Kirche nicht und sah nur Korruption, man mißverstand die vornehme Skepsis, jenen *Luxus* von Skepsis und Toleranz, welchen sich jede siegreiche, selbstgewisse Macht gestattet ... Man übersieht heute gut genug, wie Luther in allen kardinalen Fragen der Macht verhängnisvoll kurz, oberflächlich, unvorsichtig angelegt war, vor allem als Mann aus dem Volke, dem alle Erbschaft einer herrschenden Kaste, aller Instinkt für Macht abging: so daß sein Werk, sein Wille zur Wiederherstellung jenes Römer-Werks, ohne daß er es wollte und wußte, nur der Anfang eines Zerstörungswerkes wurde. Er dröselte auf, er riß zusammen, mit ehrlichem Ingrimme, wo die alte Spinne am sorgsamsten und längsten gewoben hatte. Er lieferte die heiligen Bücher an jedermann aus – damit gerieten sie endlich in die Hände der Philologen, das heißt der Vernichter jeden Glaubens, der auf Büchern ruht. Er zerstörte den Begriff »Kirche«, indem er den Glauben an die Inspiration der Konzilien wegwarf: denn nur unter der Voraussetzung, daß der inspirierende Geist, der die Kirche gegründet hat, in ihr noch lebe, noch baue, noch fortfahre, sein Haus zu bauen, behält der Begriff »Kirche« Kraft. Er gab dem Priester den Geschlechtsverkehr mit dem Weibe zurück: aber drei Viertel der Ehrfurcht, deren das Volk, vor allem das Weib aus dem Volke fähig ist, ruht auf dem Glauben, daß ein Ausnahme-Mensch in diesem Punkte auch in andren Punkten eine Ausnahme sein wird – hier gerade hat der Volksglaube an etwas Übermenschliches im Menschen, an das Wunder, an den erlösenden Gott im Menschen, seinen feinsten und verfänglichsten Anwalt. Luther mußte dem Priester, nachdem er ihm das Weib gegeben hatte, die Ohrenbeichte *nehmen*, das war psychologisch richtig; aber damit war im Grunde der christliche Priester selbst abgeschafft, dessen tiefste Nützlichkeit immer die gewesen ist, ein heiliges Ohr, ein verschwiegener Brunnen, ein Grab für Geheimnisse zu sein. »Jedermann sein eigner Priester« – hinter solchen Formeln und ihrer bäuerischen Verschlagenheit versteckte sich bei Luther der abgründliche Haß auf den »höheren Menschen« und die Herrschaft des »höheren Menschen«, wie ihn die Kirche konzipiert hatte – er zerschlug ein Ideal, das er nicht zu erreichen wußte, während er die Entartung dieses Ideals zu bekämpfen und zu verabscheuen schien. Tatsächlich stieß er, der unmögliche Mönch, die *Herrschaft* der *homines religiosi* von sich; er machte also gerade das selber innerhalb der kirchlichen Gesellschafts-Ordnung, was er in Hinsicht auf die bürgerliche Ordnung so unduldsam bekämpfte – einen »Bauernaufstand«. – Was hinterdrein alles aus seiner Reformation gewachsen ist, Gutes und Schlimmes, und heute ungefähr überrechnet werden kann – wer wäre wohl naiv genug, Luther um dieser Folgen willen einfach zu loben oder zu tadeln? Er ist an allem unschuldig, er wußte nicht was er tat. Die Verflachung des europäischen Geistes, namentlich im Norden, seine *Vergutmütigung*, wenn mans lieber mit einem moralischen Worte bezeichnet hört, tat mit der Lutherschen Reformation einen tüchtigen Schritt vorwärts, es ist kein Zweifel; und ebenso wuchs durch sie die Beweglichkeit und Unruhe des Geistes, sein Durst nach Unabhängigkeit, sein Glaube an ein Recht auf Freiheit, seine »Natürlichkeit«. Will man ihr in letzterer Hinsicht den Wert zugestehn, das vorbereitet und begünstigt zu haben, was wir heute als »moderne Wissenschaft« verehren, so muß man freilich hinzufügen, daß sie auch an der Entartung des modernen Gelehrten mitschuldig ist, an seinem Mangel an Ehrfurcht, Scham und Tiefe, an der ganzen naiven Treuherzigkeit und Biedermännerei in Dingen der Erkenntnis, kurz an jenem *Plebejismus* des Geistes, der den letzten beiden Jahrhunderten eigentümlich ist und von dem uns auch der bisherige Pessimismus noch keineswegs erlöst hat, – auch die »modernen Ideen« gehören noch zu diesem Bauernaufstand des Nordens gegen den kälteren, zweideutigeren, mißtrauischeren Geist des Südens, der sich in der christlichen Kirche sein größtes Denkmal gebaut hat. Vergessen wir es zuletzt nicht, was eine Kirche ist, und zwar im Gegensatz zu jedem »Staate«: eine Kirche ist vor allem ein Herrschafts-Gebilde, das den *geistigeren* Menschen den obersten Rang sichert und an die Macht der Geistigkeit soweit *glaubt*, um sich alle gröberen Gewaltmittel zu verbieten – damit allein ist die Kirche unter allen Umständen eine *vornehmere* Institution als der Staat.

359

Die Rache am Geist und andre Hintergründe der Moral. – Die Moral – wo glaubt ihr wohl, daß sie ihre gefährlichsten und tückischsten Anwälte hat? ... Da ist ein mißratener Mensch, der nicht genug Geist besitzt, um sich dessen freuen zu können, und gerade Bildung genug, um das zu wissen; gelangweilt, überdrüssig, ein Selbstverächter; durch etwas ererbtes Vermögen leider noch um den letzten Trost betrogen, den »Segen der Arbeit«, die Selbstvergessenheit im »Tagewerk«; ein solcher, der sich seines Daseins im Grunde schämt – vielleicht herbergt er dazu ein paar kleine Laster – und andrerseits nicht umhin kann, durch Bücher, auf die er kein Recht hat, oder geistigere Gesellschaft, als er verdauen kann, sich immer schlimmer zu verwöhnen und eitel-reizbar zu machen: ein solcher durch und durch vergifteter Mensch – denn Geist wird Gift, Bildung wird Gift, Besitz wird Gift, Einsamkeit wird Gift bei dergestalt Mißratenen – gerät schließlich in einen habituellen Zustand der Rache, des Willens zur Rache … *was* glaubt ihr wohl, daß er nötig, unbedingt nötig hat, um sich bei sich selbst den Anschein von Überlegenheit über geistigere Menschen, um sich die Lust der *vollzogenen Rache,* wenigstens für seine Einbildung, zu schaffen? Immer *die Moralität,* darauf darf man wetten, immer die großen Moral-Worte, immer das Bumbum von Gerechtigkeit, Weisheit, Heiligkeit, Tugend, immer den Stoizismus der Gebärde (– wie gut versteckt der Stoizismus, was einer *nicht* hat! …), immer den Mantel des klugen Schweigens, der Leutseligkeit, der Milde, und wie alle die Idealisten-Mäntel heißen, unter denen die unheilbaren Selbstverächter, auch die unheilbar Eitlen, herumgehn. Man verstehe mich nicht falsch: aus solchen geborenen *Feinden des Geistes* entsteht mitunter jenes seltene Stück Menschtum, das vom Volke unter dem Namen des Heiligen, des Weisen verehrt wird; aus solchen Menschen kommen jene Untiere der Moral her, welche Lärm machen, Geschichte machen – der heilige Augustin gehört zu ihnen. Die Furcht vor dem Geist, die Rache am Geist – oh wie oft wurden diese triebkräftigen Laster schon zur Wurzel von Tugenden! Ja *zur* Tugend! – Und, unter uns gefragt, selbst jener Philosophen-Anspruch auf *Weisheit,* der hier und da einmal auf Erden gemacht worden ist, der tollste und unbescheidenste aller Ansprüche – war er nicht immer bisher, in Indien wie in Griechenland, *vor allem ein Versteck?* Mitunter vielleicht im Gesichtspunkte der Erziehung, der so viele Lügen heiligt, als zarte Rücksicht auf Werdende, Wachsende, auf Jünger, welche oft durch den Glauben an die Person (durch einen Irrtum) gegen sich selbst verteidigt werden müssen … In den häufigeren Fällen aber ein Versteck des Philosophen, hinter welches er sich aus Ermüdung, Alter, Erkaltung, Verhärtung rettet, als Gefühl vom nahen Ende, als Klugheit jenes Instinkts, den die Tiere vor dem Tode haben –

sie gehen beiseite, werden still, wählen die Einsamkeit, verkriechen sich in Höhlen, werden *weise* ... Wie? Weisheit ein Versteck des Philosophen vor – dem Geiste?

360

Zwei Arten Ursache, die man verwechselt. – Das erscheint mir als einer meiner wesentlichsten Schritte und Fortschritte: ich lernte die Ursache des Handelns unterscheiden von der Ursache des So- und So-Handelns, des In-dieser-Richtung-, Auf-dieses-Ziel-hin-Handelns. Die erste Art Ursache ist ein Quantum von aufgestauter Kraft, welches darauf wartet, irgendwie, irgendwozu verbraucht zu werden; die zweite Art ist dagegen etwas, an dieser Kraft gemessen, ganz Unbedeutendes, ein kleiner Zufall zumeist, gemäß dem jenes Quantum sich nunmehr auf eine und bestimmte Weise »auslöst«: das Streichholz im Verhältnis zur Pulvertonne. Unter diese kleinen Zufälle und Streichhölzer rechne ich alle sogenannten »Zwecke«, ebenso die noch viel sogenannteren »Lebensberufe«: sie sind relativ beliebig, willkürlich, fast gleichgültig im Verhältnis zu dem ungeheuren Quantum Kraft, welches danach drängt, wie gesagt, irgendwie aufgebraucht zu werden. Man sieht es gemeinhin anders an: man ist gewohnt, gerade in dem Ziele (Zwecke, Berufe usw.) die *treibende* Kraft zu sehen, gemäß einem uralten Irrtume – aber er ist nur die *dirigierende* Kraft, man hat dabei den Steuermann und den Dampf verwechselt. Und noch nicht einmal immer den Steuermann, die dirigierende Kraft ... Ist das »Ziel«, der »Zweck« nicht oft genug nur ein beschönigender Vorwand, eine nachträgliche Selbstverblendung der Eitelkeit, die es nicht Wort haben will, daß das Schiff der Strömung *folgt*, in die es zufällig geraten ist? Daß es dorthin »will«, *weil* es dorthin – *muß*? Daß es wohl eine Richtung hat, aber ganz und gar – keinen Steuermann? – Man bedarf noch einer Kritik des Begriffs »Zweck«.

Vom Probleme des Schauspielers. – Das Problem des Schauspielers hat mich am längsten beunruhigt; ich war im Ungewissen darüber (und bin es mitunter jetzt noch), ob man nicht erst von da aus dem gefährlichen Begriff »Künstler« – einem mit unverzeihlicher Gutmütigkeit bisher behandelten Begriff – beikommen wird. Die Falschheit mit gutem Gewissen; die Lust an der Verstellung als Macht herausbrechend, den sogenannten »Charakter« beiseite schiebend, überflutend, mitunter auslöschend; das innere Verlangen in eine Rolle und Maske, in einen *Schein* hinein; ein Überschuß von Anpassungs-Fähigkeiten aller Art, welche sich nicht mehr im Dienste des nächsten engsten Nutzens zu befriedigen wissen: alles das ist vielleicht nicht *nur* der Schauspieler an sich? ... Ein solcher Instinkt wird sich am leichtesten bei Familien des niederen Volks ausgebildet haben, die unter wechselndem Druck und Zwang, in tiefer Abhängigkeit ihr Leben durchsetzen mußten, welche sich geschmeidig nach ihrer Decke zu strecken, auf neue Umstände immer neu einzurichten, immer wieder anders zu geben und zu stellen hatten, befähigt allmählich, den Mantel nach *jedem* Winde zu hängen und dadurch fast zum Mantel werdend, als Meister jener einverleibten und eingefleischten Kunst des ewigen Verstecken-Spielens, das man bei Tieren *mimicry* nennt: bis zum Schluß dieses ganze von Geschlecht zu Geschlecht aufgespeicherte Vermögen herrisch, unvernünftig, unbändig wird, als Instinkt andre Instinkte kommandieren lernt und den Schauspieler, den »Künstler« erzeugt (den Possenreißer, Lügenerzähler, Hanswurst, Narren, Clown zunächst, auch den klassischen Bedienten, den Gil Blas: denn in solchen Typen hat man die Vorgeschichte des Künstlers und oft genug sogar des »Genies«). Auch in höheren gesellschaftlichen Bedingungen erwächst unter ähnlichem Drucke eine ähnliche Art Mensch: nur wird dann meistens der schauspielerische Instinkt durch einen andren Instinkt gerade noch im Zaume gehalten, zum Beispiel bei dem »Diplomaten« – ich würde übrigens glauben, daß es einem guten Diplomaten jederzeit noch freistünde, auch einen guten Bühnen-Schauspieler abzugeben, gesetzt daß es ihm eben »freistünde«. Was aber die *Juden* betrifft, jenes Volk der Anpassungskunst *par excellence*, so möchte man in ihnen, diesem Gedankengange nach, von vornherein gleichsam eine welthistorische Veranstaltung zur Züchtung von Schauspielern sehn, eine eigentliche Schauspieler-Brutstätte; und in der Tat ist die Frage reichlich an der Zeit: welcher gute Schauspieler ist heute *nicht* – Jude? Auch der Jude als geborener Literat, als der tatsächliche Beherrscher der europäischen Presse übt diese seine Macht auf Grund seiner schauspielerischen Fähigkeit aus: denn der Literat ist wesentlich Schauspieler – er spielt nämlich den »Sachkundigen«, den »Fachmann«. – Endlich die *Frauen*: man denke über die ganze Geschichte der Frauen nach – *müssen* sie nicht zu allererst und – oberst Schauspielerinnen sein? Man höre die Ärzte, welche Frauenzimmer hypnotisiert haben; zuletzt, man liebe sie – man lasse sich von ihnen »hypnotisieren«! Was kommt immer dabei heraus? Daß sie »sich geben«, selbst noch, wenn sie – sich geben ... Das Weib ist so artistisch ...

362

Unser Glaube an eine Vermännlichung Europas. – Napoleon verdankt man's (und ganz und gar nicht der französischen Revolution, welche auf »Brüderlichkeit« von Volk zu Volk und allgemeinen blumichten Herzens-Austausch ausgewesen ist), daß sich jetzt ein paar kriegerische Jahrhunderte aufeinander folgen dürfen, die in der Geschichte nicht ihresgleichen haben, kurz daß wir ins *klassische Zeitalter des Kriegs* getreten sind, des gelehrten und zugleich volkstümlichen Kriegs im

größten Maßstabe (der Mittel, der Begabungen, der Diszi-
plin), auf den alle kommenden Jahrtausende als auf ein Stück
Vollkommenheit mit Neid und Ehrfurcht zurückblicken
werden – denn die nationale Bewegung, aus der diese
Kriegs-Glorie herauswächst, ist nur der Gegenschock gegen
Napoleon und wäre ohne Napoleon nicht vorhanden. Ihm
also wird man einmal es zurechnen dürfen, daß der *Mann* in
Europa wieder Herr über den Kaufmann und Philister geworden ist; vielleicht sogar über »das Weib«, das durch das
Christentum und den schwärmerischen Geist des achtzehnten Jahrhunderts, noch mehr durch die »modernen Ideen«
verhätschelt worden ist. Napoleon, der in den modernen
Ideen und geradewegs in der Zivilisation etwas wie eine persönliche Feindin sah, hat mit dieser Feindschaft sich als einer
der größten Fortsetzer der Renaissance bewährt: er hat ein
ganzes Stück antiken Wesens, das entscheidende vielleicht,
das Stück Granit wieder heraufgebracht. Und wer weiß, ob
nicht dies Stück antiken Wesens auch endlich wieder über die
nationale Bewegung Herr werden wird und sich im *bejahen-*
den Sinne zum Erben und Fortsetzer Napoleons machen
muß – der das eine Europa wollte, wie man weiß, und dies
als *Herrin der Erde.*

363

Wie jedes Geschlecht über die Liebe sein Vorurteil hat. – Bei allem
Zugeständnisse, welches ich dem monogamischen Vorurteile
zu machen willens bin, werde ich doch niemals zulassen, daß
man bei Mann und Weib von *gleichen* Rechten in der Liebe
rede: diese gibt es nicht. Das macht, Mann und Weib verstehen unter Liebe jeder etwas anderes – und es gehört mit
unter die Bedingungen der Liebe bei beiden Geschlechtern,
daß das eine Geschlecht beim andren Geschlecht *nicht* das
gleiche Gefühl, den gleichen Begriff »Liebe« voraussetzt.

Was das Weib unter Liebe versteht, ist klar genug: vollkommne Hingabe (nicht nur Hingebung) mit Seele und Leib, ohne jede Rücksicht, jeden Vorbehalt, mit Scham und Schrecken vielmehr vor dem Gedanken einer verklausulierten, an Bedingungen geknüpften Hingabe. In dieser Abwesenheit von Bedingungen ist eben seine Liebe ein *Glaube*: das Weib hat keinen anderen. – Der Mann, wenn er ein Weib liebt, *will* von ihm eben diese Liebe, ist folglich für seine Person selbst am entferntesten von der Voraussetzung der weiblichen Liebe; gesetzt aber, daß es auch Männer geben sollte, denen ihrerseits das Verlangen nach vollkommner Hingebung nicht fremd ist, nun, so sind das eben – keine Männer. Ein Mann, der liebt wie ein Weib, wird damit Sklave; ein Weib aber, das liebt wie ein Weib, wird damit ein *vollkommneres* Weib ... Die Leidenschaft des Weibes, in ihrem unbedingten Verzichtleisten auf eigne Rechte, hat gerade zur Voraussetzung, daß auf der andren Seite *nicht* ein gleiches Pathos, ein gleiches Verzichtleisten-Wollen besteht: denn wenn beide aus Liebe auf sich selbst verzichteten, so entstünde daraus – nun, ich weiß nicht was, vielleicht ein leerer Raum? – Das Weib will genommen, angenommen werden als Besitz, will aufgehn in den Begriff »Besitz«, »besessen«; folglich will es einen, der *nimmt*, der sich nicht selbst gibt und weggibt, der umgekehrt vielmehr gerade reicher an »sich« gemacht werden soll – durch den Zuwachs an Kraft, Glück, Glaube, als welchen ihm das Weib sich selbst gibt. Das Weib gibt sich weg, der Mann nimmt hinzu – ich denke, über diesen Natur-Gegensatz wird man durch keine sozialen Verträge, auch nicht durch den allerbesten Willen zur Gerechtigkeit hinwegkommen: so wünschenswert es sein mag, daß man das Harte, Schreckliche, Rätselhafte, Unmoralische dieses Antagonismus sich nicht beständig vor Augen stellt. Denn die Liebe, ganz, groß, voll gedacht, ist Natur und als Natur in alle Ewigkeit etwas »Unmoralisches«. – Die *Treue* ist demgemäß in die Liebe des Weibes eingeschlossen, sie folgt aus deren Definition; bei dem Manne *kann* sie leicht im Gefolge seiner Liebe entstehn, etwa als Dankbarkeit oder als Idiosynkrasie des Geschmacks und sogenannte Wahlverwandschaft, aber sie gehört nicht ins *Wesen* seiner Liebe – und zwar so wenig, daß man beinahe mit einigem Rechte von einem natürlichen Widerspiel zwischen Liebe und Treue beim Manne reden dürfte: welche Liebe eben ein Haben-Wollen ist und *nicht* ein Verzichtleisten und Weggeben; das Haben-Wollen geht aber jedesmal mit dem *Haben* zu Ende … Tatsächlich ist es der feinere und argwöhnischere Besitzdurst des Mannes, der dies »Haben« sich selten und spät eingesteht, was seine Liebe fortbestehn macht; insofern ist es selbst möglich, daß sie noch nach der Hingebung wächst – er gibt nicht leicht zu, daß ein Weib für ihn nichts mehr »hinzugeben« hätte.

364

Der Einsiedler redet. – Die Kunst, mit Menschen umzugehn, beruht wesentlich auf der Geschicklichkeit (die eine lange Übung voraussetzt), eine Mahlzeit anzunehmen, einzunehmen, zu deren Küche man kein Vertrauen hat. Gesetzt, daß man mit einem Wolfshunger zu Tisch kommt, geht alles leicht (»die schlechteste Gesellschaft läßt sich *fühlen* –«, wie Mephistopheles sagt); aber man hat ihn nicht, diesen Wolfshunger, wenn man ihn braucht! Ah, wie schwer sind die Mitmenschen zu verdauen! Erstes Prinzip: wie bei einem Unglücke seinen Mut einsetzen, tapfer zugreifen, sich selbst dabei bewundern, seinen Widerwillen zwischen die Zähne nehmen, seinen Ekel hinunterstopfen. Zweites Prinzip: seinen Mitmenschen »verbessern«, zum Beispiel durch ein Lob, so daß er sein Glück über sich selbst auszuschwitzen beginnt; oder einen Zipfel von seinen guten oder »interessanten« Eigenschaften fassen und daran ziehn, bis man die ganze Tu-

gend heraus hat und den Mitmenschen in deren Falten un-
terstecken kann. Drittes Prinzip: Selbsthypnotisierung. Sein
Verkehrs-Objekt wie einen gläsernen Knopf fixieren, bis
man aufhört, Lust und Unlust dabei zu empfinden, und unbemerkt einschläft, starr wird, Haltung bekommt: ein Haus-
mittel aus der Ehe und Freundschaft, reichlich erprobt, als
unentbehrlich gepriesen, aber wissenschaftlich noch nicht
formuliert. Sein populärer Name ist – Geduld.

365

Der Einsiedler spricht noch einmal. – Auch wir gehn mit »Menschen« um, auch wir ziehn bescheiden das Kleid an, in dem
(*als* das) man uns kennt, achtet, sucht, und begeben uns damit
in Gesellschaft, das heißt unter Verkleidete, die es nicht heißen wollen; auch wir machen es wie alle klugen Masken und
setzen jeder Neugierde, die nicht unser »Kleid« betrifft, auf
eine höfliche Weise den Stuhl vor die Türe. Es gibt aber auch
andre Arten und Kunststücke, um unter Menschen, mit Menschen »umzugehn«: zum Beispiel als Gespenst – was sehr ratsam ist, wenn man sie bald los sein und fürchten machen will.
Probe: man greift nach uns und bekommt uns nicht zu fassen.
Das erschreckt. Oder: wir kommen durch eine geschlossne
Tür. Oder: wenn alle Lichter ausgelöscht sind. Oder: nachdem wir bereits gestorben sind. Letzteres ist das Kunststück
der *posthumen* Menschen *par excellence.* (»Was denkt ihr auch?«
sagte ein solcher einmal ungeduldig, »würden wir diese
Fremde, Kälte, Grabesstille um uns auszuhalten Lust haben,
diese ganze unterirdische, verborgne, stumme, unentdeckte
Einsamkeit, die bei uns Leben heißt und ebensogut Tod heißen könnte, wenn wir nicht wüßten, was aus uns *wird* – und
daß wir nach dem Tode erst zu *unserm* Leben kommen und
lebendig werden, ah! sehr lebendig! wir posthumen Menschen!« –)

Angesichts eines gelehrten Buches. – Wir gehören nicht zu denen, die erst zwischen Büchern, auf den Anstoß von Büchern zu Gedanken kommen – unsre Gewohnheit ist, im Freien zu denken, gehend, springend, steigend, tanzend, am liebsten auf einsamen Bergen oder dicht am Meere, da wo selbst die Wege nachdenklich werden. Unsre ersten Wertfragen, in bezug auf Buch, Mensch und Musik, lauten: »kann er gehen? mehr noch, kann er tanzen?« ... Wir lesen selten, wir lesen darum nicht schlechter – oh wie rasch erraten wir's, wie einer auf seine Gedanken gekommen ist, ob sitzend, vor dem Tintenfaß, mit zusammengedrücktem Bauche, den Kopf über das Papier gebeugt: oh wie rasch sind wir auch mit seinem Buche fertig! Das geklemmte Eingeweide verrät sich, darauf darf man wetten, ebenso wie sich Stubenluft, Stubendecke, Stubenenge verrät. – Das waren meine Gefühle, als ich eben ein rechtschaffenes, gelehrtes Buch zuschlug, dankbar, sehr dankbar, aber auch erleichtert ... An dem Buche eines Gelehrten ist fast immer auch etwas Drückendes, Gedrücktes: der »Spezialist« kommt irgendwo zum Vorschein, sein Eifer, sein Ernst, sein Ingrimm, seine Überschätzung des Winkels, in dem er sitzt und spinnt, sein Buckel – jeder Spezialist hat seinen Buckel. Ein Gelehrten-Buch spiegelt immer auch eine krummgezogne Seele: jedes Handwerk zieht krumm. Man sehe seine Freunde wieder, mit denen man jung war, nachdem sie Besitz von ihrer Wissenschaft ergriffen haben: ach, wie auch immer das Umgekehrte geschehen ist. Ach, wie sie selbst auf immer nunmehr von ihr besetzt und besessen sind! In ihre Ecke eingewachsen, verdrückt bis zur Unkenntlichkeit, unfrei, um ihr Gleichgewicht gebracht, abgemagert und eckig überall, nur an *einer* Stelle ausbündig rund, – man ist bewegt und schweigt, wenn man sie so wiederfindet. Jedes Handwerk, gesetzt selbst, daß es einen goldenen Boden hat, hat über sich auch eine bleierne Decke, die auf die Seele drückt und drückt, bis sie wunderlich und krumm gedrückt ist. Daran ist nichts zu ändern. Man glaube ja nicht, daß es möglich sei, um diese Verunstaltung durch irgendwelche Künste der Erziehung herumzukommen. Jede Art *Meisterschaft* zahlt sich teuer auf Erden, wo vielleicht alles sich zu teuer zahlt; man ist Mann seines Fachs um den Preis, auch das Opfer seines Fachs zu sein. Aber ihr wollt es anders haben – »billiger«, vor allem bequemer – nicht wahr, meine Herren Zeitgenossen? Nun wohlan! Aber da bekommt ihr sofort auch etwas anderes, nämlich statt des Handwerkers und Meisters den Literaten, den gewandten, »vielgewendeten« Literaten, dem freilich der Buckel fehlt – jenen abgerechnet, den er vor euch macht, als der Ladendiener des Geistes und »Träger« der Bildung –, den Literaten, der eigentlich nichts *ist*, aber fast alles »repräsentiert«, der den Sachkenner spielt und »vertritt«, der es auch in aller Bescheidenheit auf sich nimmt, sich an dessen Stelle bezahlt, geehrt, gefeiert zu *machen*. – Nein, meine gelehrten Freunde! Ich segne euch auch noch um eures Buckels willen! Und dafür, daß ihr gleich mir die Literaten und Bildungs-Schmarotzer verachtet! Und daß ihr nicht mit dem Geiste Handel zu treiben wißt! Und lauter Meinungen habt, die nicht in Geldeswert auszudrücken sind! Und daß ihr nichts vertretet, was ihr nicht *seid*! Daß euer einziger Wille ist, Meister eures Handwerks zu werden, in Ehrfurcht vor jeder Art Meisterschaft und Tüchtigkeit und mit rücksichtslosester Ablehnung alles Scheinbaren, Halbechten, Aufgeputzten, Virtuosenhaften, Demagogischen, Schauspielerischen *in litteris et artibus* – alles dessen, was in Hinsicht auf unbedingte *Probität* von Zucht und Vorschulung sich nicht vor euch ausweisen kann! (Selbst Genie hilft über einen solchen Mangel nicht hinweg, so sehr es auch über ihn hinwegzutäuschen versteht: das begreift man, wenn man einmal unsern begabtesten Malern und Musikern aus der Nähe zugesehen hat – als welche alle, fast ausnahmslos, sich durch eine listige Erfindsamkeit von Manieren, von Notbehelfen, selbst von Prinzipien künst-

lich und nachträglich den *Anschein* jener Probität, jener Soli-
dität von Schulung und Kultur anzueignen wissen, freilich
ohne damit sich selbst zu betrügen, ohne damit ihr eignes
schlechtes Gewissen dauernd mundtot zu machen. Denn, ihr
wißt es doch? alle großen modernen Künstler leiden am
schlechten Gewissen ...)

367

Wie man zuerst bei Kunstwerken zu unterscheiden hat. – Alles,
was gedacht, gedichtet, gemalt, komponiert, selbst gebaut und
gebildet wird, gehört entweder zur monologischen Kunst
oder zur Kunst vor Zeugen. Unter letztere ist auch noch jene
scheinbare Monolog-Kunst einzurechnen, welche den Glauben an Gott in sich schließt, die ganze Lyrik des Gebets: denn
für einen Frommen gibt es noch keine Einsamkeit – diese Erfindung haben erst wir gemacht, wir Gottlosen. Ich kenne
keinen tieferen Unterschied der gesamten Optik eines Künstlers als diesen: ob er vom Auge des Zeugen aus nach seinem
werdenden Kunstwerke (nach »sich« –) hinblickt oder aber
»die Welt vergessen hat«: wie es das Wesentliche jeder monologischen Kunst ist – sie ruht *auf dem Vergessen,* sie ist die
Musik des Vergessens.

368

Der Zyniker redet. – Meine Einwände gegen die Musik Wagners sind physiologische Einwände: wozu dieselben erst noch
unter ästhetische Formeln verkleiden? Meine »Tatsache« ist,
daß ich nicht mehr leicht atme, wenn diese Musik erst auf
mich wirkt; daß alsbald mein *Fuß* gegen sie böse wird und
revoltiert – er hat das Bedürfnis nach Takt, Tanz, Marsch, er
verlangt von der Musik vorerst die Entzückungen, welche in

gutem Gehen, Schreiten, Springen, Tanzen liegen. – Protestiert aber nicht auch mein Magen? mein Herz? mein Blutlauf? mein Eingeweide? Werde ich nicht unvermerkt heiser dabei? – Und so frage ich mich: was *will* eigentlich mein ganzer Leib von der Musik überhaupt? Ich glaube, seine *Erleichterung*: wie als ob alle animalischen Funktionen durch leichte kühne ausgelassne selbstgewisse Rhythmen beschleunigt werden sollten; wie als ob das eherne, das bleierne Leben durch goldene, gute, zärtliche Harmonien vergoldet werden sollte. Meine Schwermut will in den Verstecken und Abgründen der *Vollkommenheit* ausruhn: dazu brauche ich Musik. Was geht mich das Drama an! Was die Krämpfe seiner sittlichen Ekstasen, an denen das »Volk« seine Genugtuung hat! Was der ganze Gebärden-Hokus-pokus des Schauspielers! ... Man errät, ich bin wesentlich antitheatralisch geartet – aber Wagner war umgekehrt wesentlich Theatermensch und Schauspieler, der begeistertste Mimomane, den es gegeben hat, auch noch als Musiker! ... Und, beiläufig gesagt: wenn es Wagners Theorie gewesen ist »das Drama ist der Zweck, die Musik ist immer nur dessen Mittel« – seine *Praxis* dagegen war, von Anfang bis zu Ende, »die Attitüde ist der Zweck, das Drama, auch die Musik ist immer nur *ihr* Mittel«. Die Musik als Mittel zur Verdeutlichung, Verstärkung, Verinnerlichung der dramatischen Gebärde und Schauspieler-Sinnenfälligkeit; und das Wagnersche Drama nur eine Gelegenheit zu vielen dramatischen Attitüden! Er hatte, neben allen anderen *Instinkten*, die kommandierenden Instinkte eines großen Schauspielers, in allem und jedem: und, wie gesagt, auch als Musiker. – Dies machte ich einstmals einem rechtschaffnen Wagnerianer klar, mit einiger Mühe; und ich hatte Gründe, noch hinzuzufügen »seien Sie doch ein wenig ehrlicher gegen sich selbst: wir sind ja nicht im Theater! Im Theater ist man nur als Masse ehrlich; als einzelner lügt man, belügt man sich. Man läßt sich selbst zu Hause, wenn man ins Theater geht, man verzichtet auf das Recht der eignen Zunge und Wahl, auf seinen Geschmack, selbst auf seine Tapferkeit, wie man sie zwischen den eigenen vier Wänden gegen Gott und Mensch hat und übt. In das Theater bringt niemand die feinsten Sinne seiner Kunst mit, auch der Künstler nicht, der für das Theater arbeitet: da ist man Volk, Publikum, Herde, Weib, Pharisäer, Stimmvieh, Demokrat, Nächster, Mitmensch, da unterliegt noch das persönlichste Gewissen dem nivellierenden Zauber der ›größten Zahl‹, da wirkt die Dummheit als Lüsternheit und Kontagion, da regiert der ›Nachbar‹, da *wird* man Nachbar …« (Ich vergaß zu erzählen, was mir mein aufgeklärter Wagnerianer auf die physiologischen Einwände entgegnete: »Sie sind also eigentlich nur nicht gesund genug für unsere Musik?« –)

369

Unser Nebeneinander. – Müssen wir es uns nicht eingestehn, wir Künstler, daß es eine unheimliche Verschiedenheit in uns gibt, daß unser Geschmack und andrerseits unsre schöpferische Kraft auf eine wunderliche Weise für sich stehn, für sich stehn bleiben und ein Wachstum für sich haben – ich will sagen ganz verschiedne Grade und *tempi* von alt, jung, reif, mürbe, faul? So daß zum Beispiel ein Musiker zeitlebens Dinge schaffen könnte, die dem, was sein verwöhntes Zuhörer-Ohr, Zuhörer-Herz schätzt, schmeckt, vorzieht, *widersprechen* – er brauchte noch nicht einmal um diesen Widerspruch zu wissen! Man kann, wie eine fast peinlich-regelmäßige Erfahrung zeigt, leicht mit seinem Geschmack über den Geschmack seiner Kraft hinauswachsen, selbst ohne daß letztere dadurch gelähmt und am Hervorbringen gehindert würde; es kann aber auch etwas Umgekehrtes geschehn – und dies gerade ist es, worauf ich die Aufmerksamkeit der Künstler lenken möchte. Ein Beständig-Schaffender, eine »Mutter« von Mensch, im großen Sinne des Wortes, ein solcher, der von nichts als von Schwangerschaften und Kindsbetten seines Geistes mehr weiß und hört, der gar keine Zeit hat, sich und sein Werk zu bedenken, zu vergleichen, der auch nicht mehr willens ist, seinen Geschmack noch zu üben, und ihn einfach vergißt, nämlich stehn, liegen oder fallen läßt – vielleicht bringt ein solcher endlich Werke hervor, *denen er mit seinem Urteile längst nicht mehr gewachsen ist*: so daß er über sie und sich Dummheiten sagt – sagt und denkt. Dies scheint mir bei fruchtbaren Künstlern beinahe das normale Verhältnis – niemand kennt ein Kind schlechter als seine Eltern – und es gilt sogar, um ein ungeheures Beispiel zu nehmen, in bezug auf die ganze griechische Dichter- und Künstler-Welt: sie hat niemals »gewußt«, was sie getan hat …

370

Was ist Romantik? – Man erinnert sich vielleicht, zum mindesten unter meinen Freunden, daß ich anfangs mir einigen dicken Irrtümern und Überschätzungen und jedenfalls als *Hoffender* auf diese moderne Welt losgegangen bin. Ich verstand – wer weiß, auf welche persönlichen Erfahrungen hin? – den philosophischen Pessimismus des neun, zehnten Jahrhunderts, wie als ob er das Symptom von höherer Kraft des Gedankens, von verwegenerer Tapferkeit, von siegreicherer *Fülle* des Lebens sei, als diese dem achtzehnten Jahrhundert, dem Zeitalter Humes, Kants, Condillacs und der Sensualisten, zu eigen gewesen sind: so daß mir die tragische Erkenntnis wie der eigentliche Luxus unsrer Kultur erschien, als deren kostbarste, vornehmste, gefährlichste Art Verschwendung, aber immerhin, auf Grund ihres Überreichtums, als ihr *erlaubter* Luxus. Desgleichen deutete ich mir die deutsche Musik zurecht zum Ausdruck einer dionysischen Mächtigkeit der deutschen Seele: in ihr glaubte ich das Erdbeben zu hören, mit dem eine von alters her aufgestaute Urkraft sich endlich Luft macht – gleichgültig dagegen, ob alles, was sonst Kultur heißt, dabei ins Zittern gerät. Man sieht, ich verkannte damals, sowohl am philosophischen Pessimismus wie an der deutschen Musik, das was ihren eigentlichen Charakter ausmacht – ihre *Romantik*. Was ist Romantik? Jede Kunst, jede Philosophie darf als Heil- und Hilfsmittel im Dienste des wachsenden, kämpfenden Lebens angesehen werden: sie setzen immer Leiden und Leidende voraus. Aber es gibt zweierlei Leidende, einmal die an der *Überfülle des Lebens* Leidenden, welche eine dionysische Kunst wollen und ebenso eine tragische Ansicht und Einsicht in das Leben – und sodann die an der *Verarmung des Lebens* Leidenden, die Ruhe, Stille, glattes Meer, Erlösung von sich durch die Kunst und Erkenntnis suchen, oder aber den Rausch, den Krampf, die Betäubung, den Wahnsinn. Dem Doppel-Bedürfnisse der *letzteren* entspricht alle Romantik in Künsten und Erkenntnissen, ihnen entsprach (und entspricht) ebenso Schopenhauer als Richard Wagner, um jene berühmtesten und ausdrücklichsten Romantiker zu nennen, welche damals von mir *mißverstanden* wurden – übrigens *nicht* zu ihrem Nachteile, wie man mir in aller Billigkeit zugestehen darf. Der Reichste an Lebensfülle, der dionysische Gott und Mensch, kann sich nicht nur den Anblick des Fürchterlichen und Fragwürdigen gönnen, sondern selbst die fürchterliche Tat und jeden Luxus von Zerstörung, Zersetzung, Verneinung; bei ihm erscheint das Böse, Unsinnige und Häßliche gleichsam erlaubt, infolge eines Überschusses von zeugenden, befruchtenden Kräften, welcher aus jeder Wüste noch ein üppiges Fruchtland zu schaffen imstande ist. Umgekehrt würde der Leidendste, Lebensärmste am meisten die Milde, Friedlichkeit, Güte nötig haben, im Denken und im Handeln, womöglich einen Gott, der ganz eigentlich ein Gott für Kranke, ein »Heiland« wäre; ebenso auch die Logik, die begriffliche Verständlichkeit des Daseins – denn die Logik beruhigt, gibt Vertrauen –, kurz eine gewisse warme, furchtabwehrende Enge und Einschließung in optimistische Horizonte. Dergestalt lernte ich allmählich Epikur begreifen, den Gegensatz eines dionysischen Pessimisten, ebenfalls den »Christen«, der in der Tat nur eine Art Epikureer und, gleich jenem, wesentlich Romantiker ist, – und mein Blick schärfte sich immer mehr für jene schwierigste und verfänglichste Form des *Rückschlusses*, in der die meisten Fehler gemacht werden – des Rückschlusses vom Werk auf den Urheber, von der Tat auf den Täter, vom Ideal auf den, der es *nötig hat*, von jeder Denk- und Wertungsweise auf das dahinter kommandierende *Bedürfnis*. – In Hinsicht auf alle ästhetischen Werte bediene ich mich jetzt dieser Hauptunterscheidung: ich frage in jedem einzelnen Falle »ist hier der Hunger oder der Überfluß schöpferisch geworden?« Von vornherein möchte sich eine andre Unterscheidung mehr zu empfehlen scheinen – sie ist bei weitem augenscheinlicher – nämlich das Augenmerk darauf, ob das Verlangen nach Starrmachen, Verewigen, nach *Sein* die Ursache des Schaffens ist oder aber das Verlangen nach Zerstörung, nach Wechsel, nach Neuem, nach Zukunft, nach *Werden*. Aber beide Arten des Verlangens erweisen sich, tiefer angesehen, noch als zweideutig, und zwar deutbar eben nach jenem vorangestellten und mit Recht, wie mich dünkt, vorgezogenen Schema. Das Verlangen nach *Zerstörung*, Wechsel, Werden kann der Ausdruck der übervollen, zukunftsschwangeren Kraft sein (mein *terminus* ist dafür, wie man weiß, das Wort »dionysisch«), aber es kann auch der Haß des Mißratenen, Entbehrenden, Schlechtweggekommenen sein, der zerstört, zerstören *muß*, weil ihn das Bestehende, ja alles Bestehn, alles Sein selbst empört und aufreizt – man sehe sich, um diesen Affekt zu verstehn, unsre Anarchisten aus der Nähe an. Der Wille zum *Verewigen* bedarf gleichfalls einer zwiefachen Interpretation. Er kann einmal aus Dankbarkeit und Liebe kommen – eine Kunst dieses Ursprungs wird immer eine Apotheosenkunst sein, dithyrambisch vielleicht mit Rubens, selig-spöttisch mit Hafis, hell und gütig mit Goethe, und einen Homerischen

Licht- und Glorienschein über alle Dinge breitend. Er kann aber auch jener tyrannische Wille eines Schwerleidenden, Kämpfenden, Torturierten sein, welcher das Persönlichste, Einzelnste, Engste, die eigentliche Idiosynkrasie seines Leidens noch zum verbindlichen Gesetz und Zwang stempeln möchte und der an allen Dingen gleichsam Rache nimmt, dadurch, daß er ihnen *sein* Bild, das Bild *seiner* Tortur, aufdrückt, einzwängt, einbrennt. Letzteres ist der *romantische Pessimismus* in seiner ausdrucksvollsten Form, sei es als Schopenhauersche Willens-Philosophie, sei es als Wagnersche Musik – der romantische Pessimismus, das letzte *große* Ereignis im Schicksal unsrer Kultur. (Daß es noch einen ganz anderen Pessimismus geben *könne*, einen klassischen – diese Ahnung und Vision gehört zu mir, als unablöslich von mir, als mein *proprium* und *ipsissimum*: nur daß meinen Ohren das Wort »klassisch« widersteht, es ist bei weitem zu abgebraucht, zu rund und unkenntlich geworden. Ich nenne jenen Pessimismus der Zukunft – denn er kommt! ich sehe ihn kommen! – den *dionysischen* Pessimismus.)

371

Wir Unverständlichen. – Haben wir uns je darüber beklagt, mißverstanden, verkannt, verwechselt, verleumdet, verhört und überhört zu werden? Eben das ist unser Los – oh für lange noch! sagen wir, um bescheiden zu sein, bis 1901 – es ist auch unsre Auszeichnung; wir würden uns selbst nicht genug in Ehren halten, wenn wir's anders wünschten. Man verwechselt uns – das macht, wir selbst wachsen, wir wechseln fortwährend, wir stoßen alte Rinden ab, wir häuten uns mit jedem Frühjahre noch, wir werden immer jünger, zukünftiger, höher, stärker, wir treiben unsre Wurzeln immer mächtiger in die Tiefe – ins Böse, – während wir zugleich den Himmel immer liebevoller, immer breiter umarmen und sein

Licht immer durstiger mit allen unsren Zweigen und Blättern in uns hineinsaugen. Wir wachsen wie Bäume — das ist schwer zu verstehen, wie alles Leben! — nicht an *einer* Stelle, sondern überall, nicht in *einer* Richtung, sondern ebenso hinauf, hinaus wie hinein und hinunter — unsre Kraft treibt zugleich in Stamm, Ästen und Wurzeln, es steht uns gar nicht mehr frei, irgend etwas einzeln zu tun, irgend etwas Einzelnes noch zu *sein* ... So ist es unser Los, wie gesagt; wir wachsen in die *Höhe*; und gesetzt, es wäre selbst unser Verhängnis — denn wir wohnen den Blitzen immer näher! — wohlan, wir halten es darum nicht weniger in Ehren, es bleibt das, was wir nicht teilen, nicht mitteilen wollen, das Verhängnis der Höhe, *unser* Verhängnis ...

372

Warum wir keine Idealisten sind. — Ehemals hatten die Philosophen Furcht vor den Sinnen: haben wir — diese Furcht vielleicht allzusehr verlernt? Wir sind heute allesamt Sensualisten, wir Gegenwärtigen und Zukünftigen in der Philosophie, *nicht* der Theorie nach, aber der Praxis, der Praktik ... Jene hingegen meinten, durch die Sinne aus *ihrer* Welt, dem kalten Reiche der »Ideen«, auf ein gefährliches südlicheres Eiland weggelockt zu werden: woselbst, wie sie fürchteten, ihre Philosophen-Tugenden wie Schnee in der Sonne wegschmelzen würden. »Wachs in den Ohren« war damals beinahe Bedingung des Philosophierens; ein echter Philosoph hörte das Leben nicht mehr, insofern Leben Musik ist, er *leugnete* die Musik des Lebens — es ist ein alter Philosophen-Aberglaube, daß alle Musik Sirenen-Musik ist. — Nun möchten wir heute geneigt sein, gerade umgekehrt zu urteilen (was an sich noch ebenso falsch sein könnte): nämlich daß die *Ideen* schlimmere Verführerinnen seien als die Sinne, mit allem ihrem kalten anämischen Anscheine und nicht einmal trotz diesem Anscheine – sie lebten immer vom »Blute« des Philosophen, sie zehrten immer seine Sinne aus, ja, wenn man uns glauben will, auch sein »Herz«. Diese alten Philosophen waren herzlos: Philosophieren war immer eine Art Vampyrismus. Fühlt ihr nicht an solchen Gestalten, wie noch der Spinozas, etwas tief Änigmatisches und Unheimliches? Seht ihr das Schauspiel nicht, das sich hier abspielt, das beständige *Blässer-werden* –, die immer idealischer ausgelegte Entsinnlichung? Ahnt ihr nicht im Hintergrunde irgendeine lange verborgene Blutaussaugerin, welche mit den Sinnen ihren Anfang macht und zuletzt Knochen und Geklapper übrig behält, übrig läßt? – ich meine Kategorien, Formeln, *Worte* (denn, man vergebe mir, das was von Spinoza *übrig blieb, amor intellectualis dei,* ist ein Geklapper, nichts mehr! was *ist amor,* was *deus,* wenn ihnen jeder Tropfen Blut fehlt? …). *In summa:* aller philosophische Idealismus war bisher etwas wie Krankheit, wo er nicht, wie im Falle Platos, die Vorsicht einer überreichen und gefährlichen Gesundheit, die Furcht vor *übermächtigen* Sinnen, die Klugheit eines klugen Sokratikers war. – Vielleicht sind wir Modernen nur nicht gesund genug, um Platos Idealismus *nötig zu haben?* Und wir fürchten die Sinne nicht, weil – –

373

»Wissenschaft« als Vorurteil. – Es folgt aus den Gesetzen der Rangordnung, daß Gelehrte, insofern sie dem geistigen Mittelstande zugehören, die eigentlichen *großen* Probleme und Fragezeichen gar nicht in Sicht bekommen dürfen; zudem reicht ihr Mut und ebenso ihr Blick nicht bis dahin – vor allem, ihr Bedürfnis, das sie zu Forschern macht, ihr inneres Vorausnehmen und Wünschen, es möchte *so und so* beschaffen sein, ihr Fürchten und Hoffen kommt zu bald schon zur Ruhe, zur Befriedigung. Was zum Beispiel den pedantischen Engländer Herbert Spencer auf seine Weise schwärmen

macht und einen Hoffnungs-Strich, eine Horizont-Linie der Wünschbarkeit ziehen heißt, jene endliche Versöhnung von »Egoismus und Altruismus«, von der er fabelt, das macht unsereinem beinahe Ekel – eine Menschheit mit solchen Spencerschen Perspektiven als letzten Perspektiven schiene uns der Verachtung, der Vernichtung wert! Aber schon *daß* etwas als höchste Hoffnung von ihm empfunden werden muß, was anderen bloß als widerliche Möglichkeit gilt und gelten darf, ist ein Fragezeichen, welches Spencer nicht vorauszusehn vermocht hätte ... Ebenso steht es mit jenem Glauben, mit dem sich jetzt so viele materialistische Naturforscher zufrieden geben, dem Glauben an eine Welt, welche im menschlichen Denken, in menschlichen Wertbegriffen ihr Äquivalent und Maß haben soll, an eine »Welt der Wahrheit«, der man mit Hilfe unsrer viereckigen kleinen Menschenvernunft letztgültig beizukommen vermöchte – wie? wollen wir uns wirklich dergestalt das Dasein zu einer Rechenknechts-Übung und Stubenhockerei für Mathematiker herabwürdigen lassen? Man soll es vor allem nicht seines *vieldeutigen* Charakters entkleiden wollen: das fordert der *gute* Geschmack, meine Herren, der Geschmack der Ehrfurcht vor allem, was über euren Horizont geht! Daß allein eine Welt-Interpretation im Rechte sei, bei der *ihr* zu Rechte besteht, bei der wissenschaftlich in eurem Sinne (– ihr meint eigentlich *mechanistisch?*) geforscht und fortgearbeitet werden kann, eine solche, die Zählen, Rechnen, Wägen, Sehen und Greifen und nichts weiter zuläßt, das ist eine Plumpheit und Naivität, gesetzt daß es keine Geisteskrankheit, kein Idiotismus ist. Wäre es umgekehrt nicht recht wahrscheinlich, daß sich gerade das Oberflächlichste und Äußerlichste vom Dasein – sein Scheinbarstes, seine Haut und Versinnlichung – am ersten fassen ließe? vielleicht sogar allein fassen ließe? Eine »wissenschaftliche« Welt-Interpretation, wie ihr sie versteht, könnte folglich immer noch eine der *dümmsten*, das heißt sinnärmsten aller möglichen Welt-Interpretationen sein: dies den Herrn

Mechanikern ins Ohr und Gewissen gesagt, die heute gern unter die Philosophen laufen und durchaus vermeinen, Mechanik sei die Lehre von den ersten und letzten Gesetzen, auf denen wie auf einem Grundstocke alles Dasein aufgebaut sein müsse. Aber eine essentiell mechanische Welt wäre eine essentiell *sinnlose* Welt! Gesetzt, man schätzte den *Wert* einer Musik danach ab, wie viel von ihr gezählt, berechnet, in Formeln gebracht werden könne – wie absurd wäre eine solche »wissenschaftliche« Abschätzung der Musik! Was hätte man von ihr begriffen, verstanden, erkannt! Nichts, geradezu nichts von dem, was eigentlich an ihr »Musik« ist! ...

374

Unser neues »Unendliches«. – Wie weit der perspektivische Charakter des Daseins reicht oder gar ob es irgendeinen andren Charakter noch hat, ob nicht ein Dasein ohne Auslegung, ohne »Sinn« eben zum »Unsinn« wird, ob, andrerseits, nicht alles Dasein essentiell ein *auslegendes* Dasein ist – das kann, wie billig, auch durch die fleißigste und peinlich-gewissenhafteste Analyse und Selbstprüfung des Intellekts nicht ausgemacht werden: da der menschliche Intellekt bei dieser Analyse nicht umhin kann, sich selbst unter seinen perspektivischen Formen zu sehn und *nur* in ihnen zu sehn. Wir können nicht um unsre Ecke sehn: es ist eine hoffnungslose Neugierde, wissen zu wollen, was es noch für andre Arten Intellekt und Perspektive geben *könnte*: zum Beispiel ob irgendwelche Wesen die Zeit zurück oder abwechselnd vorwärts und rückwärts empfinden können (womit eine andre Richtung des Lebens und ein andrer Begriff von Ursache und Wirkung gegeben wäre). Aber ich denke, wir sind heute zum mindesten ferne von der lächerlichen Unbescheidenheit, von unsrer Ecke aus zu dekretieren, daß man nur von dieser Ecke aus Perspektiven haben *dürfe*. Die Welt ist uns vielmehr noch einmal »unendlich« geworden: insofern wir die Möglichkeit nicht abweisen können, daß sie *unendliche Interpretationen in sich schließt*. Noch einmal faßt uns der große Schauder – aber wer hätte wohl Lust, *dieses* Ungeheure von unbekannter Welt nach alter Weise sofort wieder zu vergöttlichen? Und etwa *das* Unbekannte fürderhin als »*den* Unbekannten« anzubeten? Ach es sind zu viele *ungöttliche* Möglichkeiten der Interpretation mit in dieses Unbekannte eingerechnet, zu viel Teufelei, Dummheit, Narrheit der Interpretation – unsre eigne menschliche, allzumenschliche selbst, die wir kennen …

375

Warum wir Epikureer scheinen. – Wir sind vorsichtig, wir modernen Menschen, gegen letzte Überzeugungen; unser Mißtrauen liegt auf der Lauer gegen die Bezauberungen und Gewissens-Überlistungen, welche in jedem starken Glauben, jedem unbedingten Ja und Nein liegen: wie erklärt sich das? Vielleicht, daß man darin zu einem guten Teil die Behutsamkeit des »gebrannten Kindes«, des enttäuschten Idealisten sehn darf, zu einem andern und bessern Teile aber auch die frohlockende Neugierde eines ehemaligen Eckenstehers, der durch seine Ecke in Verzweiflung gebracht worden ist und nunmehr im Gegensatz der Ecke schwelgt und schwärmt, im Unbegrenzten, im »Freien an sich«. Damit bildet sich ein nahezu epikurischer Erkenntnis-Hang aus, welcher den Fragezeichen-Charakter der Dinge nicht leichten Kaufs fahren lassen will; insgleichen ein Widerwille gegen die großen Moral-Worte und -Gebärden, ein Geschmack, der alle plumpen vierschrötigen Gegensätze ablehnt und sich seiner Übung in Vorbehalten mit Stolz bewußt ist. Denn *das* macht unsern Stolz aus, dieses leichte Zügel-Straffziehn bei unsrem vorwärtsstürmenden Drange nach Gewißheit, diese Selbstbeherrschung des Reiters auf seinen wildesten Ritten: nach wie vor nämlich haben wir tolle feurige Tiere unter uns, und wenn wir zögern, so ist es am wenigsten wohl die Gefahr, die uns zögern macht …

376

Unsre langsamen Zeiten. – So empfinden alle Künstler und Menschen der »Werke«, die mütterliche Art Mensch: immer glauben sie, bei jedem Abschnitte ihres Lebens – den ein Werk jedesmal abschneidet –, schon am Ziele selbst zu sein, immer würden sie den Tod geduldig entgegennehmen, mit dem Gefühl: »dazu sind wir reif«. Dies ist nicht der Ausdruck der Ermüdung – vielmehr der einer gewissen herbstlichen Sonnigkeit und Milde, welche jedesmal das Werk selbst, das Reifgewordensein eines Werks, bei seinem Urheber hinter- läßt. Da verlangsamt sich das *tempo* des Lebens und wird dick und honigflüssig – bis zu langen Fermaten, bis zum Glauben an *die* lange Fermate …

377

Wir Heimatlosen. – Es fehlt unter den Europäern von heute nicht an solchen, die ein Recht haben, sich in einem abhe- benden und ehrenden Sinne Heimatlose zu nennen – ihnen gerade sei meine geheime Weisheit und *gaya scienza* ausdrück- lich ans Herz gelegt! Denn ihr Los ist hart, ihre Hoffnung un- gewiß, es ist ein Kunststück, ihnen einen Trost zu erfinden – aber was hilft es! Wir Kinder der Zukunft, wie *vermöchten* wir in diesem Heute zu Hause zu sein! Wir sind allen Idealen ab- günstig, auf welche hin einer sich sogar in dieser zerbrech- lichen, zerbrochenen Übergangszeit noch heimisch fühlen könnte; was aber deren »Realitäten« betrifft, so glauben wir nicht daran, daß sie *Dauer* haben. Das Eis, das heute noch trägt, ist schon sehr dünn geworden: der Tauwind weht, wir selbst, wir Heimatlosen, sind etwas, das Eis und andre allzudünne »Realitäten« aufbricht ... Wir »konservieren« nichts, wir wollen auch in keine Vergangenheit zurück, wir sind durchaus nicht »liberal«, wir arbeiten nicht für den »Fortschritt«, wir brauchen unser Ohr nicht erst gegen die Zukunfts-Sirenen des Marktes zu verstopfen – das, was sie singen, »gleiche Rechte«, »freie Gesellschaft«, »keine Herren mehr und keine Knechte«, das lockt uns nicht! – wir halten es schlechterdings nicht für wünschenswert, daß das Reich der Gerechtigkeit und Eintracht auf Erden gegründet werde (weil es unter allen Umständen das Reich der tiefsten Vermittelmäßigung und Chinaserei sein würde), wir freuen uns an allen, die gleich uns die Gefahr, den Krieg, das Abenteuer lieben, die sich nicht abfinden, einfangen, versöhnen und verschneiden lassen, wir rechnen uns selbst unter die Eroberer, wir denken über die Notwendigkeit neuer Ordnungen nach, auch einer neuen Sklaverei – denn zu jeder Verstärkung und Erhöhung des Typus »Mensch« gehört auch eine neue Art Versklavung hinzu – nicht wahr? mit alledem müssen wir schlecht in einem Zeitalter zu Hause sein, welches die Ehre in Anspruch zu nehmen liebt, das menschlichste, mildeste, rechtlichste Zeitalter zu heißen, das die Sonne bisher gesehen hat? Schlimm genug, daß wir gerade bei diesen schönen Worten um so häßlichere Hintergedanken haben! Daß wir darin nur den Ausdruck – auch die Maskerade – der tiefen Schwächung, der Ermüdung, des Alters, der absinkenden Kraft sehen! Was kann uns daran gelegen sein, mit was für Flittern ein Kranker seine Schwäche aufputzt! Mag er sie als seine *Tugend* zur Schau tragen – es unterliegt ja keinem Zweifel, daß die Schwäche mild, ach so mild, so rechtlich, so unoffensiv, so »menschlich« macht! – Die »Religion des Mitleidens«, zu der man uns überreden möchte – oh wir kennen die hysterischen Männlein und Weiblein genug, welche heute gerade diese Religion zum Schleier und Aufputz nötig haben!

Wir sind keine Humanitarier; wir würden uns nie zu erlauben wagen, von unsrer »Liebe zur Menschheit« zu reden – dazu ist unsereins nicht Schauspieler genug! Oder nicht Saint-Simonist genug, nicht Franzose genug. Man muß schon mit einem *gallischen* Übermaß erotischer Reizbarkeit und verliebter Ungeduld behaftet sein, um sich in ehrlicher Weise sogar noch der Menschheit mit seiner Brunst zu nähern ... Der Menschheit! Gab es je noch ein scheußlicheres altes Weib unter allen alten Weibern? (– es müßte denn etwa »die Wahrheit« sein: eine Frage für Philosophen). Nein, wir lieben die Menschheit nicht; andererseits sind wir aber auch lange nicht »deutsch« genug, wie heute das Wort »deutsch« gang und gäbe ist, um dem Nationalismus und dem Rassenhaß das Wort zu reden, um an der nationalen Herzenskrätze und Blutvergiftung Freude haben zu können, derenthalben sich jetzt in Europa Volk gegen Volk wie mit Quarantänen abgrenzt, absperrt. Dazu sind wir zu unbefangen, zu boshaft, zu verwöhnt, auch zu gut unterrichtet, zu »gereist«: wir ziehen es bei weitem vor, auf Bergen zu leben, abseits, »unzeitgemäß«, in vergangnen oder kommenden Jahrhunderten, nur damit wir uns die stille Wut ersparen, zu der wir uns verurteilt wüßten als Augenzeugen einer Politik, die den deutschen Geist öde macht, indem sie ihn eitel macht, und *kleine* Politik außerdem ist – hat sie nicht nötig, damit ihre eigene Schöpfung nicht sofort wieder auseinanderfällt, sie zwischen zwei Todhasse zu pflanzen? *muß* sie nicht die Verewigung der Kleinstaaterei Europas wollen? ... Wir Heimatlosen, wir sind der Rasse und Abkunft nach zu vielfach und gemischt, als »moderne Menschen«, und folglich wenig versucht, an jener verlognen Rassen-Selbstbewunderung und Unzucht teilzunehmen, welche sich heute in Deutschland als Zeichen deutscher Gesinnung zur Schau trägt und die bei dem Volke des »historischen Sinns« zwiefach falsch und unanständig anmutet. Wir sind, mit einem Worte – und es soll unser Ehrenwort sein! – *gute Europäer,* die Erben Europas, die reichen, über-

häuften, aber auch überreich verpflichteten Erben von Jahrtausenden des europäischen Geistes: als solche auch dem
Christentum entwachsen und abhold, und gerade, weil wir
aus ihm gewachsen sind, weil unsre Vorfahren Christen von
rücksichtsloser Rechtschaffenheit des Christentums waren,
die ihrem Glauben willig Gut und Blut, Stand und Vaterland
zum Opfer gebracht haben. Wir − tun desgleichen. Wofür
doch? Für unsern Unglauben? Für jede Art Unglauben? Nein,
das wißt ihr besser, meine Freunde! Das verborgne *Ja* in euch
ist stärker als alle Neins und Vielleichts, an denen ihr mit
eurer Zeit krank seid; und wenn ihr aufs Meer müßt, ihr Aus-
wanderer, zwingt dazu auch euch − ein *Glaube*! …

378

»Und werden wieder hell.« − Wir Freigebigen und Reichen des
Geistes, die wir gleich offnen Brunnen an der Straße stehn
und es niemandem wehren mögen, daß er aus uns schöpft:
wir wissen uns leider nicht zu wehren, wo wir es möchten,
wir können durch nichts verhindern, daß man uns *trübt*, fin-
ster macht − daß die Zeit, in der wir leben, ihr »Zeitlichstes«,
daß deren schmutzige Vögel ihren Unrat, die Knaben ihren
Krimskrams und erschöpfte, an uns ausruhende Wandrer ihr
kleines und großes Elend *in* uns werfen. Aber wir werden es
machen, wie wir es immer gemacht haben: wir nehmen, was
man auch in uns wirft, hinab in unsre Tiefe − denn wir sind
tief, wir vergessen nicht − *und werden wieder hell* …

379

Zwischenrede des Narren. − Das ist kein Misanthrop, der dies
Buch geschrieben hat: der Menschenhaß bezahlt sich heute zu
teuer. Um zu hassen, wie man ehemals *den* Menschen gehaßt

hat, timonisch, im ganzen, ohne Abzug, aus vollem Herzen, aus der ganzen *Liebe* des Hasses – dazu müßte man aufs Verachten Verzicht leisten – und wieviel feine Freude, wieviel Geduld, wieviel Gütigkeit selbst verdanken wir gerade unsrem Verachten! Zudem sind wir damit die »Auserwählten Gottes«: das feine Verachten ist unser Geschmack und Vorrecht, unsre Kunst, unsre Tugend vielleicht, wir Modernsten unter den Modernen! ... Der Haß dagegen stellt gleich, stellt gegenüber, im Haß ist Ehre, endlich: im Haß ist *Furcht*, ein großer, guter Teil Furcht. Wir Furchtlosen aber, wir geistigeren Menschen dieses Zeitalters, wir kennen unsern Vorteil gut genug, um gerade als die Geistigeren in Hinsicht auf diese Zeit ohne Furcht zu leben. Man wird uns schwerlich köpfen, einsperren, verbannen; man wird nicht einmal unsre Bücher verbieten und verbrennen. Das Zeitalter liebt den Geist, es liebt uns und hat uns nötig, selbst wenn wir es ihm zu verstehn geben müßten, daß wir in der Verachtung Künstler sind; daß uns jeder Umgang mit Menschen einen leichten Schauder macht; daß wir mit aller unsrer Milde, Geduld, Menschenfreundlichkeit, Höflichkeit unsre Nase nicht überreden können, von ihrem Vorurteile abzustehn, welches sie gegen die Nähe eines Menschen hat; daß wir die Natur lieben, je weniger menschlich es in ihr zugeht, und die Kunst, *wenn* sie die Flucht des Künstlers vor dem Menschen oder der Spott des Künstlers über den Menschen oder der Spott des Künstlers über sich selber ist ...

380

»Der Wanderer« redet. – Um unsrer europäischen Moralität einmal aus der Ferne ansichtig zu werden, um sie an anderen, früheren oder kommenden, Moralitäten zu messen, dazu muß man es machen, wie es ein Wanderer macht, der wissen will, wie hoch die Türme einer Stadt sind: dazu *verläßt* er die Stadt.

»Gedanken über moralische Vorurteile«, falls sie nicht Vorurteile über Vorurteile sein sollen, setzen eine Stellung *außerhalb* der Moral voraus, irgendein Jenseits von Gut und Böse, zu dem man steigen, klettern, fliegen muß – und, im gegebnen Falle, jedenfalls ein Jenseits von *unsrem* Gut und Böse, eine Freiheit von allem »Europa«, letzteres als eine Summe von kommandierenden Werturteilen verstanden, welche uns in Fleisch und Blut übergegangen sind. Daß man gerade dorthinaus, dorthinauf *will*, ist vielleicht eine kleine Tollheit, ein absonderliches, unvernünftiges »du mußt« – denn auch wir Erkennenden haben unsre Idiosynkrasien des »unfreien Willens« –: die Frage ist, ob man wirklich dorthinauf *kann*. Dies mag an vielfachen Bedingungen hängen; in der Hauptsache ist es die Frage danach, wie leicht oder wie schwer wir sind, das Problem unsrer »spezifischen Schwere«. Man muß *sehr leicht* sein, um seinen Willen zur Erkenntnis bis in eine solche Ferne und gleichsam über seine Zeit hinaus zu treiben, um sich zum Überblick über Jahrtausende Augen zu schaffen und noch dazu reinen Himmel in diesen Augen! Man muß sich von vielem losgebunden haben, was gerade uns Europäer von heute drückt, hemmt, niederhält, schwer macht. Der Mensch eines solchen Jenseits, der die obersten Wertmaße seiner Zeit selbst in Sicht bekommen will, hat dazu vorerst nötig, diese Zeit in sich selbst zu »überwinden« – es ist die Probe seiner Kraft – und folglich nicht nur seine Zeit, sondern auch seinen bisherigen Widerwillen und Widerspruch *gegen* diese Zeit, sein Leiden *an* dieser Zeit, seine Zeit-Ungemäßheit, seine *Romantik* …

381

Zur Frage der Verständlichkeit. – Man will nicht nur verstanden werden, wenn man schreibt, sondern ebenso gewiß auch *nicht* verstanden werden. Es ist noch ganz und gar kein Einwand gegen ein Buch, wenn irgend jemand es unverständlich fin-

det: vielleicht gehörte eben dies zur Absicht seines Schrei-
bers – er *wollte* nicht von »irgend jemand« verstanden werden.
Jeder vornehmere Geist und Geschmack wählt sich, wenn er
sich mitteilen will, auch seine Zuhörer; indem er sie wählt,
zieht er zugleich gegen »die anderen« seine Schranken. Alle
feineren Gesetze eines Stils haben da ihren Ursprung: sie halten zugleich ferne, sie schaffen Distanz, sie verbieten »den
Eingang«, das Verständnis, wie gesagt – während sie denen die
Ohren aufmachen, die uns mit den Ohren verwandt sind.
Und daß ich es unter uns sage und in meinem Falle – ich will
mich weder durch meine Unwissenheit, noch durch die
Munterkeit meines Temperaments verhindern lassen, *euch*
verständlich zu sein, meine Freunde: durch die Munterkeit
nicht, wie sehr sie auch mich zwingt, einer Sache geschwind
beizukommen, um ihr überhaupt beizukommen. Denn ich
halte es mit tiefen Problemen wie mit einem kalten Bade –
schnell hinein, schnell hinaus. Daß man damit nicht in die
Tiefe, nicht tief genug *hinunter* komme, ist der Aberglaube der
Wasserscheuen, der Feinde des kalten Wassers; sie reden ohne
Erfahrung. Oh! Die große Kälte macht geschwind! – Und nebenbei gefragt: bleibt wirklich eine Sache dadurch allein
schon unverstanden und unerkannt, daß sie nur im Fluge berührt, angeblickt, angeblitzt wird? Muß man durchaus erst auf
ihr festsitzen? auf ihr wie auf einem Ei gebrütet haben? *Diu
noctuque incubando*, wie Newton von sich selbst sagte? Zum
mindesten gibt es Wahrheiten von einer besonderen Scheu
und Kitzlichkeit, deren man nicht anders habhaft wird als
plötzlich – die man *überraschen* oder lassen muß … Endlich hat
meine Kürze noch einen andren Wert: innerhalb solcher Fragen, wie sie mich beschäftigen, muß ich vieles kurz sagen,
damit es noch kürzer gehört wird. Man hat nämlich als Im-
moralist zu verhüten, daß man die Unschuld verdirbt, ich
meine die Esel und die alten Jungfern beiderlei Geschlechts,
die nichts vom Leben haben als ihre Unschuld; mehr noch,
meine Schriften sollen sie begeistern, erheben, zur Tugend

ermutigen. Ich wüßte nichts auf Erden, was lustiger wäre als begeisterte alte Esel zu sehn und Jungfern, welche durch die süßen Gefühle der Tugend erregt werden: und »das habe ich gesehn« – also sprach Zarathustra. So viel in Absicht der Kürze; schlimmer steht es mit meiner Unwissenheit, deren ich selbst vor mir selber kein Hehl habe. Es gibt Stunden, wo ich mich ihrer schäme; freilich ebenfalls Stunden, wo ich mich dieser Scham schäme. Vielleicht sind wir Philosophen allesamt heute zum Wissen schlimm gestellt: die Wissenschaft wächst, die Gelehrtesten von uns sind nahe daran zu entdek-ken, daß sie zu wenig wissen. Aber schlimmer wäre es immer noch, wenn es anders stünde – wenn wir *zu viel* wüßten; unsre Aufgabe ist und bleibt zuerst, uns nicht selber zu ver-wechseln. Wir *sind* etwas anderes als Gelehrte: obwohl es nicht zu umgehn ist, daß wir auch, unter anderem, gelehrt sind. Wir haben andre Bedürfnisse, ein anderes Wachstum, eine andre Verdauung: wir brauchen mehr, wir brauchen auch weniger. Wieviel ein Geist zu seiner Ernährung nötig hat, dafür gibt es keine Formel; ist aber sein Geschmack auf Unabhängigkeit gerichtet, auf schnelles Kommen und Gehn, auf Wanderung, auf Abenteuer vielleicht, denen nur die Ge-schwindesten gewachsen sind, so lebt er lieber frei mit schma-ler Kost als unfrei und gestopft. Nicht Fett, sondern die größte Geschmeidigkeit und Kraft ist das, was ein guter Tän-zer von seiner Nahrung will – und ich wüßte nicht, was der Geist eines Philosophen mehr zu sein wünschte, als ein guter Tänzer. Der Tanz nämlich ist sein Ideal, auch seine Kunst, zu-letzt auch seine einzige Frömmigkeit, sein »Gottesdienst« …

382

Die große Gesundheit. – Wir Neuen, Namenlosen, Schlecht-verständlichen, wir Frühgeburten einer noch unbewiesenen Zukunft – wir bedürfen zu einem neuen Zwecke auch eines

neuen Mittels, nämlich einer neuen Gesundheit, einer stärkeren, gewitzteren, zäheren, verwegneren, lustigeren, als alle
Gesundheiten bisher waren. Wessen Seele danach dürstet,
den ganzen Umfang der bisherigen Werte und Wünschbar-
keiten erlebt und alle Küsten dieses idealischen »Mittelmeers«
umschifft zu haben, wer aus den Abenteuern der eigensten
Erfahrung wissen will, wie es einem Eroberer und Entdecker
des Ideals zumute ist, insgleichen einem Künstler, einem Heiligen, einem Gesetzgeber, einem Weisen, einem Gelehrten,
einem Frommen, einem Wahrsager, einem Göttlich-Abseiti-
gen alten Stils: der hat dazu zuallererst eins nötig, *die große Gesundheit* – eine solche, welche man nicht nur hat, sondern
auch beständig noch erwirbt und erwerben muß, weil man sie
immer wieder preisgibt, preisgeben muß! ... Und nun, nachdem wir lange dergestalt unterwegs waren, wir Argonauten
des Ideals, mutiger vielleicht als klug ist, und oft genug schiff-
brüchig und zu Schaden gekommen, aber wie gesagt gesün-
der, als man es uns erlauben möchte, gefährlich-gesund,
immer wieder gesund – will es uns scheinen, als ob wir, zum
Lohn dafür, ein noch unentdecktes Land vor uns haben, dessen Grenzen noch niemand abgesehn hat, ein Jenseits aller
bisherigen Länder und Winkel des Ideals, eine Welt so überreich an Schönem, Fremdem, Fragwürdigem, Furchtbarem
und Göttlichem, daß unsre Neugierde ebensowohl wie unser
Besitzdurst außer sich geraten sind – ach, daß wir nunmehr
durch nichts mehr zu ersättigen sind! Wie könnten wir uns,
nach solchen Ausblicken und mit einem solchen Heißhunger
in Gewissen und Wissen, noch *am gegenwärtigen Menschen*
genügen lassen? Schlimm genug: aber es ist unvermeidlich,
daß wir seinen würdigsten Zielen und Hoffnungen nur mit
einem übel aufrecht erhaltenen Ernste zusehn und vielleicht
nicht einmal mehr zusehn. Ein andres Ideal läuft vor uns her,
ein wunderliches, versucherisches, gefahrenreiches Ideal, zu
dem wir niemanden überreden möchten, weil wir niemandem
so leicht das *Recht darauf* zugestehn: das Ideal eines Gei-

stes, der naiv, das heißt ungewollt und aus überströmender Fülle und Mächtigkeit mit allem spielt, was bisher heilig, gut, unberührbar, göttlich hieß; für den das Höchste, woran das Volk billigerweise sein Wertmaß hat, bereits so viel wie Gefahr, Verfall, Erniedrigung oder, mindestens, wie Erholung, Blindheit, zeitweiliges Selbstvergessen bedeuten würde; das Ideal eines menschlich-übermenschlichen Wohlseins und Wohlwollens, das oft genug *unmenschlich* erscheinen wird, zum Beispiel wenn es sich neben den ganzen bisherigen Erden-Ernst, neben alle Art Feierlichkeit in Gebärde, Wort, Klang, Blick, Moral und Aufgabe wie deren leibhafteste, unfreiwillige Parodie hinstellt – und mit dem, trotzalledem, vielleicht *der große Ernst* erst anhebt, das eigentliche Fragezeichen erst gesetzt wird, das Schicksal der Seele sich wendet, der Zeiger rückt, die Tragödie *beginnt* ...

383

Epilog. – Aber indem ich zum Schluß dieses düstere Fragezeichen langsam, langsam hinmale und eben noch willens bin, meinen Lesern die Tugenden des rechten Lesers – oh was für vergessene und unbekannte Tugenden! – ins Gedächtnis zu rufen, begegnet mir's, daß um mich das boshafteste, munterste, koboldigste Lachen laut wird: die Geister meines Buches selber fallen über mich her, ziehn mich an den Ohren und rufen mich zur Ordnung. »Wir halten es nicht mehr aus« – rufen sie mir zu –; »fort, fort mit dieser rabenschwarzen Musik. Ist es nicht rings heller Vormittag um uns? Und grüner weicher Grund und Rasen, das Königreich des Tanzes? Gab es je eine bessere Stunde, um fröhlich zu sein? Wer singt uns ein Lied, ein Vormittagslied, so sonnig, so leicht, so flügge, daß es die Grillen *nicht* verscheucht – daß es die Grillen vielmehr einlädt, mit zu singen, mit zu tanzen? Und lieber noch einen einfältigen bäurischen Dudelsack als solche geheimnisvolle Laute, solche Unkenrufe, Grabesstimmen und Murmeltierpfiffe, mit denen sie uns in ihrer Wildnis bisher regaliert haben, mein Herr Einsiedler und Zukunftsmusikant! Nein! Nicht solche Töne! Sondern laßt uns angenehmere anstimmen und freudenvollere!« – Gefällt es euch so, meine ungeduldigen Freunde? Wohlan! Wer wäre euch nicht gern zu Willen? Mein Dudelsack wartet schon, meine Kehle auch – sie mag ein wenig rauh klingen, nehmt fürlieb! dafür sind wir im Gebirge. Aber was ihr zu hören bekommt, ist wenigstens neu; und wenn ihrs nicht versteht, wenn ihr den *Sänger* mißversteht, was liegt daran! Das ist nun einmal »des Sängers Fluch«. Um so deutlicher könnt ihr seine Musik und Weise hören, um so besser auch nach seiner Pfeife – tanzen. *Wollt ihr das?* …

Lieder des Prinzen Vogelfrei

An Goethe

Das Unvergängliche
Ist nur dein Gleichnis!
Gott, der Verfängliche,
Ist Dichter-Erschleichnis ...

Welt-Rad, das rollende,
Streift Ziel auf Ziel:
Not – nennts der Grollende,
Der Narr nennts – Spiel ...

Welt-Spiel, das herrische
Mischt Sein und Schein: –
Das Ewig-Närrische
Mischt *uns* – hinein! ...

Dichters Berufung

Als ich jüngst, mich zu erquicken,
Unter dunklen Bäumen saß,
Hört ich ticken, leise ticken,
Zierlich, wie nach Takt und Maß.
Böse wurd ich, zog Gesichter, –
Endlich aber gab ich nach,
Bis ich gar, gleich einem Dichter,
Selber mit im Ticktack sprach.

Wie mir so im Verse-Machen
Silb um Silb ihr Hopsa sprang,
Mußt ich plötzlich lachen, lachen
Eine Viertelstunde lang.
Du ein Dichter? Du ein Dichter?
Stehts mit deinem Kopf so schlecht?
– »Ja, mein Herr, Sie sind ein Dichter«
Achselzuckt der Vogel Specht.

Wessen harr ich hier im Busche?
Wem doch laur ich Räuber auf?
Ists ein Spruch? Ein Bild? Im Husche
Sitzt mein Reim ihm hintendrauf.
Was nur schlüpft und hüpft, gleich sticht der
Dichter sichs zum Vers zurecht.
– »Ja, mein Herr, Sie sind ein Dichter«
Achselzuckt der Vogel Specht.

Reime, mein ich, sind wie Pfeile?
Wie das zappelt, zittert, springt,
Wenn der Pfeil in edle Teile
Des Lazerten-Leibchens dringt!
Ach, ihr sterbt dran, arme Wichter,
Oder taumelt wie bezecht!
– »Ja, mein Herr, Sie sind ein Dichter«
Achselzuckt der Vogel Specht.

Schiefe Sprüchlein voller Eile,
Trunkne Wörtlein, wie sichs drängt!
Bis ihr alle, Zeil an Zeile,
An der Ticktack-Kette hängt.
Und es gibt grausam Gelichter,
Das dies – freut? Sind Dichter – schlecht?
– »Ja, mein Herr, Sie sind ein Dichter«
Achselzuckt der Vogel Specht.
Höhnst du, Vogel? Willst du scherzen?

Stehts mit meinem Kopf schon schlimm,
Schlimmer stünds mit meinem Herzen?
Fürchte, fürchte meinen Grimm! –
Doch der Dichter – Reime flicht er
Selbst im Grimm noch schlecht und recht.
– »Ja, mein Herr, Sie sind ein Dichter«
Achselzuckt der Vogel Specht.

Im Süden

So häng ich denn auf krummem Aste
Und schaukle meine Müdigkeit.
Ein Vogel lud mich her zu Gaste,
Ein Vogelnest ists, drin ich raste.
Wo bin ich doch? Ach, weit! Ach, weit!

Das weiße Meer liegt eingeschlafen,
Und purpurn steht ein Segel drauf.
Fels, Feigenbäume, Turm und Hafen,
Idylle rings, Geblök von Schafen, –
Unschuld des Südens, nimm mich auf!

Nur Schritt für Schritt – das ist kein Leben,
Stets Bein vor Bein macht deutsch und schwer.
Ich hieß den Wind mich aufwärts heben,
Ich lernte mit den Vögeln schweben, –
Nach Süden flog ich übers Meer.

Vernunft! Verdrießliches Geschäfte!
Das bringt uns allzubald ans Ziel!
Im Fliegen lernt ich, was mich äffte, –
Schon fühl ich Mut und Blut und Säfte
Zu neuem Leben, neuem Spiel …

Einsam zu denken nenn ich weise,
Doch einsam singen – wäre dumm!
So hört ein Lied zu eurem Preise
Und setzt euch still um mich im Kreise,
Ihr schlimmen Vögelchen, herum!

So jung, so falsch, so umgetrieben
Scheint ganz ihr mir gemacht zum Lieben
Und jedem schönen Zeitvertreib?
Im Norden – ich gestehs mit Zaudern –
Liebt ich ein Weibchen, alt zum Schaudern:
»Die Wahrheit« hieß dies alte Weib …

Die fromme Beppa

Solang noch hübsch mein Leibchen,
Lohnt sichs schon, fromm zu sein.
Man weiß, Gott liebt die Weibchen,
Die hübschen obendrein.
Er wirds dem armen Mönchlein
Gewißlich gern verzeihn,
Daß er, gleich manchem Mönchlein,
So gern will bei mir sein.

Kein grauer Kirchenvater!
Nein, jung noch und oft rot,
Oft trotz dem grausten Kater
Voll Eifersucht und Not.
Ich liebe nicht die Greise,
Er liebt die Alten nicht:
Wie wunderlich und weise
Hat Gott dies eingericht!

Die Kirche weiß zu leben,
Sie prüft Herz und Gesicht.
Stets will sie mir vergeben, –
Ja, wer vergibt mir nicht!
Man lispelt mit dem Mündchen,
Man knixt und geht hinaus,
Und mit dem neuen Sündchen
Löscht man das alte aus.

Gelobt sei Gott auf Erden,
Der hübsche Mädchen liebt
Und derlei Herzbeschwerden
Sich selber gern vergibt.
Solang noch hübsch mein Leibchen,
Lohnt sichs schon fromm zu sein:
Als altes Wackelweibchen
Mag mich der Teufel frein!

Der geheimnisvolle Nachen

Gestern nachts, als alles schlief,
Kaum der Wind mit ungewissen
Seufzern durch die Gassen lief,
Gab mir Ruhe nicht das Kissen,
Noch der Mohn, noch, was sonst tief
Schlafen macht, – ein gut Gewissen.

Endlich schlug ich mir den Schlaf
Aus dem Sinn und lief zum Strande.
Mondhell wars und mild, ich traf
Mann und Kahn auf warmem Sande,
Schläfrig beide, Hirt und Schaf: –
Schläfrig stieß der Kahn vom Lande.

Eine Stunde, leicht auch zwei,
Oder wars ein Jahr? – da sanken
Plötzlich mir Sinn und Gedanken
In ein ewges Einerlei,
Und ein Abgrund ohne Schranken
Tat sich auf: – da wars vorbei!

– Morgen kam: auf schwarzen Tiefen
steht ein Kahn und ruht und ruht …
Was geschah? so riefs, so riefen
Hundert bald: was gab es? Blut? – –
Nichts geschah! Wir schliefen, schliefen
Alle – ach, so gut! so gut!

Liebeserklärung

(bei der aber der Dichter in eine Grube fiel –)

Oh Wunder! Fliegt er noch?
    Er steigt empor, und seine Flügel ruhn?
Was hebt und trägt ihn doch?
    Was ist ihm Ziel und Zug und Zügel nun?

Gleich Stern und Ewigkeit
    Lebt er in Höhn jetzt, die das Leben flieht,
Mitleidig selbst dem Neid –:
    Und hoch flog, wer ihn auch nur schweben sieht!

Oh Vogel Albatroß!
    Zur Höhe treibts mit ewgem Triebe mich.
Ich dachte dein: da floß
    Mir Trän um Träne, – ja, ich liebe dich!

Lied
eines theokritischen Ziegenhirten

Da lieg ich, krank im Gedärm, –
Mich fressen die Wanzen.
Und drüben noch Licht und Lärm!
Ich hörs, sie tanzen …

Sie wollte um diese Stund
Zu mir sich schleichen.
Ich warte wie ein Hund, –
Es kommt kein Zeichen.

Das Kreuz, als sies versprach?
Wie konnte sie lügen?
– Oder läuft sie jedem nach,
Wie meine Ziegen?

Woher ihr seidner Rock? –
Ah, meine Stolze?
Es wohnt noch mancher Bock
An diesem Holze?

– Wie kraus und giftig macht
Verliebtes Warten!
So wächst bei schwüler Nacht
Giftpilz im Garten.

Die Liebe zehrt an mir
Gleich sieben Übeln, –
Nichts mag ich essen schier.
Lebt wohl, ihr Zwiebeln!

Der Mond ging schon ins Meer,
Müd sind alle Sterne,
Grau kommt der Tag daher, –
Ich stürbe gerne.

»Diesen ungewissen Seelen«

Diesen ungewissen Seelen
Bin ich grimmig gram.
All ihr Ehren ist ein Quälen,
All ihr Lob ist Selbstverdruß und Scham.

Daß ich nicht an *ihrem* Stricke
Ziehe durch die Zeit,
Dafür grüßt mich ihrer Blicke
Giftig-süßer, hoffnungsloser Neid.

Möchten sie mir herzhaft fluchen
Und die Nase drehn!
Dieser Augen hilflos Suchen
Soll bei mir auf ewig irregehn.

Narr in Verzweiflung

Ach! Was ich schrieb auf Tisch und Wand
Mit Narrenherz und Narrenhand,
Das sollte Tisch und Wand mir zieren? ...

Doch *ihr* sagt: »Narrenhände schmieren, –
Und Tisch und Wand soll man purgieren,
Bis auch die letzte Spur verschwand!«

Erlaubt! Ich lege Hand mit an –,
Ich lernte Schwamm und Besen führen,
Als Kritiker, als Wassermann.

Doch, wenn die Arbeit abgetan,
Säh gern ich euch, ihr Überweisen,
Mit Weisheit Tisch und Wand besch ...

Rimus remedium

Oder: Wie kranke Dichter sich trösten

Aus deinem Munde,
Du speichelflüssige Hexe Zeit,
Tropft langsam Stund auf Stunde.
Umsonst, daß all mein Ekel schreit:
»Fluch, Fluch dem Schlunde
Der Ewigkeit!«

»Welt – ist von Erz:
Ein glühender Stier, – der hört kein Schrein.
Mit fliegenden Dolchen schreibt der Schmerz
Mir ins Gebein:
»Welt hat kein Herz,
Und Dummheit wärs, ihr gram drum sein!«

Gieß alle Mohne,
Gieß Fieber! Gift mir ins Gehirn!
Zu lang schon prüfst du mir Hand und Stirn.
Was frägst du? Was? »Zu welchem – Lohne?«
– Ha! Fluch der Dirn
Und ihrem Hohne!

Nein! Komm zurück!
Draußen ists kalt, ich höre regnen –
Ich sollte dir zärtlicher begegnen?
– Nimm! Hier ist Gold: wie glänzt das Stück! –
    Dich heißen »Glück«?
Dich, Fieber, segnen? –

    Die Tür springt auf!
Der Regen sprüht nach meinem Bette!
Wind löscht das Licht, – Unheil in Hauf!
– Wer jetzt nicht hundert *Reime* hätte,
    Ich wette, wette,
Der ginge drauf!

»Mein Glück!«

Die Tauben von San Marco seh ich wieder:
Still ist der Platz, Vormittag ruht darauf.
In sanfter Kühle schick ich müßig Lieder
Gleich Taubenschwärmen in das Blau hinauf –
    Und locke sie zurück,
Noch einen Reim zu hängen ins Gefieder
– mein Glück! Mein Glück!

Du stilles Himmels-Dach, blau-licht, von Seide,
Wie schwebst du schirmend ob des bunten Baus,
Den ich – was sag ich? – liebe, fürchte, *neide* ...
Die Seele wahrlich tränk ich gern ihm aus!
    Gäb ich sie je zurück? –
Nein, still davon, du Augen-Wunderweide!
– mein Glück! Mein Glück!

Du strenger Turm, mit welchem Löwendrange
Stiegst du empor hier, siegreich, sonder Müh!
Du überklingst den Platz mit tiefem Klange —:
Französisch wärst du sein *accent aigu?*
    Blieb ich gleich dir zurück,
Ich wüßte, aus welch seidenweichem Zwange ...
— mein Glück! Mein Glück!

Fort, fort Musik! Laß erst die Schatten dunkeln
Und wachsen bis zur braunen lauen Nacht!
Zum Tone ists zu früh am Tag, noch funkeln
Die Gold-Zieraten nicht in Rosen-Pracht,
    Noch blieb viel Tag zurück,
Viel Tag für Dichten, Schleichen, Einsam-Munkeln
— mein Glück! Mein Glück!

Nach neuen Meeren

Dorthin — *will* ich; und ich traue
Mir fortan und meinem Griff.
Offen liegt das Meer, ins Blaue
Treibt mein Genueser Schiff.

Alles glänzt mir neu und neuer,
Mittag schläft auf Raum und Zeit —:
Nur *dein* Auge — ungeheuer
Blickt michs an, Unendlichkeit!

Sils-Maria

Hier saß ich, wartend, wartend, — doch auf nichts,
Jenseits von Gut und Böse, bald des Lichts

Genießend, bald des Schattens, ganz nur Spiel,
Ganz See, ganz Mittag, ganz Zeit ohne Ziel.
    Da, plötzlich, Freundin! wurde eins zu zwei –
    – Und Zarathustra ging an mir vorbei …

An den Mistral

Ein Tanzlied

Mistral-Wind, du Wolken-Jäger,
Trübsal-Mörder, Himmels-Feger,
Brausender, wie lieb ich dich!
Sind wir zwei nicht eines Schoßes
Erstlingsgabe, eines Loses
Vorbestimmte ewiglich?

Hier auf glatten Felsenwegen
Lauf ich tanzend dir entgegen,
Tanzend, wie du pfeifst und singst:
Der du ohne Schiff und Ruder
Als der Freiheit freister Bruder
Über wilde Meere springst.

Kaum erwacht, hört ich dein Rufen,
Stürmte zu den Felsenstufen,
Hin zur gelben Wand am Meer.
Heil! Da kamst du schon gleich hellen
Diamantnen Stromesschnellen
Sieghaft von den Bergen her.

Auf den ebnen Himmels-Tennen
Sah ich deine Rosse rennen,
Sah den Wagen, der dich trägt,
Sah die Hand dir selber zücken,
Wenn sie auf der Rosse Rücken

Blitzesgleich die Geißel schlägt, –
Sah dich aus dem Wagen springen,
Schneller dich hinabzuschwingen,
Sah dich wie zum Pfeil verkürzt
Senkrecht in die Tiefe stoßen, –
Wie ein Goldstrahl durch die Rosen
Erster Morgenröten stürzt.

Tanze nun auf tausend Rücken,
Wellen-Rücken, Wellen-Tücken –
Heil, wer *neue* Tänze schafft!
Tanzen wir in tausend Weisen,
Frei – sei *unsre* Kunst geheißen,
Fröhlich – *unsre* Wissenschaft!

Raffen wir von jeder Blume
Eine Blüte uns zum Ruhme
Und zwei Blätter noch zum Kranz!
Tanzen wir gleich Troubadouren
Zwischen Heiligen und Huren,
Zwischen Gott und Welt den Tanz!

Wer nicht tanzen kann mit Winden,
Wer sich wickeln muß mit Binden,
Angebunden, Krüppel-Greis,
Wer da gleicht den Heuchel-Hänsen,
Ehren-Tölpeln, Tugend-Gänsen,
Fort aus unsrem Paradeis!

Wirbeln wir den Staub der Straßen
Allen Kranken in die Nasen,
Scheuchen wir die Kranken-Brut!
Lösen wir die ganze Küste
Von dem Odem dürrer Brüste,
Von den Augen ohne Mut!

Jagen wir die Himmels-Trüber,
Welten-Schwärzer, Wolken-Schieber,
Hellen wir das Himmelreich!
Brausen wir ... oh aller freien
Geister Geist, mit dir zu zweien
Braust mein Glück dem Sturme gleich. –

– Und daß ewig das Gedächtnis
Solchen Glücks, nimm sein Vermächtnis,
Nimm den *Kranz* hier mit hinauf!
Wirf ihn höher, ferner, weiter,
Stürm empor die Himmelsleiter,
Häng ihn – an den Sternen auf!

INHALT